오토캠핑
바이블

AUTOCAMPINGBIBLE

오토캠핑 바이블

김산환 지음

꿈의지도

여는글

2004년 여름. 캐나다 밴쿠버에서 5,000여km를 달려간 알래스카의 캠핑장에서 특별한 광경을 목격했다. 캠퍼들이 거대한 돔형 텐트 안에서 테이블과 캠핑의자를 놓고 한가로운 저녁을 보내고 있었던 것! 매일 밤 앉아 있기도 벅찬 1인용 텐트에서 자며, 저녁마다 떼로 달려드는 모기와 전쟁을 치르며 밥을 먹는 처지에서 여유 넘치는 그들의 캠핑 스타일이 한없이 부러웠다. '저런 캠핑을 하고 싶다!'는 생각이 들었다.

그날 느꼈던 부러움이 현실이 되기까지 오랜 시간이 걸리지 않았다. 마침 한국에도 마니아층을 중심으로 선진국의 오토캠핑문화가 퍼지고 있던 때라 서둘러 그 대열에 합류했다. 날마다 지름신을 모시고 캠핑장비를 사들이는 재미에 빠졌다. 주말이면 차 트렁크에 캠핑장비를 가득 싣고 캠핑을 갔다. 무엇보다 초등학교에 갓 입학한 아들과 함께 '캠핑놀이'를 한다는 것이 보람되고 뿌듯했다. 그 몇 년 동안의 캠핑 경험을 모아 2009년 여름 <오토캠핑 바이블>을 펴냈다. 독자들의 반응은 폭발적이었다. <오토캠핑 바이블>이 한국의 오토캠핑문화 확산의 기폭제가 되었다고 해도 과언이 아니었다.

그로부터 10년. 한동안 잠잠했던 우리나라에 다시 캠핑 바람이 불고 있다. 코로나19라는 최악의 바이러스가 세계를 초토화시키면서 '비대면'이 일상이 되어버렸다. 호텔도, 식당도, 사람 많은 여행지도 모두 기피 대상이 되었다. 나와 가족이 안전하게 머물 수 있는 곳만 찾았다. 그런 요구에 정확히 부합하는 게 캠핑이었다. 캠핑장도 싫어 차에서 자는 차박캠핑이 새로운 캠핑 트렌드로 급부상했다. 이와는 별도로 오토캠핑문화도 10년 동안 스스로 진화했다. 배낭에 모든 캠핑장비를 넣고 호젓한 공간을 찾아가는 백패킹이 캠핑의 한 장르로 자리잡았다. 텐트 대신 캠핑카나 트레일러를 찾는 캠퍼들도 급속하게 늘었다. 이렇게 캠핑의 진화와 코로나19라는 이슈가 겹치면서 다시 캠핑 전성시대가 열린 것이다.

절판되었던 <오토캠핑 바이블>을 다시 펴내기로 마음먹은 것은 이런 흐름과 무관치 않다. 끊임없이 새롭게 유입되는 초보캠퍼들에게 좋은 길잡이가 되어 줄 가이드북 한 권은 있어야 한다고 생각했다. 또 변화된 캠핑문화를 소개하고 새로운 길을 제시해 줄 필요성도 느꼈다. 지난 1년간 다시 캠핑장을 찾아다니고, 변화된 캠핑 노하우도 모았다. 그렇게 해서 <오토캠핑 바이블>이 다시 세상의 빛을 보게 됐다.

<오토캠핑 바이블>을 쓰면서 신세진 분들이 너무 많다. 오토캠핑 1세대로 아낌없이 캠핑노하우를 나눠줬던 달빛추억 장순철 선배, 캠핑장에서 함께 뒹굴며 목차 기획부터 사진 촬영을 도맡았던 최작가, 오토캠핑 대중화를 위해 함께 팔을 걷어붙였던 캠핑퍼스트 이동환 대표님과 김한수 이사님, <오토캠핑 바이블>이 출간되었을 때 자기 일처럼 기뻐하며 물심양면으로 도와주셨던 코베아 故 김동숙 회장님에게 깊은 감사를 드린다. 또 캠핑의 나날을 함께 하며 무럭무럭 성장해준 아들과 아내에게도 감사한다. 무엇보다 오늘도 자신만의 아지트를 찾아 캠핑을 떠나는 이 땅의 모든 캠퍼들에게 감사드린다.

2021년 6월

김산환

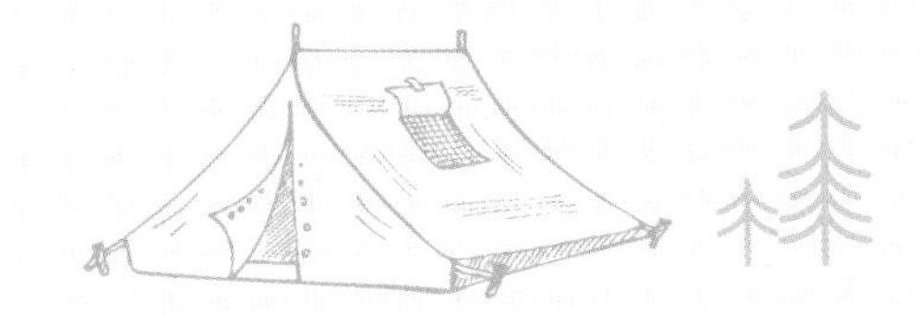

CONTENTS 목차

CHAPTER 1 캠핑의 역사

CHAPTER 2 오토캠핑 장비

CHAPTER
3
오토캠핑 가기

CONTENTS 목차

CHAPTER 1

캠핑의 역사

 HISTORY OF CAMPING

캠핑이란?

캠핑의 사전적 정의는 텐트나 임시로 지은 초막 등에서 일시적인 야외생활을 하는 여가활동이다. 조금 더 풀어보자면, 집과 도시를 벗어나 자연 속에 마련한 임시거처에 머무르면서 사람과의 우정을 돈독히 하고 자연을 느끼며 배우는 것이라 할 수 있다.

특히, 도시화가 급속히 진행되면서 대부분의 현대인은 마음 한구석에 자연에 대한 동경을 품게 되었다. 자연의 일부임에도 자연과 격리된 존재로 살아가는 도시인들은 누구나, 인공의 장벽이 없는 자연으로 돌아가 마음을 치유하고 다양한 야외활동을 즐기면서 휴식하고 싶은 욕망이 있는 것이다. 이런 현대인의 자연에 대한 동경과 갈증을 풀어 주는 활동 중 하나가 캠핑이다.

최근에는 캠핑의 교육적 가치가 새롭게 주목받고 있다. 캠핑은 콘크리트 속에 갇혀 사는 아이들에게 흙을 밟고, 자연의 기운을 느낄 수 있는 기회를 제공한다. 또한 아이들이 사회에 눈을 뜨고, 독립성을 기르게 한다. 어른들에게 자녀와 함께 하는 캠핑은 새롭게 가족애를 느낄 수 있는 기회를 제공한다.

캠핑은 또 야외활동을 위한 전진기지 역할도 한다. 캠핑을 떠나면 도심에서는 불가능한 다양한 활동, 예를 들어 등산이나 수영, 낚시, 산악자전거, 래프팅, 야생화 관찰, 조류 관찰, 별자리 관찰, 역사기행, 사진 촬영 등 자연과 친해지면서 견문을 넓힐 수 있는 야외활동을 경험할 수 있다.

이처럼 캠핑은 현대화가 진행될수록 점점 그 가치를 인정받고 있다. 캠핑은 미래사회로 갈수록, 첨단화와 도시화로 자연과 멀어질수록 그 가치를 더 인정 받을 것이다.

캠핑의 유래

레저활동 가운데 캠핑만큼 유래가 깊은 것도 없다. 인류가 농경사회로 접어들어 정착생활을 하기 전까지는 대자연이 집이고 생활의 무대였다. 비나 추위를 피할 수 있는 동굴이나 손쉽게 이동할 수 있는 텐트는 인류의 주된 주거공간이었다. 지금도 몽골의 초원이나 사막의 원주민들은 가장 원시적 주거형태인 텐트를 이용해 살아가고 있다.

원시인류에게 캠핑은 생존의 문제였다. 비나 눈, 바람 같은 자연적인 위협과 목숨을 노리는 맹수로부터 자신과 부족을 보호하기 위한 최적의 공간을 확보하는 게 캠핑의 중요한 목적이었다. 인류는 처음에 동굴과 같은 자연적인 은신처를 이용했으나 점차 사냥한 동물의 가죽을 이용해 집(텐트)을 짓는 능력을 갖추게 된다.

텐트는 원시인류의 삶에 획기적인 변화를 가져다주었다. 텐트를 이용하게 되면서, 더 이상 자연적인 은신처를 찾아다닐 필요가 없어진 것이다. 평원에서도 텐트만 있으면 비와 눈, 추위를 피할 수 있게 됐다. 또 간단하게 텐트를 설치하고 접을 수 있어 빠르게 다른 장소로 이동할 수 있게 됐다. 캠핑은 이처럼 텐트를 이용해 장소를 이동해가며 수렵생활을 하던 원시인류 때부터 시작됐다.

고대의 캠핑

인류가 정착생활을 한 후에도 캠핑은 여전히 소중한 자산이었다. 특히, 캠핑을 발달시킨 것은 전쟁이었다. 인류는 지역을 막론하고 부족이나 국가의 틀을 형성한 후부터 끊임없는 전쟁을 벌여왔다. 지금도 세계 곳곳에서는 전쟁이 끊이지 않고 있다. 전쟁은 적의 땅을 빼앗는 방식으로 진행된다. 현대는 공군과 해군의 중

요성이 점점 더 커지고 있지만, 역시 전쟁의 마무리는 보병의 몫이다. 보병이 적군의 나라로 진격해 그들의 심장에 깃발을 꽂았을 때 결국 승리를 외칠 수 있는 것이다.

이처럼 적의 땅으로 진격하는 일은 하루 이틀에 끝나지 않는다. 아우구스투스가 유럽을 정복하던 로마제국 시절이나 칭기즈칸이 세계를 손아귀에 넣던 중세에는 전쟁이 몇 년에 걸쳐 지속됐다. 병사들은 텐트를 집으로 삼아 야전에서 생활했다. 따라서 이들에게 캠핑의 기술을 익히는 것이 얼마나 중요한 일이었는지는 두말할 필요가 없다.

전쟁과 캠핑은 지금도 불가분의 관계를 유지하고 있다. 군대에서 받는 교육 가운데 캠핑은 큰 부분을 차지한다. 미군은 전쟁을 치르기 위해 군사를 주둔시키는 곳을 캠프라 부른다. 군인들의 개인장비 가운데 총을 비롯한 무기를 제외하면 대부분이 야영에 필요한 장비라는 것도 전쟁과 캠핑이 불가분의 관계라는 것을 말해준다.

상인들도 캠핑을 발전시키는 데 큰 역할을 했다. 과거 동서를 잇는 실크로드를 오가던 대상 행렬은 숱한 밤을 사막과 산과 평야에서 보내야 했다. 이들에게 야영은 선택이 아니라 필수였다. 낙타와 말의 등에는 언제나 텐트를 비롯한 장비들이 실려 있었을 것이다. 또한, 음식을 스스로 만들어 먹을 수 있는 도구들도 가지고 다녔을 것이다.

이들 외에도 수많은 직업을 가진 이들이 캠핑을 발전시켰다. 사냥꾼들은 며칠씩 숲에 머무르면서 사냥감을 쫓았다. 약초를 캐러 나선 이들도 마찬가지다. 전도에 나선 수도사도 마을을 만나지 못하면 야영을 해야 했고, 보물을 찾아 나선 탐험가들도 낯선 밀림 속에서 보이지 않는 적과 싸우며 불편한 밤을 보내야 했다.

이처럼 캠핑은 정착생활을 한 이후에도 인류의 생활과 밀접한 관련을 맺어왔다. 인류는 경제활동이나 군사활동을 위해 캠핑을 필수 불가결한 요소로 선택한 것이다.

근대의 캠핑

캠핑이 레저의 일부로 여겨진 것은 근대 이후부터다. 이때부터 군사적 이익이나 경제적 이익 등 특별한 목적을 이루기 위한 수단이 아닌, 자연과 더불어 느끼고 호흡하는 캠핑 그 자체를 즐기려는 움직임이 일기 시작했다. 이 같은 움직임은 먼저 미국에서 시작됐다. 19세기 후반 미국은 골드러시와 서부개척기, 남북전쟁을 겪으면서 캠핑의 전성기를 맞는다. 그러나 이때의 캠핑 역시 경제적인 이해와 군사적인 목적에서 이뤄진 것이다.

현대적인 의미의 캠핑은 남북전쟁 무렵 워싱턴의 거너리학교 교장이었던 F.W.건이 주도한 것으로 알려졌다. 캠핑의 교육적 가치에 주목한 그는 아이들이 캠핑을 통해 야외에서의 공동체 생활을 배울 수 있게 했다. 그후 자연을 배우고 즐기는 개인적 차원에서의 캠핑이 시도되기 시작했고, 1885년에는 S.F. 두들이 YMCA캠핑을 열었다. 1901년에는 최초의 캠핑클럽이 창설됐으며, 1910년에는 유스호스텔이 미국과 유럽 전역으로 확산되면서 캠핑도 중흥기를 맞았다. 그리고 마침내 1933년에는 최초의 국제 캠핑회의가 개최된다.

유럽의 경우 독일에서 시작된 반더포겔Wand-ervogel이 신호탄이 됐다. 반더포겔은 '철새'라는 뜻으로, 도보여행을 통해 청년들의 조국애와 인문적 식견을 넓히자는 운동이다. 1901년 반더포겔이 전국적 조직으로 발전하면서 도보여행과 함께 캠핑문화도 급속하게 확산된다. 반더포겔에서 비롯된 캠핑문화는 1910년 유럽 각지로 퍼져나간 유스호스텔과 함께 맞물려 현대적인 캠핑문화로 발전하게 된다.

전쟁과 캠핑 장비

20세기에 있었던 두 번의 세계대전은 인류에게는 재앙이었다. 그러나 한편으로 현대문명의 발전을 이끄는 계기가 되기도 했다. 이를테면 자동차나 오토바이, 비행기 등 지금 우리의 생활과 밀접하게 결합된 교통수단들은 전쟁을 치르면서 성능이 개선되고 비약적인 발전을 하였다.

캠핑 장비도 마찬가지다. 캠핑 장비는 전쟁을 치르는 직접적인 도구인 총이나 칼만큼 중요했다. 전쟁터에서 먹고, 자고, 생활하는 것은 병사들의 전투력과 직결된 문제였으므로, 전쟁에 참여한 국가들은 병사들이 사용하기 편리하도록 가볍고 성능 좋은 장비 개발에 심혈을 기울였다.

지금 우리가 사용하는 침낭이나 버너, 텐트 등은 대부분 두 번의 세계대전을 거치면서 만들어진 것이다. 특히, 미국 캠핑 장비의 대명사로 자리 잡은 콜맨의 랜턴이나 버너는 그 명성이 지금껏 유지되고 있다.

우리나라도 캠핑 초창기인 1970~1980년대는 군대에서 사용하던 장비가 큰 비중을 차지했다. A형 텐트와 군용 모포, 반합, 야전상의, 수통, 야전삽 등 남대문시장이나 동대문시장에는 미군부대에서 흘러나온 군용장비를 파는 전문점도 많았다.

오토캠핑의 등장

제2차 세계대전이 끝나면서 캠핑은 한걸음 진일보한다. 오토캠핑이 등장한 것이다. 이로써 사람이 모든 장비를 배낭에 넣어가지고 다니던 수고를 자동차가 대신해주게 되었다.

오토캠핑의 등장은 자동차의 빠른 보급이 있어서 가능했다. 전쟁이 끝나자 탱크나 전차 등 군수물자를 생산하던 공장들은 재빨리 자동차를 생산하는 공장으로 탈바꿈했으며, 이때에 맞춰 루트66과 같은 미국을 횡단하는 도로도 건설됐다. 사람들은 원하는 곳을 찾아 어디든 떠날 수 있게 된 것이다.

오토캠핑의 등장은 단순한 이동수단의 변화를 넘어서서 캠핑 장비의 질적인 변화와 새로운 아이템의 등장으로 이어진다. 오토캠핑 이전 시대의 장비는 가볍고 작아야 했다. 모든 장비를 사람의 힘으로 운반해야 했기 때문이다. 그러나 자동차가 등장하면서 캠핑 장비는 부피와 무게보다 성능 중심으로 변하게 됐다. 텐트의 경우 2~3인용에서 가족이 쓸 수 있는 5~6인용이 등장했다. 또 거주 공간과 잠자는 공간이 분리된 형태가 등장했으며, 스토브 역시 코펠을 2개씩 올릴 수 있는 사이즈로 커졌다.

새로운 캠핑도구도 속속 등장했다. 얼음을 넣어 음식물을 차갑게 해주는 아이스쿨러가 등장했으며, 바비큐 요리를 할 수 있는 대형 그릴도 선보였다. 텐트와 함께 타프(그늘막)가 필수품이 됐고, 의자와 조리대 등 캠핑가구도 등장했다. 겨울에는 장작난로가 캠핑장을 따뜻하게 만들어줬다. 이 같은 장비의 비약적인 발전으로, 가정에서 쓰는 모든 장비를 대체할 만큼 캠핑 장비의 종류가 다양해졌다. 즉, 집을 자연으로 옮겨놓았다고 해도 좋을 만큼 다양한 장비들이 쏟아져 나왔다.

오토캠핑은 캠퍼를 무거운 캠핑 장비로부터 해방시켰다. 또 캠퍼들이 더 이상 무거운 장비를 져나를 필요가 없어졌으므로, 캠핑 장비는 부피와 무게에 상관없이 최대한 편리하게 생활 수 있게 대형화됐다. 캠핑장에서도 집과 다름없

이 요리를 할 수 있게 됐으며, 어디든 마음먹은 곳으로 찾아가 캠핑을 할 수 있게 됐다.

반면, 오토캠핑과 달리 일반적인 캠핑도 나름의 진화를 거쳤다. 특히, 등산과 하이킹에 적합하도록 콤팩트 사이즈의 캠핑 장비들이 개발됐다. RV자동차 한 대에 해당하는 장비를 60ℓ짜리 배낭 하나에 다 담을 수 있게 초경량화된 것이다.

선진국의 오토캠핑

아직까지 캠핑은 선진국의 문화다. 선진국으로 갈수록 캠핑문화가 발달하였고 장비와 시설도 현대적이다. 북미와 서유럽, 일본의 경우 1970년대부터 캠핑이 레저활동의 중심으로 자리를 잡고 있다. 북미나 서유럽의 경우 일반캠핑과 오토캠핑이 분명하게 구분되어 있다. 이들 나라에서 캠핑이라고 하면 대부분 캠핑카나 트레일러를 이용한 오토캠핑을 의미한다. 캠핑카와 트레일러는 침대와 키친(주방) 등이 모두 갖춰진, 움직이는 집이다. 이를 북미에서는 모터홈Motor Home, 유럽에서는 모터

카라반Motor Caravan으로 부른다. 산악인이나 트레커들이 배낭에 모든 장비를 넣어가지고 다니는 일반캠핑은 백패킹이라고 한다. 반면, 캠핑 선진국인 일본의 경우 세미오토캠핑이 주를 이룬다. 캠핑카나 트레일러 대신 자동차에 캠핑 장비를 싣고 다니며 텐트를 주된 숙박 공간으로 이용한다.

북미나 서유럽의 경우 캠핑장도 일반캠핑장과 오토캠핑장으로 구분되어 있다. 일반 캠핑장은 캠핑카와 트레일러를 위한 시설이 부족하다. 캠핑사이트에 오폐수를 버릴 수 있는 덤핑시스템이나 전기, 상수도 등의 시설이 갖춰져 있지 않다. 일반적으로, 주차장과 텐트 사이트, 의자가 딸린 테이블, 모닥불을 피울 수 있는 바비큐 그릴, 공동화장실, 공동음수대 정도를 갖추고 있다. 이런 캠핑장은 주로 환경훼손을 최소화해야 하는 국립공원이나 오지처럼 상시적인 운영과 관리가 어려운 지역에 많다.

반면, 오토캠핑장은 대부분 대도시 주변과 중요한 거점이 되는 도로변에 있다. 이 곳은 텐트를 치는 일반캠핑이 아닌 캠핑카와 트레일러를 이용하는 오토캠퍼 중심이다. 캠핑사이트마다 오폐수와 전기, 상수도를 연결할 수 있는 시설이 기본으로 설치되어 있으며, 세탁소와 당구장, 테니스장, 수영장 등의 편의시설이 호화롭게 갖추어진 곳도 많다.

특히, 북미의 경우 대도시 주변에 오토캠핑장이 많다. 캠퍼들은 이곳에 트레일러를 고정시킨 후 짧게는 3~4일, 길게는 몇 주씩 묵는다. 도심관광이나 이동은 트레일러를 끌고 왔던 트럭이나 RV자동차를 이용한다. 모터바이크나 산악자전거를 트레일러에 달고와 이용하기도 한다.

오토캠핑이 활성화된 선진국에서는 캠핑 장비의 생산도 활발하게 이루어진다. 서유럽이나 일본, 북미에는 전문적으로 캠핑 장비만 생산하는 역사와 전통이 있는 업체가 한둘은 있다. 북미에서는 콜맨이 대중적인 인기를 끌고 있고, 일본의 경우 스노우피크나 오가와 같은 브랜드가 사랑을 받고 있다.

국내의 오토캠핑

1990년대 중반까지 우리나라에서는 일반캠핑이 주를 이뤘으며 산악인이나 등산객들이 캠핑문화를 선도했다. 일반인의 경우 여름휴가철에 계곡에서 텐트를 치고 야영을 하는 게 전부였다. 당시만 해도 캠핑 장비라고 해야 후줄근한 텐트와 코펠 정도가 전부고, 나머지는 집에서 쓰던 것을 가져온 것이었다. 그러나 2000년대에 들어서면서 캠핑문화가 달라지기 시작했다. 캠핑이 하나의 레저활동으로 자리 잡으면서 오토캠핑 붐이 일기 시작한 것이다. 마니아층을 대상으로 동호회가 활성화되기 시작했으며 전문적인 오토캠핑장비들이 속속 선을 보였다. 여기에는 해외여행이 크게 늘면서 선진국의 캠핑문화를 경험한 이들의 높아진 눈높이도 한몫을 했다.

현재 오토캠핑 인구는 급속도로 늘고 있다. 한 인터넷 동호회는 회원수만 60만명을 자랑할 정도다. 오토캠핑 인구의 확대는 장비의 발전으로 이어졌다. 이전까지 일반캠핑용과 구별 없이 사용되던 장비가 오토캠핑 장비로 확실하게 구분되고 있다. 이를 테면, 텐트의 경우 리빙셸이 있는 대형 텐트가 중심이 되고, 키친이나 테이블, 의자 등의 캠핑가구는 기본 장비가 됐다.

우리나라 오토캠핑문화는 캠핑카와 트레일러 중심의 북미나 유럽과 다르다.

우리나라에서는 자동차에 캠핑장비를 싣고 가서 캠핑장에 텐트를 치는 방식으로 이루어진다. 최근 이런 캠핑문화는 변화를 보인다. 캠핑카와 트레일러에 대한 수요가 크게 늘고, 캠핑장이나 아파트에서도 심심치 않게 캠핑카나 트레일러를 볼 수 있다. 점점 더 편리한 캠핑에 대한 욕구가 높아지고 있다. 그러나 아직은 차량에 캠핑장비를 싣고 가는 오토캠핑이 대세다.

이처럼 캠핑카와 트레일러 중심의 캠핑문화가 더딘 것은 우리나라가 반나절 생활권이라 불러도 좋을 만큼 작기 때문이다. 또 열악한 캠핑장 시설도 한몫한다. 캠핑카와 트레일러가 활성화되려면 캠핑장 시설 또한 변해야 한다. 우리나라 캠핑장은 전기 사용은 아주 관대하고, 잘 되어 있다. 그러나 상수도와 하수도를 연결하는 시설은 거의 찾아보기 어렵다. 캠핑카와 트레일러가 많이 보급되려면 캠핑사이트에서 상수도와 하수도를 연결하는 진정한 의미의 오토캠핑장이 많이 조성되어야 한다. 사이트에 설치할 수 없다면 캠핑장에 한 곳이라도 오수를 버리고, 상수를 채울 수 있는 시설을 갖춰줘야 한다. 또한, 캠핑장 또한 캠핑카나 트레일러가 잘 드나들 수 있게 사이트 규모도 키우고, 원웨이one way 방식으로 출입할 수 있게 설계해야 한다.

국내 캠핑문화는 오토캠핑을 지나 백패킹과 차박캠핑이라는 새로운 형태로 진화하고 있다. 백패킹은 배낭에 캠핑장비를 짊어지고 가서 오지나 산 같은 곳에서 하는 캠핑을 말한다. 과거의 야영과 비슷하다. 하지만 문화가 다르다. 백패킹을 추구하는 마니아들은 그들만의 캠핑문화를 가지고 있다. 차박캠핑은 코로나 이후 선풍적인 인기를 끌고 있다. 여가도 비대면으로 즐기려는 문화가 확산되고 있다. 그러나 백패킹이나 차박캠핑은 아직 자리를 잡지 못했다. 쓰레기를 함부로 버리고, 자연을 훼손하고, 지역민과 불화를 겪으면서 곱지 않은 시선을 받고 있다. 건전한 캠핑문화가 정착되어야만 백패킹과 차박캠핑도 캠핑의 한 분야로 자리잡을 것이다.

캠핑은 □□□다

• 자연을 느끼게 해준다

캠핑은 한마디로 말하면 자연으로 돌아가는 것이다. 즉 가급적 현대문명을 배재한 채 자연 그대로를 즐기는 것이다. 캠핑장에서는 도심에서 들을 수 없고, 볼 수 없었던 자연이 가깝게 느껴진다. 텐트에서 듣는 빗소리와 바람소리, 아침이면 밀려오는 안개, 밤하늘을 수놓는 별, 낙엽이 지는 소리 등 자연이 '날 것 그대로' 전해진다.

• 휴식이다

캠핑은 지쳐 있는 현대인에게 휴식을 제공한다. 도시라는 공간은 소비적이며 끊임없이 사람을 움직이게 한다. 그러나 캠핑을 떠나면 고된 노동에서 벗어나 책을 읽으며 휴식할 수 있다. 모든 시간을 자신과 가족을 위해 보낼 수 있으며, 무언가를 위해 바쁘게 움직일 필요도 없다. 마음의 짐을 놓고 세상을 관조할 수 있게 되는 것이다.

• 감성을 키워준다

캠핑은 살아있는 자연을 보여줌으로써 풍부한 감성을 키워준다. 캠핑을 하면서 책에서 보았던 곤충과 나비, 꽃과 나무, 동물들을 직접 접할 수 있다. 또 바람이 부는 소리와 텐트에 떨어지는 빗방울, 귀뚜라미의 울음소리가 청각을 틔워주고, 자연이 연출하는 변화에 눈을 뜨게 해준다. 이처럼 살아있는 자연과 마주하면서 아이들은 이성의 그늘에 가려 있던 감성을 키울 수 있게 된다.

• 아빠를 가족의 품에 돌려준다

캠핑은 가족을 위한 배려다. 아빠는 돈을 벌어오는 기계에서 가족의 일원으로 돌아온다. 아이들은 뚝딱뚝딱 텐트를 치는 아빠에게 존경심을 가지게 되고 함께 낚시를 하거나 곤충을 잡으면서 아빠와 친구가 되며, 아빠를 인생의 스승으로 삼는다. 아빠가 서툰 솜씨로 만든 음식이라도 그 속에 사랑이 담겼다는 것을 깨달으며 아이들은 아빠를 닮고 싶은 소망을 품게 된다.

• 아이들에게 사회성을 길러준다

캠핑은 주로 가족이나 혹은 친구들과 함께 한다. 텐트를 칠 때는 여럿이 힘을 모아야 하며 짐 정리하기, 캠핑사이트 꾸미기, 요리하기 등도 서로의 도움을 필요로 한다. 이처럼 모든 일을 힘을 함께 진행하다 보면 협동심이 길러진다. 또 위급한 상황에서는 서로의 경험을 나누면서 최선의 해결책을 찾게 되는데, 이런 과정을 통해 아이들은 사회성을 키운다.

• 위기 대처 능력을 키워준다

캠핑을 하다 보면 뜻하지 않은 상황과 맞닥트리는 경우가 있다. 기상이변으로 폭우가 쏟아지거나 폭설이 내릴 수 있다. 화상을 입을 수도 있고, 해로운 곤충에게 물릴 수도 있다. 초보 캠퍼들은 이런 순간을 맞으면 당황하여 해결책을 찾지 못한다. 그러나 캠핑을 통해 경험을 축적한 노련한 캠퍼는 침착하게 대처할 줄 안다. 아이들은 그런 부모에게 위기 대처 능력을 배우게 되고, 사회 속에서도 창의성과 적응력이 뛰어난 아이로 자라난다.

• 야외활동의 폭을 넓혀준다

캠핑을 가서 즐길 수 있는 야외활동은 무궁무진하다. 낚시나 야생화 관찰, 별보기, 자전거 타기 등은 기본이다. 연 날리기나 목각인형 만들기, 그림 그리기, 사진 찍기 등 아이들의 창의성을 살릴 수 있는 다양한 활동이 기다리고 있다. 노련한 캠퍼라면 아이들과 함께 할 수 있는 야외활동도 빼놓지 않고 준비한다.

• 독립심을 키워준다

아무리 좋은 장비를 가지고 있어도 캠핑은 집보다 편안하지 못하다. 어떤 것은 그 자리에서 직접 만들어야 하기도 한다. 또 짐을 나르거나 캠핑사이트를 구축하는 일 등은 어른만의 몫이 아니다. 당연히 아이들도 한몫을 거들어야 한다. 아이들은 자신에게 주어진 일을 책임감 있게 해내면서 자연스럽게 독립심도 키우게 된다.

• 요리의 즐거움을 안겨준다

요리는 캠핑의 꽃이다. 집에서 하는 것처럼 다양한 요리를 할 수는 없지만 자연에서 만들어 먹는 음식이기에 더욱 맛이 있다. 이를테면, 그릴을 이용해 바비큐를 만들거나 모닥불에 감자나 고구마를 구워먹는 일은 집에서는 경험할 수 없다. 초보 요리사가 된 아빠가 설익은 밥을 내놓거나 간이 맞지 않는 찌개를 끓여도 캠핑장에서는 모두 용서된다.

CHAPTER 2

오토캠핑 장비

 AUTOCAMPING GEAR

텐트 Tent

AUTOCAMPING GEAR

캠핑을 생각하면 가장 먼저 떠오르는 게 텐트다. 텐트는 야외에 짓는 집이며, 잠을 자고, 밥을 먹고, 대화를 나누는 공간이다. 또한 비와 눈, 바람, 야생동물 등 자연적인 위험요소로부터 캠퍼를 지켜준다. 따라서 캠핑을 하고자 할 때 가장 먼저 해야 할 일은 텐트를 마련하는 것이다.

텐트는 단순한 거주공간을 의미하지 않는다. 자연에 가장 가깝게 다가가는 집이다. 텐트 안에 있으면 자연이 스스로 찾아온다. 텐트 위에 떨어지는 빗방울 소리는 모차르트의 소나타보다 감미롭다. 텐트는 미풍이 불어도 흔들리고, 싸락눈이 내리는 소리도 모른 체하지 않는다. 고요한 캠핑장에서는 텐트 천장에 달빛이 흘러가는 모습까지 비친다.

텐트는 캠핑 장비 가운데 가장 변화가 많다. 모양의 변화는 물론이고 기술의 진보에 따라 소재도 변화를 거듭했다. 과거에는 산악인들을 위한 규모가 작고 가벼운 알파인 스타일의 텐트가 대세였다. 그러나 오토캠핑이 대중화된 최근에는 무게에 상관없이 텐트가 대형화되고 있다. 말 그대로 집을 통째로 옮겨놓을 만큼 규모가 커졌다. 물론 그만큼 가격도 비싸졌다. 텐트의 소재가 변하고 모양이 변한다고 해도 변하지 않는 게 있다. 텐트는 캠퍼들에게 자연을 안내하는 최초의 동반자라는 점이다. 캠퍼 자신은 물론, 자라는 아이들에게도 이 점은 변함이 없다.

텐트의 역사

텐트는 인류가 수렵생활을 하던 시절부터 있었던 가장 오래 된 발명품 가운데 하나다. 동굴이나 자연적인 공간을 거처로 삼던 원시인류는 나무와 동물가죽을 이용해 임시로 묵을 수 있는 거처를 만들었다. 텐트의 역사는 여기서 비롯됐다. 그후 텐트는 초원이나 사막의 유목민 등 주거지를 계속 옮겨야 하는 민족들에 의해 다양한 형태로 발전돼왔다. 오늘날에도 몽골이나 사하라 사막에 사는 사람들, 북극의 이누이트는 텐트를 집으로 삼아 살아가고 있다. 대표적인 원시 텐트에는 중앙아시아의 유르트Yurt와 몽골의 게르Ger, 북미 원주민의 원뿔형 텐트 티피Tepee 등이 있다. 이 텐트들의 특징은 생활을 위한 주거공간이라는 점이다.

현대 텐트의 원형이라 불리는 A형 텐트는 전쟁을 통해 태어났다. 끊임없이 이동하면서 전투를 치러야 하는 군대에서는 설치가 간단하고 무게가 가벼운 텐트가 필요했다. 여기에 부합해 탄생한 것이 A형 텐트다. A형 텐트는 막대기 2개와 천막, 줄만 있으면 된다. 앞뒤로 막대기를 세운 다음 천 막을 씌우고 천막이 사선이 되게 당겨서 고정시키면 끝이다. A형 텐트란 텐트의 모양이 알파벳 A 자와 비슷하다고 해서 생긴 말이다.

텐트가 등산과 같은 레저용으로 사용되기 시작한 것은 인간이 알프스 등정을 꿈꾸던 18세기부터다. 1787년 몽블랑을 두 번째로 등정한 제네바의 천재 과학자 오라스 베네딕트 드 소쉬르는 정상 근처에 텐트를 쳤다고 기록했다. 그로부터 100여 년 뒤 영국인 등반가 에드워드 윔퍼는 마터호른을 초등할 때 텐트 바닥에 방수지를 깔아 만든 윔퍼형 A형 텐트를 만들었다.

A형 텐트는 20세기 후반까지 전성기를 구가한다. 그후 1975년 최초의 돔형 텐트가 탄생한다. 이 텐트는 폴Pole이라는 프레임을 교차해 텐트에 가해지는 압력을 분산시켜 만든 것이다. 돔형 텐트는 출시와 동시에 선풍적인 인기를 끌었고, 빠르게 A형 텐트를 대체해나갔다.

현대 텐트는 기능성을 극대화하는 데 주력하고 있다. 무게는 가벼우면서도 강도는 높은 소재를 개발하고 있으며, 방수능력과 발포능력도 극대화시키고 있다. 특히, 오토캠핑용 텐트는 주거공간이 극대화된, 인류가 발명한 텐트 본연의 모습으로 진화해가고 있다.

텐트의 구성

텐트는 플라이와 본체, 폴을 기본으로 구성된다. 여기에 텐트를 바닥에 고정시키는 팩과 스트링(당김줄)을 비롯해, 지면에서 올라오는 습기를 막아주는 깔개 등의 보조장비가 결합된다. 이 가운데 어느 한가지가 빠져도 텐트는 제구실을 못 한다.

• 플라이

텐트를 덮는 지붕이다. 플라이는 비나 눈으로부터 본체가 젖는 것을 막아 준다. 또한 강한 바람에도 본체를 든든하게 고정시키는 역할을 한다. 플라이의 모양은 텐트에 따라 제각각이다. 또 같은 텐트라도 여름과 겨울 등 계절에 따라 플라이가 다르다. 여름에는 통풍성이 좋은 것을 사용하지만 겨울에는 플라이 가장자리를 눈 속에 파묻어 보온효과를 극대화시키는 제품을 쓰기도 한다.

플라이는 폴리에스테르나 나일론, 고어텍스 등의 원단으로 만든다. 이 원단들은 하나같이 강도가 세다. 여기에 방수기능을 강화하기 위해 내부에 코팅을 한다. 또 외부에는 습기를 발산할 수 있도록 발수기능을 더하고 자외선을 차단하는 UV코팅까지 입혀 기능을 극대화시킨다. 또 봉재선이 있는 것은 심실링 테이프를 붙여 물이 스며 들지 않게 한다.

• 본체

텐트에서 잠을 잘 수 있도록 방의 역할을 하는 공간이다. 플라이가 바람과 비 등을 막아주는 방어적인 장비라면 본체는 쾌적함을 추구한다. 특히, 상황에 따라 다르게 활용할 수 있도록 기능화된 제품이 주를 이룬다. 본체는 외부 공기를 완벽하게 차단할 수 있어야 하고, 메시창(모기장)을 통한 원활한 통풍도 보장해야 한다. 또 자유로운 변신을 통해 실내를 쾌적하게 유지해야 한다. 그러나 바닥은 플라이와 마찬가지로 방수성이 탁월해야 하므로 방수성을 높이기 위해 그라운드시트와 이너매트를 추가로 활용하기도 한다.

• 폴

플라이나 본체를 지탱해주는 장비다. 2개의 이상의 폴이 서로 겹쳐지면 외부의 힘이 작용하지 않아도 본체나 플라이를 세울 수 있다. 그러나 튼튼하지 않다. 몇 갈래의 폴을 더 추가하거나 플라이를 통해 강하게 압박을 해줘야 지지하는 힘이 커진다. 특히, 플라이를 팽팽하게 당겨주면 폴은 더욱 강한 힘을 발휘한다. 폴은 재질과 두께에 따라 강도가 다르다.

폴의 재질은 일반 철과 항공기 소재인 두랄루민, 강화 플라스틱 등으로 만들어진다. 이 가운데 두랄루민 제품이 강도가 높고 가벼워 가장 좋다. 타프와 대형 텐트의 경우 많은 압력을 받기 때문에 폴의 두께도 중요하다.

- 팩

플라이나 텐트를 바닥에 고정시키는 역할을 한다. 팩을 얼마나 잘 박았는가에 따라 텐트의 모양과 안정감이 좌우된다. 팩은 용도에 따라 모양이 다양하다. 일반적으로 못처럼 생긴 네일Nail형과 V자 모양의 V형이 주를 이룬다. 길이는 15~50cm까지 다양하다. 타프의 지지대와 같이 큰 힘을 받아야 하는 경우에는 V자 모양의 대형 팩을 쓴다. 반면, 이너텐트를 고정할 때는 15cm 이내의 가는 네일 팩을 쓴다.

팩의 소재는 두랄루민과 강철, 플라스틱 3종이다. 두랄루민은 강도가 뛰어나고 가볍기 때문에 고가이지만 V형처럼 큰 힘을 받을 때 유리하다. 강철은 무겁다는 단점이 있으며, 플라스틱은 돌이 많은 지형에서 쉽게 부러진다.

- 스트링(당김줄)

플라이의 몸체를 바닥에 고정시킬 때 사용한다. 스트링을 얼마나 단단하고 팽팽하게 묶느냐에 따라 고수와 초보가 나뉜다. 스트링을 팽팽하게 당기는 것은 플라이를 튼튼하게 고정시키기 위함이다. 또 플라이와 본체가 붙으면 방수성능이 급격히 떨어지므로 플라이와 본체가 서로 달라붙는 것을 막기 위함이다. 스트링으로 팽팽하게 당겨진 플라이는 밖에서 볼 때 아름답다. 스트링은 보통 5mm 이하 굵기의 줄을 사용한다.

- 기타

스트링 스토퍼는 스트링의 길이를 간편하게 조절 해주는 역할을 한다. 플라스틱과 두랄루민 등으로 만든다. 없을 경우 매듭법으로 대체할 수 있다. 그라운드시트는 지면에서 올라오는 습기를 차단해준다. 특히, 비가 왔을 때나 밤낮의 기온차가 심할 경우 중요한 역할을 한다. 최근에는 물이 넘치지 않도록 모서리에 벽이 있는 제품도 출시되고 있다. 이너매트는 본체 바닥에 까는 매트다. 그라운드시트와 달리 어느 정도 충격을 흡수해주는 쿠션 기능이 있다. 이너매트만 있으면 별도의 매트를 깔지 않아도 생활하는 데 불편이 없다. 야외활동 시 단독으로 활용할 수 있다.

텐트의 종류

텐트는 모양과 크기에 따라 다양한 종류로 나뉜다. 이는 텐트를 필요로 하는 이들의 취향과 요구에 맞춰 기능성을 극대화시킨 결과다. 등산용은 무게와 부피는 최소화, 기능은 극대화시켰다. 오토캠핑용은 그룹파티를 즐겨도 좋을 만큼 대형화시키고 있는 추세다. 특히, 최근에는 텐트와 타프를 결합한 일체형이 큰 주목을 받고 있다.

• 알파인형

텐트의 기본이다. 1787년 알프스 몽블랑 등반에서 처음 레저용으로 A형 텐트가 사용된 이래 250여 년 간 텐트의 중심을 이뤘다. 등산용은 무게와 부피가 가볍다. 또한 극한의 조건에서도 사용할 수 있도록 기능을 극대화했다. 폴의 강도와 플라이의 방수투습기능, 팩의 크기 등에서 오토캠핑용보다 한 수 위다. 등산용 텐트의 크기는 최대 5인용이 한계다. 더 커질 경우 무게에 대한 부담이 있으므로 5인이 넘을 경우 2대의 텐트를 가져가는 게 바람직하다.

• 터널형

최근 유행하고 있는 스타일이다. 리빙셸과 텐트를 결합시켜 별도로 타프를 구입하지 않아도 된다. 잠을 자는 본체는 폴이 필요 없는 이너텐트형이 대세다. 이너텐트를 제거하면 5~6인이 사용할 수 있는 타프가 된다. 최근 출시된 터널형은 그룹파티를 벌일 만큼 크고 넓다. 그러나 이처럼 활용도가 뛰어난 반면 유효면적이 넓은 게 단점이다. 이로 인해 규격이 정해진 캠핑장에서는 쉽게 설치하지 못하는 경우가 있으며 가격도 비싸다.

• 케빈형

1990년대 크게 유행했던 스타일로 오토캠핑용 텐트의 전신이다. 지붕과 벽면이 각지게 만들어진 것이 특징으로 통나무집과 흡사한 모양을 띤다. 폴을 먼저 설치한 후 텐트는 안에 걸고, 플라이를 폴대에 씌워 설치한다. 공간을 낭비하지 않고 효율적으로 사용할 수 있다는 장점이 있으나 바람에 약하다는 단점이 있다. 또한, 폴의 강도도 떨어진다.

• 돔형

오토캠핑에 적당하도록 진화된 텐트다. 대형 텐트의 기본을 이루며, 대부분 원형으로 설계됐다. 텐트 속에서 서 있어도 편안할 정도로 체고가 높아 활동성이 좋으며, 사방으로 열고 닫을 수 있는 문이 있어 개방적이다.

• 티피형

일명 인디언 텐트라고도 부른다. 북미 인디언들의 주거지였던 원뿔 모양의 텐트(티피)에서 유래했다. 이 텐트의 특징은 가운데 중심을 잡는 폴 하나로 텐트를 설치할 수 있다는 것이다. 보통 통풍구(벤틸레이션)는 뾰족한 천장에 있다. 텐트에 화목난로를 설치하는 동계용 텐트로 인기가 높다. 또 백패킹처럼 가볍게 패킹을 할 때도 유용하다. 요즘은 봄가을에 적당한 4~5인용 중형 텐트도 많이 출시된다. 다만, 바닥이 원형이라 공간활용도는 떨어진다.

방수성능과 내수압

텐트 제원을 표시할 때 빠지지 않는 게 내수압이다. 이것은 플라이나 텐트 바닥의 방수성능을 단위로 나타낸 것이다. 내수압은 원단 위에 10mm의 원통형 기둥을 세우고 원단에서 물이 새어 나올 때까지 부어서 측정한다. 내수압이 1,000mm이면 텐트 위에 1m의 물기둥을 올려도 물이 새지 않는다는 것을 의미한다. 내수압을 기준으로 500mm는 가랑비, 1,000mm는 보통 비, 1,500mm는 폭우를 견딜 수 있을 정도의 방수성능이 된다. 따라서 내수압이 1,500mm 이상이면 웬만한 비에는 끄떡없다고 봐야 한다. 일반적으로 오토캠핑용 텐트의 플라이와 본체 바닥의 내수압은 3,000mm면 최고다. 알파인 텐트의 경우 내수압 4,000mm 이상의 원단을 사용하기도 한다.

텐트 구입 요령

텐트는 제조사별로 다양한 형태가 있다. 크기도 1인용부터 대가족용에 이르기까지 사용 인원에 따라 제각각이다. 최근에는 오토캠핑이 주를 이루면서 텐트와 타프를 결합한 다양한 제품이 출시되고 있다. 텐트는 오토캠핑 장비 가운데 가장 비싸다. 텐트와 타프가 결합된 오토캠핑용 텐트의 경우 풀세트로 구입하려면 최소한 100만원 이상의 비용이 든다. 비싼 것은 200만원 가까이 한다. 선뜻 투자하기가 어려운 금액이다. 텐트는 이처럼 종류가 다양하고, 가격도 비싸기 때문에 구입 시 신중을 기해야 한다.

01 자신의 캠핑 스타일에 맞는 것을 사라 텐트 선택의 첫 번째 원칙이다. 텐트의 종류는 자신이 좋아하는 캠핑 스타일에 따라 결정한다. 예를 들어 오토캠핑만 다닐 계획이라면 대형 텐트를 선택하는 게 좋다. 그러나 가끔 등산을 가거나 혼자서 캠핑을 다니고 싶다면 텐트와 타프가 분리된 것을 사야 한다. 혼자 다니는 것을 좋아한다면 1~2인용 미니 텐트도 훌륭한 동반자가 된다.

02 타프와의 구성을 생각하라 일체형을 제외하면 텐트 자체만으로 편리한 공간을 마련하기는 어려우므로 차후에는 반드시 타프를 별도로 구입하게 된다. 이때를 대비해 자신이 원하는 밑그림을 미리 그려본 후 텐트를 사는 게 좋다.

03 가족 수를 고려하라 무턱대고 큰 텐트가 좋은 것은 아니다. 오히려 텐트가 너무 크면 썰렁하고 보온력이 떨어지며 설치하기 힘들다. 또 더 넓은 공간이 필요하고, 트렁크 공간도 많이 차지한다. 따라서 캠핑을 다니는 인원수에 맞는 적당한 크기를 선택하는 게 효율적이다. 보통 평균 인원보다 1~2명 더 큰 것을 사면 쾌적하다.

04 같은 회사의 제품을 사라 텐트 제조업체마다 추구하는 디자인과 컬러가 있다. 또한 자신들이 만든 텐트와 타프가 기술적으로나 디자인적으로 완벽한 조화를 이루도록 설계한다. 따라서 텐트를 살 때는 훗날 같은 회사의 제품을 사겠다는 생각을 하는 게 좋다.

05 싼 게 비지떡이다 10년을 넘게 쓴 텐트는 자신이 살아온 삶의 일부다. 따라서 동반자를 고른다는 생각으로 텐트를 사라. 훗날 자녀에게 물려 줘도 좋다고 생각되는 튼튼한 제품을 사라. 여름철에 반짝 등장하는 싸구려 패키지는 절대 피하라. 만약 돈이 부족하면 크기를 줄여서라도 좋은 제품을 사는 게 좋다.

06 A/S도 고려하라 텐트는 한 번 구입하면 보통 10년 이상 쓴다. 잘만 사용하면 20년도 너끈하다. 그러나 사용하다 보면 수리할 필요성이 생긴다. 폴이 부러지거나 플라이가 찢어질 수도 있다. 이럴 때를 대비해 A/S가 가능한 믿을 만한 업체의 제품을 선택하는 게 좋다.

TIP

텐트 설치법은 충분히 익혀두자

캠핑장에서는 몇 시간씩 텐트와 씨름하는 캠퍼들을 종종 보게 된다. 설치법을 충분히 익히지 못했기 때문이다. 만약 어두워진 다음이거나 비가 올 때, 혹은 날이 추울 때 이런 상황이 발생하면 난감하다. 어떤 경우는 텐트를 설치하다가 부부가 심하게 다투는 최악의 상황을 맞기도 한다. 텐트를 구입할 때 매장 점원으로부터 설치법에 대해 충분한 설명을 듣자. 혹시 이해가 가지 않는다면 반복적으로 질문을 해서라도 설치법을 익히는 게 실수를 줄이는 방법이다. 물론, 설명서에 설치법이 적혀 있지만 막상 현장에 가보면 따라하기가 쉽지 않다. 최근에는 동영상으로 설치법을 보여주는 업체도 있다. 이 경우 비디오를 반복해 보면서 이미지 훈련을 해두면 실전에서 훨씬 작업이 수월해진다. 설치법을 잊어버렸다면 주변의 캠퍼들에게 솔직하게 초보임을 알리고 구원을 요청하자. 주변 캠퍼의 도움을 받아 텐트를 설치했다면 음식을 나누는 것 등으로 감사를 표하자. 더 많은 노하우를 알려줄 것이다.

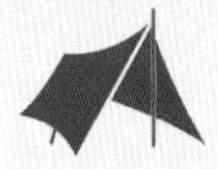

타프 Tarp

AUTOCAMPING GEAR

일반캠핑과 오토캠핑을 구분하는 가장 큰 특징 중 하나가 타프다. 모든 장비를 배낭에 넣어 메고 가야 하는 등산에서는 타프가 필요치 않다. 텐트 하나면 충분하다. 그러나 자동차를 이용하는 오토캠핑은 무게와 부피에 큰 제약을 받지 않는다. 따라서 크고 넓은 타프일수록 활용도가 높고, 캠퍼들의 사랑을 받는다.

타프의 사전적 정의는 방수포Tarpaulin다. 즉, 물이 스며들지 않는 천막을 뜻한다. 이는 신발을 벗고 들어가는 텐트와 달리 자유롭게 드나들 수 있는 공간을 의미하기도 한다. 타프는 초창기에 사각형이 주를 이루다 육각형의 헥사로 진화했다. 최근에는 돔형의 주거공간인 리빙셸 형태로 발전하면서 텐트의 자리를 위협하기 시작했다. 리빙셸의 경우 내부에 쉽게 설치할 수 있는 이너텐트가 더해지면서 타프 하나면 텐트 걱정까지 덜 수 있게 됐다. 타프는 이제 캠핑의 중심 공간으로 자리를 잡았다. 캠핑의 모든 것은 타프 아래에서 이뤄진다고 해도 과언이 아니다. 특히, 사각타프나 헥사타프의 경우, 설치방법이 다양해지면서 캠핑 고수들의 연구 대상이 되고 있다. 리빙셸의 경우 점점 텐트의 영역이 작아지고, 거실처럼 활용할 수 있는 주거공간이 확장되고 있다. 타프는 캠퍼의 수준을 말해주는 잣대다. 타프를 어떤 식으로 설치했는지, 모양은 어떤지를 보면 그 캠퍼의 수준을 미루어 짐작할 수 있다.

타프의 형태에 따른 구분

타프의 형태는 크게 사각(렉타)과 헥사 2가지다. 이것을 기본으로 크기와 디자인에서 차이를 보인다. 사각타프와 헥사타프 모두 장단점이 분명하다. 셸터형은 커다란 범주에서는 타프에 포함이 된다. 하지만 대부분 텐트와 일체형으로 출시되고 있어 텐트로 봐도 무방하다.

• 사각타프

일명 렉타Recta라고도 부른다. 이는 영어에서 직사각형을 뜻하는 렉탱글Rectangle의 일본식 발음을 그대로 따온 것이다. 사각타프는 말 그대로 직사각형으로 돼 있으며 공간 효율성이 좋다. 특히, 사이드월이나 스크린과의 결합을 통해 카멜레온처럼 변화할 수 있다. 사각타프와 텐트의 배치도 캠퍼의 취향과 사이트의 조건에 따라 자유자재로 응용할 수 있다. 사각타프의 단점은 헥사타프에 비하여 설치된 모습이 조금 평범하다는 것. 그러나 실용성 면에서는 헥사타프보다 훨씬 뛰어나다.

• 헥사타프

육각형을 뜻하는 영어 헥사곤Hexagon에서 유래했다. 이 타프는 디자인이 강점이다. 밋밋한 모양의 사각타프와 달리, 설치해놓으면 마치 돛처럼 아름다운 곡선미를 자랑한다. 길이가 각기 다른 천의 모서리를 폴과 스트링을 이용해 대칭에 맞게 세워주는 것만으로도 우아한 타프가 완성된다. 이 아름다움에 끌려 헥사타프만을 고집하는 캠퍼들도 있다.

헥사타프는 사각타프에 비해 활용도는 다소 떨어진다. 사이드월을 설치할 수 없고, 비나 햇볕을 차단하는 유효면적도 작다. 그러나 소형 텐트와 결합해 설치하면 제대로 모양이 나온다. 또 타프의 각도를 조절하는 것만으로도 바람과 비, 햇볕을 막을 수 있다. 여기에 삼각형 모양의 프런트월을 정면에 설치하면, 아늑한 공간의 연출도 가능하다. 헥사타프는 캠핑의 멋스러움을 살려주는 대표적인 장비다. 그러나 그 멋스러움을 살리려면 반복적인 노력과 창의적인 아이디어가 필요하다.

타프는 만능재주꾼이다. 활용하기에 따라 수십 가지로 응용될 수 있다. 특히, 사각타프나 헥사타프의 경우 텐트와 어떻게 조화되느냐에 따라 그 모양이 제각각이다. 따라서 타프를 잘 활용할 줄 알면 캠핑고수의 영역에 이미 절반은 들어선 셈이다.

• 캠핑의 중심 공간

타프가 나오기 전까지 캠핑의 중심 공간은 텐트였다. 그러나 텐트는 여럿이 이용하기에는 크기도 작고, 신발을 벗고 들어가야 하는 등 불편함이 많았다. 그래서 등장한 것이 타프다. 타프는 캠핑을 좌식에서 입식으로 전환시킨 획기적인 장비로, 신발을 벗는 불편을 없앴다. 또 텐트에 비해 유효면적이 넓기 때문에 훨씬 쾌적하게 캠핑을 즐길 수 있다. 요즘은 캠핑사이트를 조성할 때 타프를 중심에 두고 텐트와 자동차를 배치할 만큼 타프가 귀한 대접을 받고 있다.

• 변신의 귀재

타프는 설치방법에 따라 그 모양과 기능이 천차만별이다. 사각타프를 예로 들어보자. 중앙에 폴을 세우고 타프의 양쪽 끝을 들어 올린 것은 가장 기본적인 형태다. 프라이버시를 강조할 경우 타프의 절반을 벽으로 사용할 수 있도록 설치한다. 타프의 기울기를 조절해 차양이나 방풍효과를 내기도 한다. 또한 타프는 텐트와 결합해 플라이의 역할을 할 수도 있다. 타프의 중앙에서 3분의 1쯤 한쪽 면으로 치우치면 또 다른 비율의 타프가 완성된다. 이처럼 폴과 타프만 이용해도 수십 가지로 응용할 수 있다.

• 보조장비 활용

타프는 몇 가지 보조장비가 더해지면서 기능이 점점 막강해진다. 사각타프의 경우 사이드월을 사용할 수 있다. 타프의 한쪽 면에 사이드월을 설치하면 바람과 비, 햇빛으로부터 실내 공간을 보호해준다. 또 타프 아래 스크린을 걸면 여름에도 모기나 벌레의 방해를 받지 않고 쾌적하게 지낼 수 있다. 여름철의 경우 야전침대만 놓으면 침실로 훌륭하게 변신한다. 헥사타프의 경우 앞뒤로 삼각형 모양의 프런트월을 설치할 수 있다. 개방적인 헥사타프의 단점을 커버해 준다.

• 야외활동의 필수 아이템

타프는 캠핑의 울타리를 벗어나 야외활동을 할 때도 필수 아이템이다. 운동경기의 본부석으로 활용되는 것은 기본이다. 물놀이나 야유회 때도 타프를 설치하면 휴식공간으로 최고다. 특히, 타프의 경우 바닥이 고르지 않아도 설치하는 데 크게 무리가 없어 계곡이나 해변에서도 활용도가 뛰어나다.

TIP

타프와 텐트의 구분

최근 출시되는 타프들은 텐트와 경계가 모호하다. 오토캠핑 장비가 대형화되면서 타프가 텐트를 흡수하기 시작한 것이다. 사각타프나 헥사타프처럼 개방형이 아닌 셸터형은 기본적으로 이너텐트를 내장하고 있다. 즉, 리빙셸의 한쪽 공간을 텐트로 만들고 나머지는 생활공간으로 활용한다. 따라서 타프와 텐트의 경계를 나누기란 매우 애매하다. 이 책에서는 이너텐트의 존재 여부를 기준으로 타프와 텐트를 나눴다. 즉, 이너텐트가 기본으로 포함되어 있거나 혹은 별도 구매를 통해서 실내에 설치할 수 있다면 텐트라고 보았다.

타프 보조장비

타프는 개방성이 뛰어나 텐트나 리빙셸에 비해 유효공간이 넓다. 반면 독립성과 안전성은 크게 떨어진다. 또 비나 바람과 같은 궂은 날씨와 모기 등과 같은 벌레에 치명적인 약점을 보인다. 이것을 커버해 주는 게 사이드월과 프런트월, 스크린이다.

• 사이드월

사각텐트와 결합하는 보조 장비로 각광받고 있다. 타프의 한쪽 면을 따라 토글로 연결하면 바닥까지 벽이 만들어진다. 사이드월에는 메시창이 있어 환기가 잘 된다. 사이드월의 각도는 원하는 형태에 따라 조절할 수 있다. 타프에 연결하는 사이드월과 달리 폴과 팩을 이용해 바닥에 고정시키는 제품도 있다.

• 프런트월

사각타프와 헥사타프에 모두 사용 가능하다. 그러나 운치를 따지면 헥사타프와 더 잘 어울린다. 프런트월은 삼각형 모양으로 생겼다. 이것의 꼭짓점을 헥사타프의 폴 끝에 건 다음 바닥을 팽팽하게 당겨 팩으로 고정시킨다. 돛처럼 솟은 헥사타프와 삼각형의 프런트월이 결합된 모습은 상당히 매력적이다. 물론, 프라이버시 보호와 비나 바람을 막아주는 데도 큰 역할을 한다.

• 스크린타프

타프에 걸어서 사용한다. 특히, 모기와 날벌레가 기승을 부리는 여름철에 아주 유용하다. 타프를 지탱하는 폴에 고리를 걸고 바닥을 당겨서 팩을 박기만 하면 쉽게 설치할 수 있다. 사각타프와 헥사타프에 모두 사용할 수 있다.

타프 구입 요령

타프는 텐트처럼 당장 급한 장비가 아니다. 그러나 한두 번 캠핑을 다녀보면 필요성을 절감한다. 따라서 처음부터 텐트와 패키지로 구입할 수도 있지만 캠핑을 다니면서 절실히 필요로 할 때 구입해도 늦지 않는다. 특히, 다른 캠퍼들이 설치한 타프를 꼼꼼히 살펴보면서 활용도를 충분히 연구한 후에 구입하는 게 좋다.

타프를 구입할 때는 우선 자신이 사용하고 있는 텐트와 조화가 잘 되는지를 먼저 생각해야 한다. 텐트가 크다면 타프도 그만큼 큰 것을 사야 사이트를 구성했을 때 보기가 좋으며 활용도도 높아진다. 반면, 텐트에 비해 타프의 규모가 작으면 아주 어정쩡한 형태로밖에 모양이 나오지 않는다. 반대로 텐트가 작은데 너무 큰 타프를 치는 것도 균형이 안 맞는 일이다. 타프는 3인 이상의 가족이라면 형태와 관계없이 큰 것을 사는 게 좋다. 물론 가격 부담이 생기겠지만 작은 것은 활용도가 크게 떨어진다. 큰 것은 두세 가족도 수용할 수 있어 그룹파티도 가능하다. 반면, 혼자서 캠핑을 즐긴다면 아주 작은 타프와 1~2인용 텐트로 멋을 내는 방법이 있다. 만약 이 장비로 캠핑장에 나타난다면 대부분의 캠퍼로부터 고수로 인정받는다. 크기가 작은 타프는 가격도 저렴하다.

침낭 Sleeping Bag

AUTOCAMPING GEAR

안락한 캠핑을 위해 꼭 준비해야 하는 게 침낭이다. 침낭은 야외에서 덮고 자는 이불을 말한다. 그러나 집에서 쓰는 이불과는 차원이 다르다. 야외에서는 집과 달리 난방장치를 거의 기대할 수 없다. 따라서 특별한 성능과 기능성을 갖춘 침낭이 있어야 한다. 침낭은 그 자체로 따뜻한 온기를 만드는 게 아니다. 온기를 만드는 것은 사람의 체온이다. 침낭은 외부의 찬 기온을 차단하고, 사람의 체온으로 따뜻하게 덥혀진 내부의 기온을 유지해주는 역할을 한다.

침낭은 모양과 충전재에 따라 종류가 다양하다. 모양에 따라 머미형 침낭과 사각형 침낭으로 나뉘는데, 머미형은 사람의 체형에 맞춰 디자인한 것으로 보온효과가 탁월하다. 등산용으로 많이 사용되며 가격이 비싼 편이다. 반면 사각형 침낭은 이불처럼 네모나게 디자인한 것으로, 편리성이 뛰어나고 가격이 저렴한 게 장점이다. 침낭의 충전재로는 오리털과 화학섬유를 사용한 패딩 두 가지가 있다. 오리털 제품은 보온성과 쾌적성이 탁월하다. 반면 고가인데다 사용과 보관에 있어 섬세한 관리가 요구된다. 패딩은 오리털 제품에 비해 보온성이 떨어지지만 가격이 저렴하고 관리가 쉽다. 이처럼 침낭은 소재와 모양, 크기 등에 따라 성능이 크게 좌우된다. 따라서 자신에 맞는 침낭의 선택과 관리 요령을 체득하고 있어야 한다.

모양에 따른 분류

• 머미형

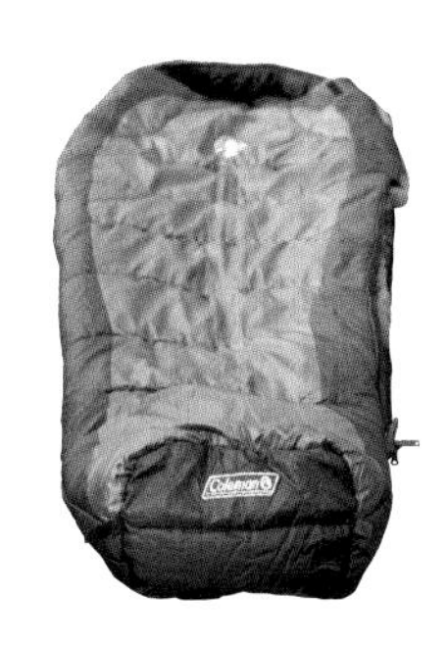

이집트 미라처럼 인간의 체형에 맞게 제작된 침낭이다. 어깨 부분은 넓고, 다리 부분은 좁게 만들어졌다. 머리까지 뒤집어쓸 수 있게 만들어져, 지퍼를 올린 후 머리 부분에 있는 조임 끈을 당기면 눈과 코를 제외하고는 모두 침낭 속에 들어간다. 머미형은 최대한 몸을 감싸게 제작되어 보온효과가 탁월하다. 또 침낭의 보온효과를 좌우하는 요소 중 하나인 공간을 가장 효율적으로 활용한 제품이다.

머미형 침낭을 고를 때는 자신의 키와 체형에 맞는 것을 구입해야 한다. 침낭이 커서 움직일 수 있는 공간이 넓으면 보온력이 떨어진다. 반대로 너무 좁아서 침낭의 충전재가 눌린 상태로 있어도 보온력이 떨어진다. 머미형의 충전재는 계절에 따라 다르다. 봄~가을은 패딩으로 만든 제품과 무게가 가벼운 오리털 제품이 주를 이룬다. 그러나 겨울은 보온력이 높은 오리털 제품이 인기다.

• 사각형

집에서 사용하는 이불과 같은 모양이다. 다만 한쪽을 제외한 나머지 면을 지퍼로 처리해 외부의 차가운 공기를 차단시킨다. 사각형은 머미형에 비해 침낭 속에 빈 공간이 많아 보온력이 떨어진다. 또 대부분 폴리에스테르와 같은 화학섬유를 충전재로 쓰는 경우가 많으므로, 기온이 영하로 내려가는 겨울에는 사용하기 부적합하다. 그러나 장점도 많다. 사각형은 머미형에 비해 구속감이 덜하다. 취침 시 자유롭게 몸을 움직일 수 있다. 또 머미형이 혼자만 이용할 수 있는 데 반해 사각형은 가족이 함께 이용할 수도 있다. 최근에는 2개의 침낭을 연결해 이불처럼 사용할 수 있게 편리성을 높인 제품도 출시되고 있다.

충전재에 따른 분류

• 오리털 침낭

오리털 침낭은 오리나 거위의 털로 만든다. 오리털은 지금까지 인류가 발견하거나 발명한 어떤 소재보다 보온력이 뛰어나다. 또한 복원력도 최강이다. 아주 작게 접을 수 있으면서도 펼쳐놓으면 순식간에 본래의 모양으로 돌아간다. 부피가 작으면서 가볍고, 탁월한 보온성까지 갖추고 있어 오리털과 거위털은 침낭 소재로 최고의 대접을 받는다.

오리털 침낭의 보온력과 무게를 좌우하는 것은 어느 부위의 털로 만들었느냐이다. 오리털 제품은 거위나 오리의 가슴털과 날개에 달린 깃털을 일정 비율로 섞어서 만든다. 예전의 군용 침낭 중 닭의 깃털로만 만든 것이 있었다. 하지만 무게와 보온성이 떨어져 지금은 자취를 감췄다.

오리털 침낭의 재료는 거위나 오리의 가슴털을 최고로 친다. 그러나 100% 가슴털로 만들 수는 없다. 이는 가슴털이 비싸기 때문만은 아니다. 침낭을 펼쳤을 때 침낭이 복원되는 과정에서 깃털이 일정 부분 역할을 하기 때문이다. 가슴털과 깃털을 섞는 비율은 최고 95 대 5까지 간다. 그러나 보통 80 대 20 정도면 무난하게 사용할 수 있는 제품이다. 충전재의 무게도 보온력을 따질 때 중요하다. 보통 봄부터 가을까지 3계절에 사용하는 것은 1,000g 미만이면 된다. 그러나 동계용은 최소 1,200g 내외는 돼야 추위로부터 캠퍼를 보호할 수 있다.

좋은 오리털 침낭을 선택하는요령

TIP

오리털 침낭은 성능이 탁월한 만큼 값이 비싸다. 따라서 처음 살 때부터 신중을 기해야 한다. 구입할 때는 어느 회사에서 만들었는가가 좋은 기준이 된다. 침낭 전문업체가 만든 것이라면 대체로 믿을 수 있다. 사실, 일반인들은 오리털을 눈으로 확인시켜줘도 진짜인지 확인하기 어렵다. 따라서 제조사를 믿는 수밖에 없다.

일반인들이 좋은 침낭을 확인하는 가장 좋은 방법은 침낭 주머니에서 침낭을 꺼내 펼쳐보는 것이다. 침낭이 빨리 부풀어 오르는 게 좋은 침낭이다. 또 털이 빠져나오지 못하게 겉감을 촘촘한 섬유로 만들었는지, 바느질은 꼼꼼하게 했는지 등도 따져봐야 한다. 특히, 지퍼가 침낭을 물지 않고 자연스럽게 여닫히는지, 지퍼의 안과 밖에 외부와 완벽히 차단될 수 있도록 보온장치가 이중으로 되어 있는지 여부도 확실히 체크해야 한다. 여기에 A/S 여부와 사용기 등도 꼼꼼하게 따져본다.

필파워(Fill Power)란?

오리털 제품을 보면 충전재 ○○○g이란 표시가 있다. 이는 충전재로 쓰는 오리털의 복원력을 나타낸다. 필파워가 높은 제품일수록 같은 무게의 오리털로도 더 높은 보온효과를 낼 수 있다. 이 필파워는 실린더에 1온스(28g)의 오리털을 넣고 24시간 동안 압축한 뒤 압축을 풀었을 때 밀려올라오는 정도를 측정해서 나타낸다. 일반적으로 가슴털과 깃털을 9대 1의 비율로 섞어서 사용할 때 가장 큰 필파워를 얻을 수 있는 것으로 알려졌다. 좋은 오리털 제품에는 항상 필파워가 명시되어 있다. 보통 필파워가 800~900 내외면 아주 우수한 제품으로 분류한다.

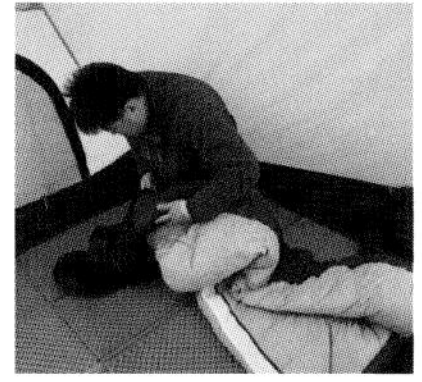

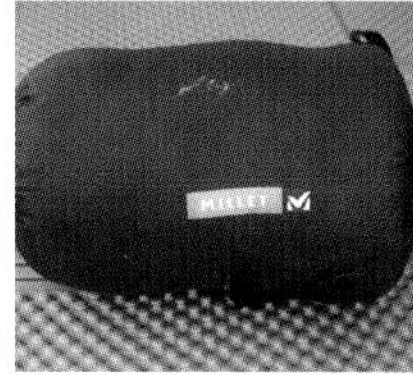

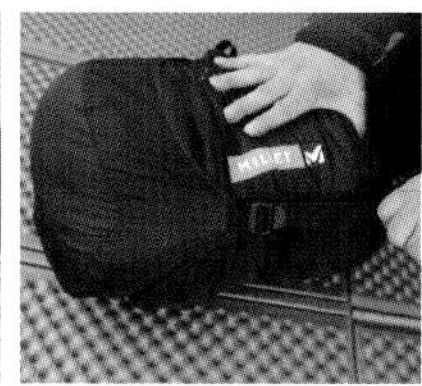

오리털 침낭의 세탁과 관리

오리털 침낭은 꼼꼼한 관리가 수명을 좌우한다. 우선 침낭을 사용하고 나면 햇볕이나 바람이 잘 통하는 곳에 말려야 한다. 습기에 젖은 채로 방치하면 고약한 냄새가 나고, 오리털의 복원력도 급격하게 떨어진다. 침낭을 사용하고 난 뒤 보관할 때에는 백에서 꺼내 오리털이 충분히 부풀어 오를 수 있도록 해주어야 한다.

침낭을 자주 드라이클리닝으로 세탁을 하면 겉감의 밀도가 약해져 털이 빠지는 원인이 될 수 있다. 가급적 오리털 전문 취급점을 이용해 세탁한다. 집에서 세탁할 때는 손빨래가 가장 좋다. 세제를 가급적 적게 사용해 오염된 부분을 스펀지 등으로 살살 닦아낸 뒤 그늘진 곳에서 말린다. 침낭이 다 마르면 30cm 길이의 자나 막대기 등으로 두들기면서 뭉친 털을 골고루 편다. 만약 세제를 너무 많이 사용하면 완벽하게 제거되지 않고 털이 뭉치는 현상이 생길 수 있다.

세탁기에 넣어서 빨 때는 세탁주머니를 이용해 침낭이 상처를 입지 않도록 한다. 가급적 다른 옷감과 구별해 세탁하는 게 좋다. 울 코스로 세탁해야 침낭에 미치는 영향이 적다. 만약 침낭에 구멍이 났거나 박음질이 터져 털이 새어나올 경우에는 테이프를 이용해 터진 부분을 막은 뒤 A/S를 받아야 한다.

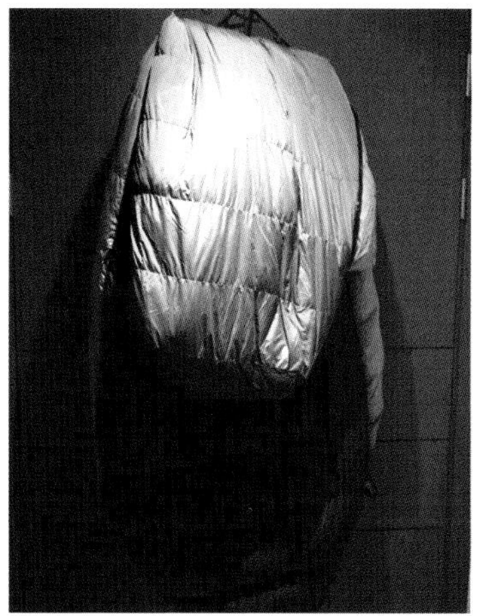

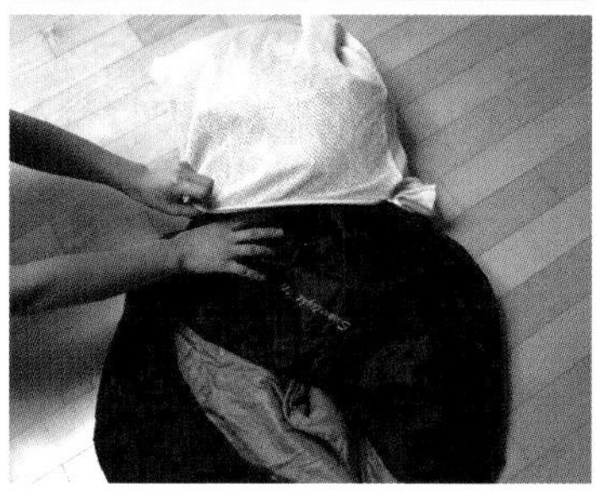

• 패딩 침낭

오토캠핑이 활성화되면서 인기를 끌고 있는 침낭이다. 패딩 침낭이란 폴리에스테르와 같은 화학섬유를 충전재로 넣고 누빈 제품을 말한다. 머미형과 사각형 등 모양에 상관없이 인기를 끌고 있다.

패딩 침낭의 충전재는 화학솜이다. 최근에 출시되는 제품의 충전재는 프리마로프트Primaloft, 신슐레이트Thinsulate, 할로필Hollofill, 퀄로필Quallofill, 서모라이트Thermo-lite, 폴라텍Polartec 등이다. 이 가운데 프리마로프트는 미군이 오리털 제품을 대체하기 위해 개발한 것으로, 극세사망을 사용해 보온력이 높고, 습기 차단 효과도 뛰어나다. 서모라이트는 북극곰의 털이 차가운 공기를 효과적으로 차단하기 위해 중심부가 비어 있는 중공모로 된 것에서 착안해 만든 것으로, 가벼우면서 보온효과가 뛰어나다. 또 면에 비해 건조 속도가 50% 이상 빠르다.

패딩 침낭은 내한온도와 부피에서 오리털 침낭과 비교가 되지 않는다. 수분 흡수력 또한 무게의 3배나 되는 오리털에 비해 많이 떨어진다. 그러나 이것은 오히려 패딩 침낭의 장점이기도 하다. 수분 흡수력이 떨어져 바닷가나 습한 날씨에서는 오히려 힘을 발휘하기도 한다. 패딩 침낭은 관리도 편하다. 오리털 침낭과 달리 세탁과 건조가 쉽다. 또 가격도 저렴하다. 오토캠핑을 처음 시작하거나 봄~가을 위주로 캠핑을 다닐 경우에 사용하기 적당하다.

구분	패딩 침낭	오리털 침낭
장점	• 세탁과 관리가 편리하다. • 가격이 저렴하며 수선이 쉽다. • 다양한 모양으로 만들 수 있다.	• 보온성이 뛰어나다. • 포근하게 감싸주는 느낌이다. • 압축률이 좋아 수납 시 필요 공간이 작다.
단점	• 보온성이 떨어진다. • 수납 시 공간을 많이 차지한다.	• 세탁과 관리가 어렵다. • 습기에 약하다. • 가격이 비싸며 수선이 어렵다.

침낭 보조장비

• 캠핑 커버

겨울 캠핑 시 유용하다. 동계용 침낭의 보온효과를 극대화시킨다. 고어텍스 소재로 된 것은 가격이 비싸지만 보온효과가 뛰어나고, 투습성도 좋다. 그러나 겨울철을 제외하고는 필요가 없다. 침낭 커버 대신 침낭 속에 얇은 담요로 한 겹 더 두르고 자도 된다.

침낭 커버

• 탕파

침낭에서 잠을 잘 때 가장 추운 곳은 발이다. 심장에서 가장 멀기 때문이다. 발의 보온력을 높이는 데 유용한 게 탕파다. 보통 의료용으로 출시되는 보온주머니에 뜨거운 물을 담아 발 밑에 두면 오랫동안 보온력이 유지된다. 단, 뜨거운 물이 새지 않도록 주의해야 한다. 일본에서는 캠핑 전용 보온주머니가 출시되기도 했다. 페트병에 뜨거운 물을 담은 뒤 수건으로 싸서 사용해도 된다. 요즘은 편리한 핫팩을 많이 이용한다.

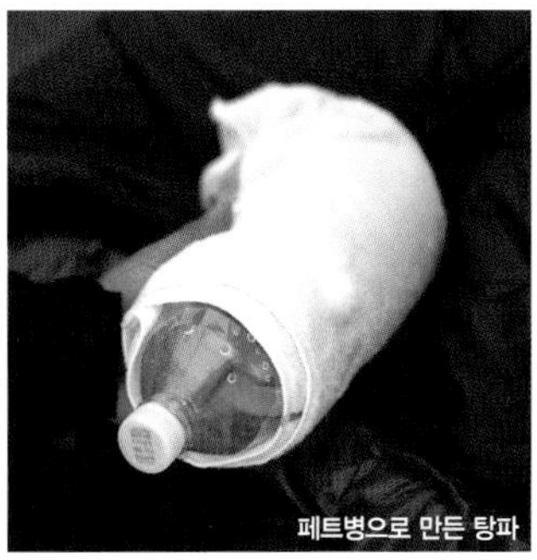
페트병으로 만든 탕파

• 매트리스

침낭과 함께 잠자리 보온에 빠질 수 없는 장비다. 매트리스는 텐트 바닥에서 올라오는 찬 기운을 차단해주며 습기가 올라오는 것을 막아 텐트 안을 쾌적하게 유지시켜 준다. 또한 쿠션 작용이 있어 잠자리에 들거나 앉아서 쉴 때 충격을 흡수해준다. 캠핑장은 제 아무리 바닥이 평평하다고 해도 울퉁불퉁한 게 사실. 그러나 매트리스 한 장이면 이 같은 불편함이 간단하게 해소된다. 매트리스는 또 텐트 속에서 물이나 음식물을 흘렸을 때 청소하기 편리하게 해준다. 특히 매트리스의 방수 효과는 몸이 젖은 상태로 들어와도 텐트 내 다른 장비가 젖는 것을 막아준다.

매트리스

• 베개

예민한 사람은 베개만 바뀌어도 잠을 못 이룬다. 특히, 야외에서는 아무리 잘 꾸며도 집처럼 잠자리가 편하지는 않으므로 꼭 준비하는 게 좋다. 베개는 튜브형으로 제작해 이동 시에 부피를 줄일 수 있는 것이 적당하다. 급하면 옷가지를 이용해 베개를 만들 수도 있다.

베개

침낭 구입 요령

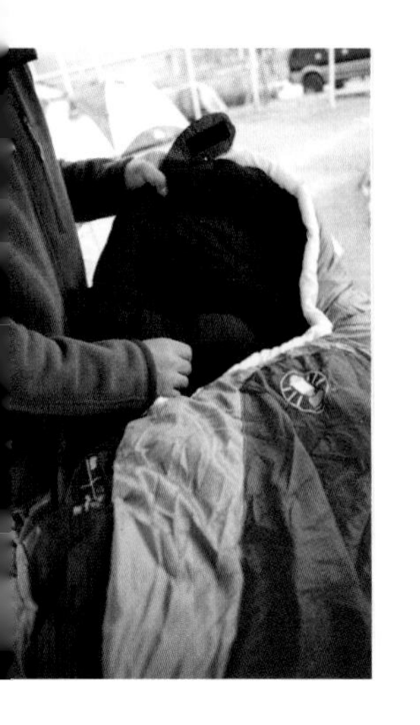

침낭을 구입할 때는 자신의 캠핑 스타일과 가족 구성원의 특징을 모두 고려해야 한다. 일반적으로 캠핑은 봄~가을에 많이 이루어진다. 찬바람이 불면 필요한 장비가 기하급수로 늘어나 비용 부담이 만만치 않다. 또 날도 추운데 밖에서 잔다는 것에 대해 가족의 동의를 구하기도 쉽지 않다. 따라서 자신이 선호하는 계절이 봄~가을이라면 가격이 저렴한 패딩 침낭을 구입하는 것이 좋다. 이때는 폴라폴리스처럼 착용감이 좋은 소재로 만든 내피 달린 침낭을 사면 여러 모로 유리하다. 더운 여름에는 내피만 떼어내 사용할 수 있으며 내피만 따로 세탁할 수 있어 관리도 편리하다. 침낭을 구입할 때는 같은 제품을 2개 이상 구입하는 것이 다양하게 응용할 수 있어 좋다.

겨울까지 사용하려면 온기를 오랫동안 지켜주는 다공질 소재인 센서필이나 할로필로 된 것이 좋다. 안감의 소재는 면과 폴리에스테르 등이 있다. 면은 때가 잘 타고 젖었을 때 마르지 않는 불편함이 있다.

침낭의 모양도 구입 시 고려할 필요가 있다. 어린아이가 있다면 머미형은 부적합하다. 사각형 침낭을 이불처럼 만들어 서로 체온을 나누며 자는 게 가족애를 느낄 수 있어 좋다. 그러나 아이들이 초등학교 고학년이 되면 사각형 침낭보다 머미형 침낭이 좋다. 이때부터 아이들은 프라이버시를 보호받고 싶어하며, 이른 경우 사춘기에 접어들기 때문이다. 아이들이 침낭을 펴고 개는 일을 스스로 하게 함으로써 독립성을 길러주는 것도 좋다.

침낭의 보온온도

침낭의 상표에는 반드시 사용하기 적합한 온도가 명시되어 있다. 침낭을 구입할 때는 이 온도를 꼼꼼하게 따져보고 자신에게 필요한 제품을 구입해야 한다.

일반적으로 여름용은 최저 온도가 10도 내외면 충분하다. 봄, 가을은 생각보다 춥다. 특히, 우리나라는 계곡형 캠핑장이 많아 밤과 낮의 기온차가 크다. 따라서 최저 온도가 영하 2~4℃까지 보장되는 침낭이 있어야 안심할 수 있다. 겨울용은 최저 온도가 영하 20℃ 내외는 돼야 한다. 여기에 침낭 커버를 씌우면 보온효과가 훨씬 커진다.

미국 제품은 화씨를 기준으로 온도가 적혀 있어 조금 혼란스럽다. 이때는 섭씨로 환산해서 자신에게 맞는 제품을 선택한다. 참고로 봄가을용 침낭의 최저 온도가 화씨 25도라면 이는 섭씨로 영하 4도를 가리킨다.

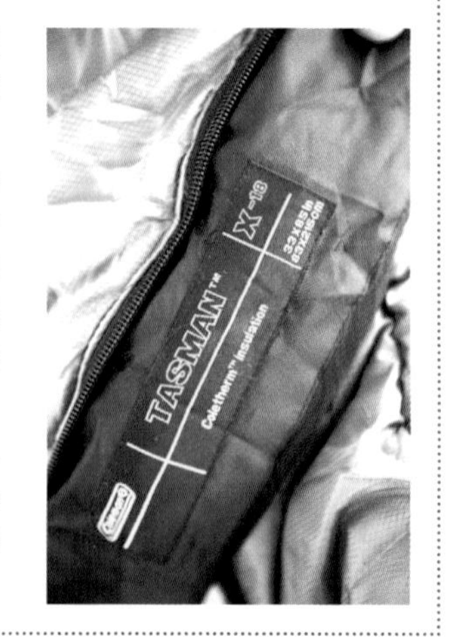

Warning
경고
본 제품은 흡입시
이를 흡입한 자는
청소년에게 판매한 경우에
에 처해집니다

랜턴 Lantern

AUTOCAMPING GEAR

캠핑장을 밝히는 한줄기 빛, 랜턴. 도심에서는 결코 느낄 수 없는 정서적인 친밀감을 준다. 특히, 가솔린이나 가스 랜턴을 켜놓았을 때 연료가 연소되면서 나는 소리는 캠핑의 여유와 멋을 한껏 살려준다. 랜턴은 캠핑 시 야간에도 편리하게 활동할 수 있도록 도와준다. 식탁 위를 비추어 식사를 할 수 있게 한다. 또한 텐트 속을 환히 비춰준다. 캠핑사이트를 벗어나 움직일 때도 랜턴은 절대적인 존재다. 랜턴은 초보 캠퍼에게 어둠이 절대적인 힘을 발휘하는 자연에서 심리적인 안정감을 준다. 반면, 노련한 캠퍼에게는 자연과 벗하고 있다는 친밀감을 선사한다.

랜턴은 광량과 용도, 연료의 종류에 따라 다양한 종류가 있다. 식탁이나 메인 공간을 비추는 대형 랜턴과 텐트 속에서도 안전하게 사용할 수 있는 건전지나 충전식 랜턴, 이동을 하거나 두 팔을 이용해 작업할 때 필요한 헤드 랜턴, 편리하게 사용할 수 있는 막대형 랜턴 등 저마다 상황과 용도에 따라 쓰임새가 다르다. 이 가운데 가솔린과 가스를 이용한 랜턴은 맨틀(심지)을 갈아 끼우는 만만치 않은 과정을 거쳐야 사용할 수 있다. 특히, 가솔린을 이용한 랜턴의 경우 연료가 분사될 수 있도록 용기 내의 압력을 높여주는 펌핑도 능숙하게 할 줄 알아야 한다.

랜턴의 역사

자유롭게 휴대할 수 있는 랜턴은 인류의 오래 된 소망이었다. 인간이 어둠 속에서도 활동할 수 있는 힘을 주기 때문이다. 랜턴의 원조는 모닥불과 횃불이다. 고대에는 나무 껍질 등을 이용해 불을 밝히기도 했다. 결혼을 '화촉을 밝힌다'라고도 하는데, 여기서 말하는 화촉은 자작나무 껍질로 만든 초다. 결혼할 때 자작나무 껍질을 태워 불을 밝혔던 데서 비롯된 표현이다.

인류는 불꽃을 오래 지속시킬 수 있는 방법을 찾기 위해 끊임없는 노력을 기울였고, 그 대안으로 동물성 기름을 발견했다. 이후 동물성 기름을 연료로 하는 초와 등잔이 발명됐다. 오일 램프는 기원전 5세기경에 등장했다고 한다. 오일 램프는 세기를 거치면서 여러 단계로 진화됐다. 우리에게 친숙한 램프는 1783년 스위스 화학자 아르강이 만든 아르강 오일 램프다. 그는 둥근 화구와 관 모양의 심지, 불꽃 주변의 공기 흐름을 조절할 수 있는 둥근 유리 등피(글로브)를 이용해 램프를 만든 후 특허를 출원 했다. 이 램프는 둥근 유리 등피를 이용해 바람과 같은 외부 요인의 영향을 받지 않고 일정하게 불꽃의 크기를 유지시키도록 설계된 것으로, 당시에는 대단한 발명이었다.

1860년대부터 석유가 램프용 연료로 등장했다. 오일 램프와 석유 램프는 심지에 불을 붙여 사용하는 점화 방식은 동일하다. 하지만 연료가 파라핀유에서 석유로 바뀌면서 밝기가 약 3배 가량 밝아진 것이 큰 차이점이다.

가솔린을 연료로 한 램프는 1903년 미국의 콜맨사에서 최초로 개발한 '아크 램프Arc Lamp'다. 이 램프는 상온에서 쉽게 증발되는 가솔린의 성질을 활용, 압력을 높여 기화 상태로 만든 후 점화하는 형식을 취한다. 가솔린 랜턴은 미국 아웃도어의 대명사로 군림하는 콜맨의 오늘을 있게 한 장본인이다. 콜맨의 브랜드 마크도 랜턴 모양이다.

초기의 아크 램프는 가정용 조명기구로 사용됐다. 야외용 랜턴으로 사용하기 시작한 것은 1914년부터다. 1916년에는 전구가 아닌 맨틀을 활용한 '퀵라이트Quick-Lite' 방식을 적용하면서 랜턴이 획기적인 진화를 하게 된다. 이 방식으로 만든 랜턴은 지금까지도 가장 보편적으로 통용되고 있다.

• 가솔린

현대 랜턴의 원조다. 가솔린은 다른 연료에 비해 광량이 세다. 100여 년의 역사가 말해주듯이 기술적으로도 완벽히 진화됐다. 특히, 가솔린이 타면서 내는 소리는 캠퍼들에게는 '자연이 부르는 소리'로 여겨질 만큼 친근감을 준다. 가솔린 랜턴은 테이블이나 모닥불 등 주요 공간에서의 사용도가 높으며 맨틀의 개수와 크기에 따라 광량이 좌우된다. 맨틀을 끼우고 연료통의 압력을 높이기 위해 펌핑을 해야 하는 등 제대로 사용하려면 충분한 경험과 사전학습이 필요하다.

• 가스

부탄가스를 연료로 활용하는 랜턴이다. 편리한 휴대성으로 인해 최근 각광받고 있다. 용도에 따라 랜턴의 크기가 천차만별이다. 오토캠핑용은 가솔린 랜턴과 부피가 맞먹을 만큼 크다. 그러나 등산용은 접으면 한 손에 잡힐 만큼 작다. 큰 것은 가솔린 랜턴 대용으로 사용할 수 있으며 작은 것은 보조나 예비용으로 사용하면 좋다. 이것 역시 가솔린 랜턴과 마찬가지로 맨틀을 갈아 끼우는 데 익숙해지려면 일정 정도 학습이 필요하다.

• 건전지

건전지를 연료로 하는 랜턴이다. 건전지 랜턴은 랜턴을 통틀어 크기와 모양이 가장 다양하다. 특히, 가솔린 랜턴과 가스 랜턴에 비해 화상의 위험이 전혀 없다는 게 장점이다. 또한 건전지의 크기와 개수에 따라 광량을 조절할 수 있어 원하는 형태로 랜턴을 만들 수 있다. 휴대성이 좋아 캠핑사이트에서 벗어날 때 주로 이용된다. 텐트 안이나 화기에 노출되면 위험한 아이들에게도 유용하다. 최근에는 LED전구를 이용한 제품이 주를 이루고 있다. 건전지 랜턴은 가솔린 랜턴과 가스 랜턴에 비해 가격이 저렴하다. 단, 가솔린이나 가스 랜턴과 달리 불빛이 차가운 느낌을 주고 광량도 약하다는 게 단점이다.

• 충전식

충전식 랜턴은 요즘 랜턴의 대세다. 전기만 있으면 어디서든 충전해서 간편하게 사용할 수 있다. 빛의 밝기와 톤도 자유자재로 조절할 수 있다. 건전지 랜턴처럼 예비로 건전지를 가지고 다니는 번거로움도 없다. 화상의 위험도 없다. 캠퍼라면 몇 개의 충전식 랜턴을 가지고 있어야 한다.

• 초

가장 원시적인 형태의 랜턴이다. 1980년대만 해도 가솔린이나 가스 랜턴 대신 초를 가지고 캠핑을 가는 이들이 많았다. 초는 가격이 저렴한 것이 가장 큰 장점이다. 또한, 여러 개를 이용하면 장식적인 효과가 뛰어나고 아늑한 분위기를 연출하는 데도 도움을 준다. 그러나 바람에 약하고, 광량이 부족하다. 따라서 보조장비로 휴대하는 게 좋다. 기다란 양초와 달리 캠핑용은 키가 작고, 화장품처럼 둥근 금속성 케이스에 담겨 있다.

TIP

랜턴 스탠드와 랜턴 홀더

랜턴 스탠드

랜턴 홀더

랜턴의 가장 중요한 기능은 조명효과다. 또한 움직임이 많은 공간에서도 안전하게 사용할 수 있는 안전성이다. 랜턴은 머리 위에서 10~30cm 위에 있을 때 가장 효과가 크다. 테이블에 올려놓으면 빛이 눈에 직접 닿기 때문에 쉽게 피로를 느낀다. 이때 유용한 것이 랜턴 스탠드와 랜턴 홀더다. 랜턴 스탠드는 테이블이나 모닥불 주변에 설치해 랜턴을 걸 수 있게 만든 것을 말한다. 랜턴 스탠드는 기둥과 삼각대, 랜턴 걸이 3개의 장치로 구성됐으며 캠핑장에서 아주 요긴하게 활용된다. 랜턴 홀더는 타프의 굵은 폴을 이용해 랜턴을 걸 수 있게 만든 것이다. 양끝이 나사형으로 만들어져 폴에 쉽게 탈부착시킬 수 있으며, 랜턴과 홀더 자체의 무게로 지지대를 형성한다. 랜턴 홀더를 활용하면 별도로 랜턴걸이 스탠드를 구입할 필요가 없다. 단, 타프의 폴이 홀더를 지지할 수 있을 만큼의 굵기가 되는지는 따져봐야 한다.

맨틀(심지)

랜턴이 빛을 발하는 것은 맨틀이 있기 때문에 가능하다. 맨틀은 석면 소재로 만든 주머니로 되어 있다. 이것을 연료가 배출되는 버너에 씌운 후 점화를 하면 아름다운 불빛이 빛난다. 그러나 처음부터 불빛이 만들어지는 것은 아니다. 맨틀은 한 번 태워야 빛을 발한다. 이렇게 한 번 태운 맨틀은 충격에 아주 약해서, 케이스에 넣고 뺄 때, 혹은 이동 중에 충격을 받으면 쉽게 부서진다. 따라서 조심스럽게 다뤄야 오래 쓸 수 있다. 또 사용 중인 맨틀이 부서질 것에 대비해 항상 여분을 준비하는 것이 좋다. 맨틀은 랜턴의 크기와 종류에 따라 모양과 크기가 제각각이므로, 구입할 때는 자신이 가지고 있는 랜턴에 맞는 것을 골라야 한다.

용도에 따른 분류

텐트용

테이블용

• 텐트용

텐트에서 사용하는 랜턴이다. 건전지나 충전식 랜턴이 가장 사용하기 좋다. 연료를 연소시켜 빛을 내는 랜턴은 자칫 화재의 원인이 될 수 있다. 텐트나 침낭 등의 소재가 불에 약한데다 불완전 연소 시에는 질식사의 위험도 있다. 따라서 화기가 없고, 인체에도 무해한 건전지나 충전식 랜턴이 최고다.

텐트용 랜턴은 크기와 모양이 다양하다. 텐트용 랜턴은 광량이 적어도 상관이 없다. 야간에 텐트 내에 있는 물건을 찾거나 잠자리에 들기 전 짧은 시간 활용하는 것이 전부이기 때문. 텐트용은 텐트에 걸 수 있게 뒷면에 고리가 부착되어 있어야 하고, 바닥에 놓았을 때 넘어지지 않도록 밑이 넓적한 게 좋다. 또 텐트 본체에 탈부착시킬 수 있는 자석식도 유용하다. 텐트 내에서 독서를 할 경우 LED전구를 활용하는 게 좋다. LED는 광량이 좋으면서도 전력소모량이 적고, 전구 수를 조절해가며 사용할 수 있다.

• 테이블용

캠핑사이트에서 가장 중심이 되는 공간인 테이블에 배치되는 랜턴이다. 캠퍼의 숫자와 테이블의 규모에 따라 1개에서 많게는 3개까지 사용한다. 이때 사용하는 랜턴은 가솔린 랜턴과 가스 랜턴이 대부분인데, 가급적 광량이 큰 것을 사용한다.

광량이 적은 건전지 랜턴은 테이블용으로 부적합하다. 테이블용은 랜턴을 걸어둘 수 있는 랜턴 스탠드나 타프의 폴에 붙여 사용하는 랜턴 홀더가 있으면 공간 활용도가 커진다. 또한, 모기나 곤충을 주변으로 유인해 테이블에 놓인 음식이나 사람에 끼치는 피해를 최소한으로 줄일 수 있다.

막대형 랜턴

헤드 랜턴

막대형 랜턴

서치라이트

- 이동용

캠핑을 하다 보면 야간에 움직여야 할 때가 많다. 화장실을 가거나 숲을 거닐 수도 있다. 이때도 랜턴은 필수다. 그러나 가솔린이나 가스 랜턴은 휴대하기가 불편하다. 자칫 화상을 입을 위험도 있다. 따라서 이동용은 건전지나 충전식 랜턴이 최적이다. 이동용 랜턴으로는 헤드 랜턴과 막대형 랜턴 2가지가 있다.
헤드 랜턴은 우리말로 머릿 전등이라 부른다. 세 갈래의 끈이 달려 있어 머리에 쓰게 되어 있다. 이 랜턴은 두 팔을 자유롭게 움직여야 할 때 아주 유용하다. 이를테면, 밤에 설거지를 하거나 텐트를 치는 등의 작업을 할 때 꼭 필요하다. 헤드 랜턴은 머리에 쓰고 있어야 하기 때문에 무게가 가벼운 것이 좋다. 보통 AA 사이즈 건전지 2개를 넣는 것이 적당하다. 작은 공간을 비추기 때문에 광량은 크게 문제되지 않는다.
막대형은 이동용 랜턴의 원조이자 지금도 가장 사랑받는 랜턴이다. 새끼손가락 크기의 작은 것에서 자동차 헤드램프만한 것까지 크기가 다양하다. 필요한 광량에 따라 자유롭게 선택할 수 있는데, 들고 다니기에 부담이 없어야 한다. 작은 것은 휴대가 간편하고, 급하면 입에 물고 두 팔을 자유롭게 움직이면서 활동할 수 있다는 장점이 있다. 광량이 큰 대형은 야간에 위험요소가 상존하는 숲을 거닐거나 무엇인가를 찾을 때 적합하다.

- 서치라이트

오토캠핑 장비가 대형화되면서 추가된 랜턴의 종류다. 야간에 텐트를 설치하거나 캠핑사이트를 만들 때 유용하다. 건전지를 사용하는 랜턴과 전기를 사용하는 랜턴 두 종류가 있다. 광량이 아주 커서 주변을 환하게 밝혀준다.

스토브 Stove

AUTOCAMPING GEAR

캠핑에서 반드시 필요한 장비 가운데 하나가 스토브다. 스토브는 요리를 하기 위해 불을 켜는 도구, 혹은 난로를 일컫는다. 우리가 흔히 사용하는 버너는 '연소기'만을 한정한 말이다. 따라서 캠핑에서 사용할 수 있도록 휴대하기 편리하게 제작된 장비는 버너가 아니라 스토브라 불러야 적절하다.

스토브만큼 활용도가 높은 캠핑 장비도 드물다. 스토브가 있어 요리의 즐거움이 있다. 스토브에 올린 코펠에서 나는 구수한 밥 냄새와 보글보글 끓는 찌개는 식욕을 자극한다. 커피를 끓일 때도, 술안주를 만들 때도 스토브가 필요하다. 스토브는 때때로 난로로 변신한다. 겨울철에는 스토브 위에서 요리를 하는 것만으로도 난방효과가 있다. 스토브에서 나오는 파란 불꽃은 그 자체로 조명이자 감성을 깨우는 빛이 된다. 파란 불꽃이 연소되면서 나는 소리는 캠퍼들에게 캠핑의 낭만과 즐거움을 일깨워주는 소리로 통한다.

스토브는 난로와 함께 가장 위험한 캠핑 장비에 속한다. 조작법을 제대로 익히지 않았다거나 혹은 고장난 것을 제때 수리하지 않은 채 사용하다가는 큰 위험을 초래할 수 있다. 다른 어떤 장비보다 꼼꼼하게 관리하고, 사용법도 숙지해야 한다. 스토브는 연료와 용도에 따라 다양한 제품이 존재한다.

스토브의 역사

스토브는 독일의 화학자 분젠(1811~1899)이 1855년 분젠 버너를 발명하면서 등장했다. 이 버너는 가느다란 금속관을 통해 기체가 된 연료를 공급하고, 연료와 산소가 만나는 지점에서 성냥 등의 인화 물질을 이용해 점화를 시킨다. 이 방법은 연료만 다를 뿐 오늘날의 스토브 제작 원리와 같다.

초기의 캠핑 스토브는 석유를 연료로 하는 것이 대부분이었다. 석유는 무겁고, 부피가 큰데다 충분한 예열을 필요로 한다는 단점이 있다. 그러나 가격이 저렴하면서 오래 가고, 어디서나 쉽게 구할 수 있다는 장점도 있다. 우리나라의 경우 1980년대 중반까지도 대부분 석유를 연료로 한 스토브를 사용했다.

스토브 예열의 번거로움을 단숨에 해결해준 이가 미국 콜맨사의 창업주 윌리엄 콜맨이다. 그는 1910년 예열 없이 곧바로 사용할 수 있는 가솔린 스토브의 시제품을 만들었으며, 1923년에는 캠핑 스토브를 시장에 출시했다. 가솔린 스토브는 석유와 달리 끓는점이 30~200℃로 낮다. 예열을 하지 않은 상태에서 일정 정도 압력을 가하는 것만으로도 점화가 된다.

1970년대에 들어서면서 스토브의 연료로 가스가 주목받기 시작했다. 가스는 가솔린에 비해 휴대하기 간편하고, 화력 조절이 간단하다는 장점이 있다. 또한 가스통과 스토브의 분리와 합체가 자유로워지면서 다양한 제품이 선을 보였다. 여기에 가솔린 스토브에 비해 상대적으로 저렴한 가격도 대중화에 한몫을 했다.

스토브의 연료

• **석유** 초창기 스토브를 주름잡던 연료다. 석유(등유)는 끓는점이 180~250℃다. 따라서 액체상태인 석유를 기체로 바꾸기 위해서는 반드시 예열 장치가 필요하다. 보통 알코올을 예열 연료로 사용해 석유가 기화될 수 있는 조건을 만들어준 뒤 연료를 분사시켜야 하기 때문에 많은 불편이 따른다. 지금은 마니아들 외에는 거의 사용하지 않고 있다.

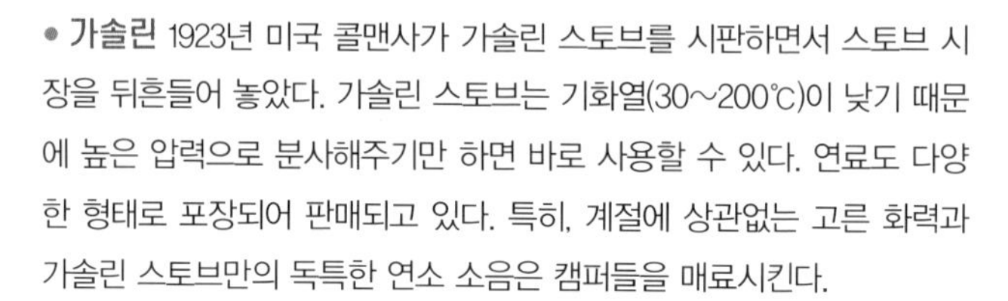

• **가솔린** 1923년 미국 콜맨사가 가솔린 스토브를 시판하면서 스토브 시장을 뒤흔들어 놓았다. 가솔린 스토브는 기화열(30~200℃)이 낮기 때문에 높은 압력으로 분사해주기만 하면 바로 사용할 수 있다. 연료도 다양한 형태로 포장되어 판매되고 있다. 특히, 계절에 상관없는 고른 화력과 가솔린 스토브만의 독특한 연소 소음은 캠퍼들을 매료시킨다.

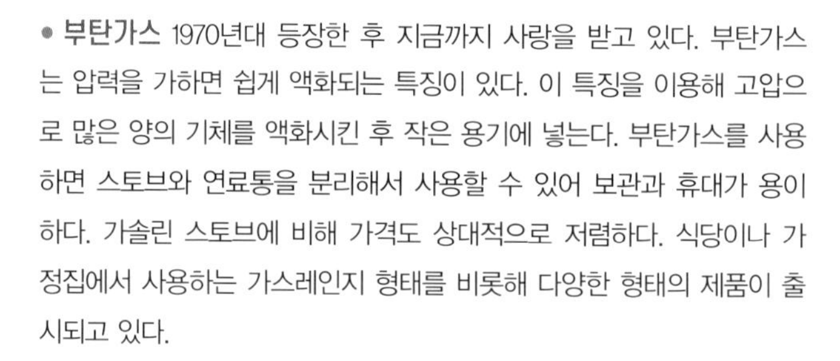

• **부탄가스** 1970년대 등장한 후 지금까지 사랑을 받고 있다. 부탄가스는 압력을 가하면 쉽게 액화되는 특징이 있다. 이 특징을 이용해 고압으로 많은 양의 기체를 액화시킨 후 작은 용기에 넣는다. 부탄가스를 사용하면 스토브와 연료통을 분리해서 사용할 수 있어 보관과 휴대가 용이하다. 가솔린 스토브에 비해 가격도 상대적으로 저렴하다. 식당이나 가정집에서 사용하는 가스레인지 형태를 비롯해 다양한 형태의 제품이 출시되고 있다.

• **이소부탄** 부탄가스는 휴대성이 높은 데 반해 끓는점(-0.5~-12℃)이 낮다. 따라서 겨울처럼 기온이 낮을 때는 가스가 얼어 연료의 효율성이 떨어진다. 그래서 대안으로 등장한 것이 이소부탄ISO Butane이다. 이소부탄은 부탄가스에 비해 인화성이 강하다. 이소부탄 외에 프로판가스의 비율을 30%로 높인 동계용 부탄가스도 겨울철에 즐겨 사용된다.

• **프로판가스** 프로판가스는 보통 LPG가스라고도 불리며, 가정용이나 차량용처럼 5~20kg의 큰 통을 사용한다. 따라서 2~3일 이상 소요되는 캠핑에도 연료 교체 없이 손쉽게 화력을 이용할 수 있다. 강한 압력을 이용해 연료를 분사하기 때문에 화력이 가장 세다. 또 용기가 크기 때문에 겨울에도 가스가 얼 확률이 적다.

스토브 구매요령

어떤 것을 살까? 처음 스토브를 구입할 때는 가솔린과 부탄가스를 두고 망설이게 된다. 가솔린과 부탄 가스 모두 장단점이 있어 쉽게 판단이 서지 않기 때문이다. 가솔린은 부탄가스에 비해 화력이 세다. 또 기온에 상관없이 일정하게 화력을 유지하는 게 최대 장점이다. 부탄가스에 비해 연비도 좋다. 반면, 위험한 연료를 연료통에 직접 주입해야 하는 불편함과 위험이 따른다. 또 연료탱크의 압력을 높여주는 펌핑도 무경험자와 여성에게는 쉽지 않은 일이다. 높은 가격도 부담이다. 순정 화이트 가솔린을 써야 하기 때문에 연료 구하기도 불편하다. 반면 부탄가스는 편리성에서 가솔린에 앞선다. 어디서나 쉽게 연료를 구입할 수 있다. 겨울철에 화력이 떨어지는 불편함이 있지만 다른 계절에는 크게 지장을 받지 않는다. 또 상대적으로 불꽃 조절이 용이하고 조작법도 간단하다. 가솔린에 비해 가격이 저렴한 것도 장점이다. 이처럼 가솔린과 부탄가스는 저마다의 장단점이 있다. 따라서 스토브 구입 시에는 다음과 같은 몇 가지를 고려해야 한다.

첫째, 스토브와 랜턴은 동일 연료를 사용하는 제품을 구입하는 게 관리하기가 편하다. 가솔린 스토브를 사용한다면 랜턴도 가급적 가솔린 랜턴을 사용하는 게 좋다. 둘째, 겨울에도 캠핑을 다닐 계획이라면 가솔린 스토브를 구입하는 게 현명하다. 가솔린은 번거롭지만 기온에 상관없이 화력이 좋은데다, 겨울철에는 특히 연비가 좋기 때문이다. 셋째, 만약 봄~가을에만 캠핑을 다닐 계획이라면 가스 스토브가 편리성에서 앞선다. 넷째, 보조용은 휴대가 간편하고 저렴한 가스 스토브를 구입하는 게 좋다. 다섯째, 여성의 의견도 충분히 듣고 구입하는 게 좋다. 가솔린 스토브의 경우, 연료를 넣고 펌핑을 하는 과정이 복잡하다. 남성은 그 자체에서 기쁨을 느끼지만 여성은 버너를 조작하는 것에 부담을 느낄 수 있다. 여섯째, 투 버너 스토브의 경우 가급적 크기가 큰 것을 구입한다. 스토브가 클수록 대형 코펠을 이용한 동시 조리가 가능하다.

기가파워 스토브

원 버너 스토브

투 버너 스토브

코펠 Portable Pots and Pans

AUTOCAMPING GEAR

캠핑장에서 맡을 수 있는 가장 좋은 향기는 아마도 밥 짓는 냄새일 것이다. 코펠 뚜껑 위로 모락모락 피어나는 김은 당장 허기를 느끼게 한다. 작은 코펠에서 얼큰한 찌개가 먹음직스럽게 끓는 소리나 프라이팬에 고기를 볶을 때 지글거리는 소리는 또 어떤가.

코펠은 냄비와 프라이팬, 접시, 밥그릇을 겹겹이 포개어 모든 구성품을 한 번에 수납할 수 있게 만든 휴대용 식기다. 이 도구를 이용해 밥을 짓고, 찌개를 끓인다. 고기나 야채를 볶을 수도 있고, 커피 마실 물을 끓일 수도 있다. 또 밥을 담거나 반찬을 놓을 수도 있다.

코펠은 알프스 등반이 본격화된 19세기 말부터 개발되기 시작했다. 그후 두 번의 세계대전을 거치면서 군용으로 비약적인 발전을 하게 된다. 현대에 오면서 무쇠에서 철, 알루미늄, 스테인리스, 티타늄 등으로 재질이 크게 변하였다. 특히, 최근에 출시되는 제품은 무게는 가벼우면서 강도 높은 소재로 된 것이 주를 이룬다.

코펠의 쓰임새는 조리를 하는 데 그치지 않는다. 여름철에는 아이스버킷 대신 화이트 와인을 차갑게 식히는 데 쓰인다. 수도가 없는 곳에서는 바가지로 쓰이기도 한다. 겨울에는 눈을 퍼내는 도구로 쓰인다. 야채나 쌈을 담는 수납공간으로도 활용된다.

코펠의 구성

코펠과 양파의 공통점은? 꺼내도 꺼내도 계속 나온다는 점이다. 코펠은 냄비, 프라이팬, 주전자, 접시, 밥그릇 등이 겹겹이 포개져 하나의 냄비 속에 들어 있다. 그러나 성능이 뛰어난 고가의 제품은 코펠과 프라이팬으로만 구성되는 경우도 있다. 냄비는 보통 2~3종으로 구성된다. 냄비의 사이즈에는 보통 1~2ℓ의 차이를 두어 음식의 양에 따라 선택해 사용할 수 있게 했다. 프라이팬은 가장 큰 냄비의 바닥에 겹쳐서 수납되어 있다. 보통 음식물이 들러붙지 않게 코팅된 제품이 나온다. 저렴한 것은 코팅이 안 되어 있거나 쉽게 벗겨진다. 밥그릇은 4~6인 기준으로 들어 있다. 대부분 인체에 무해한 강화 플라스틱을 소재로 한다. 국자는 손잡이를 접을 수 있게 만들어졌다. 주걱은 수납이 용이하도록 손잡이가 작은 미니 사이즈다.
또 커피 주전자는 3~4인이 마실 수 있는 양의 물을 끓일 수 있는 규모로, 바닥의 넓이에 비해 높이가 낮은 것이 특징이다. 3~4개가 제공되는 접시도 강화 플라스틱으로 만들어졌다.

포트

코펠의 크기는 한정되어 있다. 최대 크기가 7~8인용을 넘 지 않는다. 따라서 두 가족 이상이 캠핑할 때나 그룹 캠핑에서는 코펠만으로 부족하다. 이때는 별도로 대형 포트를 이용해야 한다. 20인 이상 먹을 수 있는 포트도 판매되고 있다. 캠핑용 포트는 성능이 뛰어난 대신 가격이 비싸다. 따라서 그룹 캠핑이 잦은 경우가 아니면 집에서 사용하던 것을 가져다 써도 무방하다.

재질에 따른 분류

코펠은 재질에 따라 연질과 경질 알루미늄, 세라믹, 스테인리스, 티타늄으로 나뉜다.

• 연질 알루미늄

재질이 연한 알루미늄으로 만든 코펠이다. 충격에 약해 쉽게 찌그러지며 코팅이 쉽게 벗겨진다. 저렴하다는 장점이 있다.

• 경질 알루미늄

알루미늄을 특수 코팅하여 강도를 높였다. 쉽게 부식되지 않고, 마모되지 않는다. 그러나 반복 사용이 계속되면 부식이 일어난다. 사이즈에 따라 다양한 제품군이 형성되어 있으며 가격대가 합리적이다.

• 세라믹

알루미늄을 세라믹 코팅으로 처리한 코펠이다. 세라믹은 금속을 불이나 열로부터 보호하는 기능이 있다. 전열성이 뛰어나 열효율을 극대화시켜준다. 또 원적외선을 발산해 요리 시간을 단축시켜준다.

• 스테인리스

표면에 얇은 산화 방지막이 형성되어 있어 부식에 강하다. 또한 강도가 뛰어나 쉽게 찌그러지지 않는다. 작은 것부터 10인용까지 사이즈가 다양하다. 바닥에 알루미늄을 덧대 열효율을 극대화시킨 이중 코팅 제품도 있다. 가격이 비싼 편이다.

• 티타늄

초경량 제품이면서 강도가 가장 뛰어나다. 오토캠핑용보다 등산용으로 인기가 있다. 대체로 사이즈가 작은 편이며 가격이 비싸다.

TIP

재질의 차이는 가격의 차이?

코펠의 가격을 결정하는 것은 크기와 재질이다. 코펠의 사이즈가 크면 클수록 가격은 비싸다. 설렁 냄비와 프라이팬만 있고 밥그릇이나 주걱 등은 없다고 해도 사이즈가 크면 가격이 비싸진다. 재질의 차이 역시 가격과 직결된다. 재질별 가격대는 '티타늄>스테인리스>세라믹>경질 알루미늄>연질 알루미늄' 순이다. 초보 캠퍼의 경우, 가격을 우선시하여 연질 알루미늄 제품을 사는 경우가 있는데, 이는 좋지 않은 선택이다. 최소한 경질 알루미늄 제품 이상을 구입하는 게 좋다.

테이블 Camping Table

AUTOCAMPING GEAR

등산 중심의 캠핑은 좌식생활을 기본으로 한다. 캠퍼들은 텐트 바닥에 앉아서 지냈다. 그러나 오토캠핑이 주를 이루면서 캠핑은 입식생활로 변하였다. 그렇게 된 데에는 테이블의 역할이 크다. 테이블이 캠핑의 필수 아이템으로 발전할 수 있었던 것은 다리와 상판을 접어서 수납공간을 최소화시키는 폴딩 시스템의 개발이 있었기 때문에 가능했다. 테이블은 타프와 텐트 속은 물론, 야외에서도 중심 역할을 한다. 테이블이 있어야 식사를 할 수 있다. 테이블이 있어야 책을 올려놓거나 커피를 마시며 안정적인 대화를 나눌 수 있다.

테이블은 재질과 크기, 용도에 따라 아주 다양하다. 식사를 할 수 있는 메인 테이블은 4인용 이상의 크기가 기본이다. 화롯가나 텐트 안에 놓는 테이블은 아담하다. 대부분 수납공간을 고려해 사각형이지만 원형인 것도 있다. 또 의자와 일체형으로 제작된 테이블도 있다. 테이블은 테이블보를 씌우고 와인이나 꽃병 등으로 장식하면 의외로 품격이 있는 공간으로 변신한다. 테이블에서 마시는 커피 한 잔은 캠핑의 여유를 만끽할 수 있게 해준다.

상판 재질에 따른 분류

테이블 프레임의 재질은 알루미늄이 대세다. 반면 상판 재질은 MDF에서 대나무까지 다양하다. 그러나 모든 상판 재질은 열에 강하다는 공통점이 있다. 상판은 음식을 요리하면서 달궈진 코펠을 받침대 없이 그냥 올려놓아도 끄떡없을 만큼 강하게 제작된다.

• MDF

캠핑용 테이블에 가장 많이 사용되는 소재 가운데 하나다. MDF는 나무를 잘게 잘라 본드로 붙여서 만든다. 캠핑용 테이블을 만들 때는 MDF에 열에 강한 아크릴 소재를 한 번 더 프린팅한다. 그러나 날카로운 것으로 충격을 가하면 부분 파손이 되기도 한다.

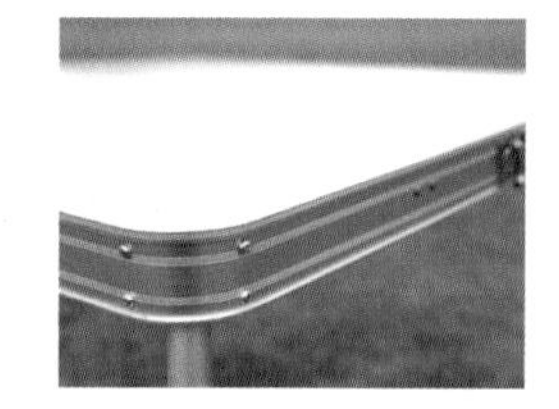

• 알루미늄

MDF와 함께 가장 널리 사용되는 소재다. 열에 강하며 내구성이 좋다. 특히, 최근 인기를 끌고 있는 화로 테이블도 알루미늄으로 많이 제작된다. 알루미늄으로 만든 의자와 함께 패키지로 구성된 것도 있고, 돌돌 말 수 있게 롤식으로 구성된 것도 있다. 날카로운 것에 긁히면 자국이 남는다는 단점이 있다.

• 대나무

감성캠핑을 추구하는 캠퍼들이 좋아하는 소재다. 성장이 빠른 대나무를 집성재로 사용해 상판을 만든다. MDF나 알루미늄에 비해 시각적인 따뜻함과 편안함을 준다. 그러나 고급스런 이미지에 걸맞게 가격이 비싸다.

테이블의 구성

테이블은 상판과 다리로 구성된다. 상판은 수납공간을 최소화시키기 위해 2~3중으로 접을 수 있게 설계되며, 다리는 보통 2단으로 되어 있다. 다리를 모두 연결하면 입식용, 1단으로 줄이면 텐트 안에서 좌식용으로 사용할 수 있다. 어떤 것은 다리가 3단으로 구성되어 있어 필요에 따라 높이를 자유자재로 조절할 수 있다. 테이블보를 고정시킬 수 있는 클립이 기본으로 제공되기도 한다.

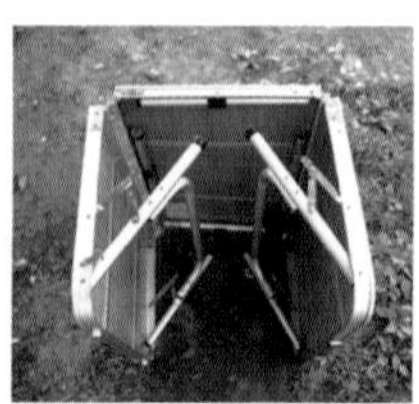
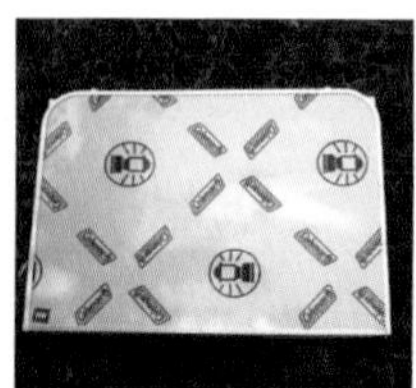

테이블의 분류

• 소형 테이블

1~2인이 사용할 수 있는 미니 테이블이다. 혼자 캠핑을 온 경우 식탁이나 차를 마시는 테이블로 활용할 수 있다. 가족 단위 캠핑 시에도 사이드 테이블로 활용 가능하다. 특히, 화로에 테이블을 세팅할 경우 유용하게 활용할 수 있다.

• 4인용

직사각형 모양이 주를 이룬다. MDF보다 스테인리스로 된 제품이 많다. 다리는 2단으로 접게 돼 있다. 또 의자와 일체형으로 나온 제품도 의외로 많다. 4인이 사용하기에는 조금 작은 면이 있다.

• 6인용

활용도가 가장 뛰어난 메인 테이블이다. 상판을 3단으로 접을 수 있게 되어 있다. 다리는 입식과 좌식에 걸맞게 높이를 조절할 수 있도록 2단으로 되어 있다. 2개를 이어 붙이면 그룹파티도 충분히 소화할 수 있다. MDF 소재의 제품이 주를 이룬다.

• 8인용

테이블 가운데 가장 규모가 크다. 다리 받침대가 3열로 있어 테이블에 걸리는 하중을 지탱하게 한다. 테이블에 그릴이나 스토브를 결합시켜 사용할 수 있도록 설계된 제품도 있다. 8인용은 규모가 큰 타프나 리빙셸이 아니면 조금 거추장스러울 수 있다.

• 화로 테이블

최근 캠퍼들의 가장 큰 주목을 받고 있는 테이블 가운데 하나다. 가운데 화로가 들어갈 수 있게 사각의 공간을 마련해둔 테이블이다. 화로에서 직화구이나 철판요리를 할 수 있으며, 조리도구도 올려놓을 수 있도록 설계됐다.

테이블은 캠핑의 필수품이다. 따라서 초기 구입 품목에 꼭 넣을 필요가 있다. 테이블을 고를 때는 우선 어느 정도 크기의 테이블이 적당한가를 판단해야 한다. 즉, 이용자의 수에 맞는 것을 고른다. 보통 3인 이상의 가족이라면 6인용을 메인 테이블로 잡는 게 좋다. 밥과 국, 반찬이 기본인 우리나라의 상차림을 고려하면 4인용은 크기가 작을 수 있다. 또 두 가족이 함께 식사를 할 때도 6인용이 필요하다. 5~6인 이상의 대가족인 경우는 6인용을 기본으로 4인용을 하나 더 구입하는 게 좋다. 8인용은 사이즈가 큰 만큼 공간을 많이 차지하고 활용도가 떨어진다.

보조 테이블을 구입할 때는 가급적 높이와 넓이가 같은 것을 구입한다. 일단 기본 테이블을 구입했다면 여유를 가지고 살펴볼 필요가 있다. 사이드 테이블은 절대적으로 필요한 것은 아니다. 또 화로 테이블도 화로부터 구입한 뒤 생각해볼 필요가 있다.

기본 테이블과 함께 사이드 테이블도 구입하고 싶다면 미니 테이블을 추천한다. 미니 테이블은 의외로 활용도가 높다. 텐트 안에서 간단한 다과를 즐길 수도 있고, 소풍을 가서도 도시락 테이블로 사용할 수 있다. 부피가 작아 수납공간도 크게 차지하지 않는다.

키친 테이블 Kitchen Table

AUTOCAMPING GEAR

캠핑 가구 가운데 꼭 필요한 것 가운데 하나가 키친 테이블이다. 우리나라 캠핑 문화는 '먹자캠핑'이라 불릴 만큼 먹는 것을 중요하게 생각한다. 맛있게 잘 먹기 위해 캠핑을 간다고 해도 과언이 아니다. 따라서 캠핑 갈 준비를 할 때도 먹을 것이 우선이고, 캠핑장에서도 많은 시간을 요리하는 데 할애한다.

키친 테이블은 일반 테이블과 달리 요리를 할 수 있는 다양한 장치가 있다. 재료를 손질하는 테이블은 기본이다. 여기에 스토브를 올려놓을 수 있는 거치대, 코펠이나 식기 등을 보관할 수 있는 수납장, 가위나 칼, 집게 등을 걸어두는 거치대, 밤에 조명을 밝힐 수 있는 랜턴걸이 등이 있다. 이렇게 키친 테이블에는 요리에 필요한 많은 기능이 있지만, 이 모든 것을 테이블 안에 넣을 수 있게 수납을 최적화시켰다. 물론 일반 테이블에서도 요리를 할 수 있다. 하지만 키친 테이블을 활용하면 훨씬 더 편리하다.

키친 테이블 구성

• **조리대**

음식의 재료를 다듬고 손질하는 공간이다. 조리대는 알루미늄, 베니어판, 원목 등이 주된 소재이며, 도마와 코펠, 그릇 등을 놓을 수 있도록 공간이 넓은 것이 편리하다. 뜨거운 것을 올려놔도 괜찮을 만큼 열에 강하고 단단해야 하며 음식물이 떨어졌을 때 쉽게 청소할 수 있는 게 좋다.

• **수납그물**

키친 테이블은 식기 수납공간을 가지고 있어야 한다. 수납그물은 바로 그 식기 수납공간의 역할을 한다. 수납공간은 그물망으로 만들어진 것과 쇠살대로 만들어진 것 2종이 있다. 식기류가 많을 경우 별도의 수납함을 설치하기도 한다.

다용도 건조대

건조한 식기류를 보관할 때는 콤팩트한 수납이 가능하지만 설거지 뒤에 물에 젖은 식기를 말릴 때는 수납공간이 커질 수 밖에 없다. 특히, 접시나 그릇 등 식기가 많을수록 수납공간이 점점 아쉬워진다. 이때 다용도 건조대가 있으면 쉽게 문제가 해결된다. 다용도 건조대는 통풍이 잘 되고 속이 훤히 비치는 메시 소재의 천으로 구성되어 무게가 가볍다. 접었을 때는 부피가 작아져 부담이 없다. 다용도 건조대는 설거지를 한 식기류를 건조할 때는 물론 야채나 과일 등을 보관할 때도 편리하다.

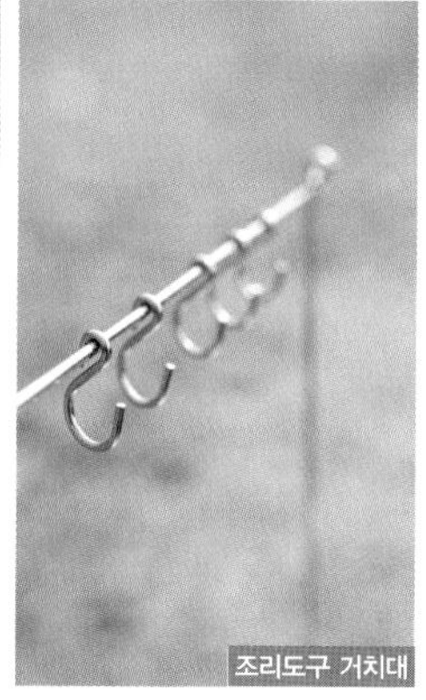

조리도구 거치대

랜턴 걸이

• 스토브 거치대

일반 테이블과 키친 테이블의 차이를 분명히 보여주는 것 가운데 하나로, 캠핑 스토브를 올려놓고 사용할 수 있는 공간이다. 거치대는 자신이 사용하는 캠핑 스토브에 맞는 것을 구입해야 한다. 버너가 하나인 원웨이 스토브는 스토브 거치대를 사용할 수 없다. 이때는 스토브 거치대가 없는 일반 테이블을 이용하는 게 낫다. 스노우피크에서 출시한 IGTIron Grill Table는 스토브 거치대를 그릴로 변형할 수 있도록 만들었다.

• 조리도구 거치대

음식물 조리에 필요한 국자, 가위, 집게 등을 걸어놓을 수 있는 공간이 다. 보통 조리대 앞에 있어 필요 시 편리하게 사용할 수 있다.

• 랜턴 걸이

야간에 요리할 때 필수다. 랜턴 걸이가 없으면 별도로 랜턴 걸이를 설치해야 하는 불편함이 있다. 랜턴 걸이 없이 랜턴을 조리대 위에 놓고 사용하면 공간이 비좁고 불편하다.

설거지통

음식을 먹은 뒤 설거지할 코펠이나 식기를 담아가는 통이다. 차곡차곡 수납하면 웬만한 식기류와 코펠은 다 담을 수 있다. 설거지통은 특히 취사장과 거리가 먼 곳에서 위력을 발휘한다. 급할 경우 설거지통에서 설거지를 할 수도 있다. 설거지를 마친 후에는 식기 수납공간으로 활용하기도 한다.

의자 Camping Chair

AUTOCAMPING GEAR

캠핑장에서는 잠 잘 때와 움직일 때를 제외하고 대부분 의자에 앉아서 보낸다. 가족이 단란하게 식사를 할 때, 화로 곁에 둘러앉아 밤늦도록 이야기꽃을 피울 때도 의자가 필요하다. 또 모닝 커피를 마시며 느긋한 시선으로 자연을 바라볼 때도 의자가 있으면 훨씬 더 여유가 있다.

의자는 우리가 일상생활에서 늘 접하는 것이라 그 중요성을 잊어버릴 때가 있다. 그러나 캠핑장에서는 다르다. 캠핑은 인간에게 의자가 얼마나 소중한지를 잘 일깨워준다. 반면, 고민거리도 안겨준다. 의자는 편안함을 제공하는 대신 수납 시 부피를 많이 차지한다는 단점이 있다. 특히, 안락한 스타일의 의자일수록 부피가 크다.

의자를 구입할 때는 구입 목적이 타인을 위한 배려가 아닌, 자신을 위한 배려라는 점을 분명히 할 필요가 있다. 따라서 가족끼리 캠핑을 할 때는 가족 수에 맞춰 구입한다. 릴랙스 의자처럼 휴식을 위한 것 하나를 더 가지고 있다면 금상첨화다. 다시 강조하지만 캠핑장에서는 잠잘 때를 제외하고는 의자에 앉아 가장 많은 시간을 보낸다.

모양에 따른 분류

• 표준형

일상생활에 필요한 높이를 갖춘 의자다. 허리를 곧게 펴고 앉게 설계되어 있다. 대부분 테이블 높이에 맞게 세팅되어 있어 식사를 할 때 편리하다. 휴식을 취할 때도 큰 불편이 없어 캠핑 시 기본의자로 갖추어야 한다.

• 릴랙스형

말 그대로 몸을 기대어 쉴 수 있는 스타일의 의자다. 대체로 앉는 높이가 낮고 등받이가 뒤로 많이 젖혀져 있다. 앉은 채로 책을 읽거나 커피를 마시는 등 일상적인 소소한 일을 하기 좋다. 그러나 테이블 높이와 맞지 않아 식사를 할 때는 불편이 따른다. 또 원터치 폴딩이지만 수납공간도 많이 차지하는 편이다.

• 벤치형

2~3인이 함께 앉을 수 있는 의자다. 주로 아이들이 앉기 편리하다. 기본의자가 아닌, 보조의자로 활용한다.

• 그라운드시트

다리가 없는 의자다. 텐트 속에서 앉아 있을 때 유용하다. 시트와 등받이에 쿠션이 들어 있어 착석감이 좋다. 겨울철에는 표준형 의자에 얹어서 방석과 쿠션처럼 활용할 수도 있다. 둥글게 말아서 접을 수 있어 수납에 용이하다.

• 미니 의자

최소의 부피로 언제 어디서나 간편하게 사용할 수 있다. 특히, 화로에 불을 피우거나 바비큐를 굽는 등의 작업을 할 때 유용하다. 그러나 등받이와 팔걸이가 없어 오랜 시간 앉아 있으면 불편하다. 테이블과 한 세트로 된 알루미늄 의자도 있다.

재질과 기능에 따른 분류

캠핑의자를 구성하는 것은 프레임과 시트다. 프레임 재질은 알루미늄과 스테인리스, 나무 등이 쓰인다. 저렴한 제품 가운데는 철로 만든 것도 있다. 이 가운데 가장 인기가 많은 것은 알루미늄과 스테인리스다. 알루미늄과 스테인리스 제품은 가벼우면서 강도가 뛰어나다. 부식에도 강하다. 반면 쇠로 만든 것은 무겁고, 강도가 약하다. 감성캠핑을 추구하는 캠퍼들은 나무나 대나무 집성재 프레임을 선호한다. 나무 소재는 자연친화적이면서 따뜻한 느낌을 준다. 그러나 수납의 편리성이 떨어지고, 가격도 비싼 편이다.

시트 소재는 합성섬유가 대세다. 폴리에스테르나 나일론 소재의 시트는 강도가 뛰어나다. 더러움도 덜 타고, 생활방수도 된다. 프레임이 원목 소재인 경우 면으로 된 제품을 사용하는 경우가 많다. 시트는 오래 사용하면 내구성이 떨어진다. 이럴 때는 시트를 갈아준다. 제품에 따라 교체 가능한 것도 있고 그렇지 않은 것도 있어 구입 시 꼼꼼히 따져본다.

캠핑 의자 가운데는 여러 가지 기능을 결합한 것이 있다. 팔걸이에 컵홀더가 있는 것도 있고, 사이드 테이블이 부착된 것도 있다. 장딴지를 받쳐주는 리클라이너 기능이 있는 것도 있다. 그러나 캠핑의자는 단순한 게 좋다. 이런저런 장치가 많으면 수납하기도 불편하고, 내구성도 떨어진다. 최근에는 등받이 각도가 조절되는 것도 있는데, 내구성을 잘 따져보고 구매한다.

기능성

스테인리스

나무

알루미늄

의자 구입 요령

캠핑의자는 수납공간을 많이 차지하는 장비에 속한다. 부피도 크지만 캠핑 참가자 수만큼 의자가 필요하기 때문이다. 따라서 의자를 구입할 때는 접었을 때의 부피를 고려해야 한다. 우선, 테이블에서 사용할 것은 표준형으로 인원수에 맞춰 구입하는 게 좋다. 의자 높이가 테이블에 맞춰 제작됐기 때문에 식사를 하거나 테이블 곁에서 활동할 때 가장 적합하다. 만약 테이블 높이를 조절할 수 있다면 릴랙스 체어로 구매하는 게 좋다. 릴랙스 체어는 화로 테이블과 높이가 맞다. 최근에는 일반 테이블 대신 화로 테이블을 기본으로 선택하는 경우가 많다. 표준형은 화로 테이블보다 높아 불편하다. 따라서 의자는 테이블을 어떤 것으로 선택하는가에 따라 맞춘다. 릴랙스 체어는 또 캠핑장에서 편히 쉴 때 유용하다. 표준형과 더불어 기본적으로 릴랙스 채어도 갖추는 게 좋다. 의자는 종류와 기능에 따라 가격이 천차만별이다. 꼭 필요한 장비지만 반드시 고가의 의자를 살 필요는 없다. 중저가 브랜드나 콤팩트 스타일의 저렴한 제품을 사도 크게 문제될 게 없다.

의자 접는 방법에 따른 장단점

의자는 접는 방식에 따라 편리성과 부피가 좌우된다. 한 번에 접을 수 있는 제품은 설치할 때와 걷을 때 편리하다. 그러나 큰 사이즈의 릴랙스형 의자의 경우 수납 시 부피가 크다. 또 표준형 가운데 절반만 폴딩이 되는 스타일도 있는데, 이런 유형은 안정감과 강도가 뛰어난 반면 수납 시 많은 공간을 차지하는 단점이 있다. 한편 손잡이가 분리되는 의자는 수납 시 부피가 작아 편리하다.

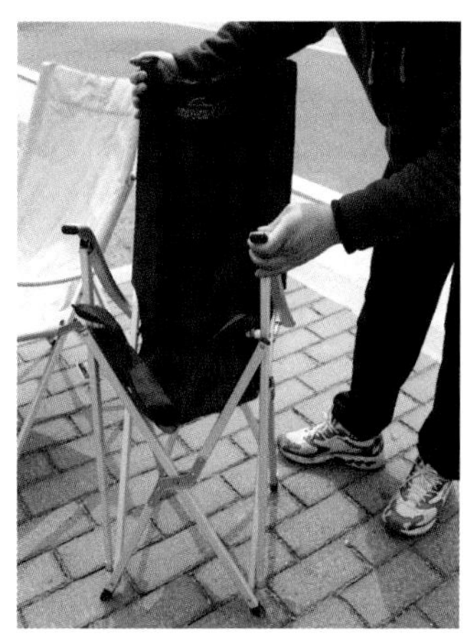

야전침대도 의자?

야전침대는 침대 겸 의자로도 활용할 수 있다. 잠을 잘 때만 침대로 활용하고 낮에는 편하게 앉아 쉴 수 있는 의자로 활용한다. 야전침대에는 팔걸이와 등받이가 없기 때문에 장시간 앉아 있으면 불편하다. 그러나 침대 위에 두 다리를 펼 수 있기도 해 오히려 휴식하기 좋을 수도 있다. 특히, 자녀가 많은 경우 벤치형 의자로 사용할 수 있다.

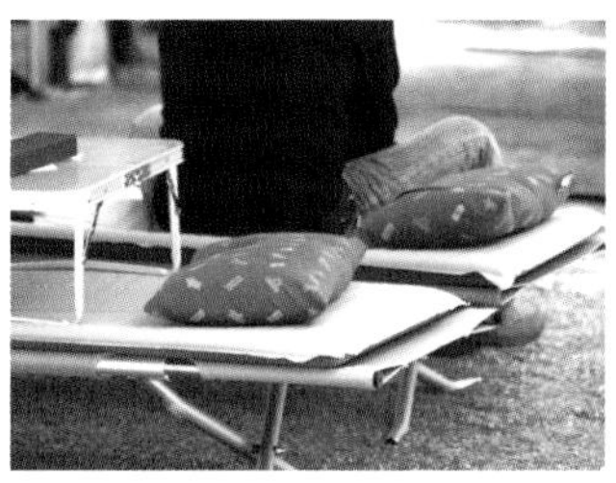

매트리스 Mattress

AUTOCAMPING GEAR

매트리스는 침낭과 더불어 쾌적한 잠자리를 보장하는 핵심 보온장비다. 아무리 좋은 침낭이 있어도 매트리스가 없다면 보온효과를 기대하기 힘들다. 매트리스를 구들장 부럽지 않은 보온 지킴이라 부르는 것도 이 때문이다.

매트리스는 보온막을 형성하는 소재에 따라 제품의 종류가 나뉜다. 가격 또한 천차만별이다. 공기를 보온막으로 활용하는 에어 매트리스와 야전침대를 결합하면 훌륭한 침대를 만들 수도 있다. 그러나 편리성만을 고려하고 부피를 따지지 않으면 장비 수납 시 문제가 될 수 있다. 특히, 저가의 에어 매트리스 중에는 불량품이 많으므로 가격만 믿고 샀다가는 낭패를 볼 수도 있다.

매트리스의 종류

• 발포 매트리스

가볍고 편리해 각광받는 매트리스다. 이 매트리스는 폴리에틸렌을 소재로 만들어 충격 흡수가 뛰어나고 방수기능이 탁월하다. 휴대가 간편해 캠핑뿐만 아니라 야외로 나들이를 갈 때도 요긴하게 사용할 수 있다.

발포 매트리스는 표면에 공기층이 형성될 수 있도록 울록볼록한 모양을 띤 것이 특징이다. 이곳에 물이나 이물질이 낀다는 단점이 있지만 표면에 형성된 공기층으로 인해 보온효과가 극대화된다. 다른 매트리스에 비해 가볍고, 수납하기도 편리하다.

발포 매트리스는 크기에 따라 1인용부터 3인용까지 다양하다. 가격이 저렴한 것도 장점이다. 1인용은 1만원, 2인용과 3인용은 2~3만원 내외다. 2인용 이상은 접을 수 있게 폴딩 방식으로 만들어졌다. 구입 시에는 텐트의 크기를 고려하는 게 좋다. 3인 이상이면 2인용 2개를 구입하는 게 효율적이다.

• 에어 매트리스

공기를 이용해 보온효과를 내는 매트리스다. 공기가 투과되지 않는 겉감 안쪽에 스펀지가 있고, 공기주머니가 형성되어 있다. 이 공기주머니에 에어를 주입해 매트리스를 만든다.

에어 매트리스는 이동할 때 바람을 빼면 부피가 크게 준다. 사용할 때는 구멍을 열어놓기만 해도 자동으로 공기가 주입된다. 접을 때는 공기를 모두 제거한 다음 둥글게 말아준다. 에어 매트리스는 1~4인용까지 다양한 사이즈가 있다. 1인용은 등산을 비롯해 오토캠핑에도 많이 사용된다. 특히, 야전침대와 결합하면 훌륭한 침대가 된다. 에어 매트리스는 가격이 비싸다. 또 냄비나 뜨거운 물건을 올려놓으면 겉감과 스펀지가 분리돼 기능이 떨어질 수도 있다.

• 에어박스

에어를 사용하는 매트리스의 종류 가운데 하나다. 이중 직물 구조로 되어 있어 뒤틀림이나 휘어짐, 쏠림과 울렁거림 현상이 없다. 이중 직물 구조는 원단의 위아래에 수만 가닥의 폴리에스테르 실을 일정한 간격으로 부착해 만든 것으로, 에어가 충전되면 견고하게 변한다. 야전침대와 함께 사용해 침대를 만들 수도 있다. 또 부력이 있어 물놀이도 부담 없이 즐길 수 있다. 다만 가격이 비싼 것이 단점이다.

• 침대형 매트리스

공기를 이용한다는 점에서 에어 매트리스와 비슷하다. 그러나 에어 매트리스가 두께가 얇은 1인용이 주를 이루는 반면 침대형은 두께가 10cm 내외로 두껍다. 또 1인용보다 퀸 사이즈인 2~3인용이 인기다. 가격은 에어 매트리스에 비해 저렴한 편이다. 또 물놀이장에서는 튜브 대용으로 사용할 수 있다.

침대형은 덩치가 크기 때문에 확실한 보온효과를 누릴 수 있으며 그라운드시트 등 별도의 깔개를 깔지 않아도 그 자체로 보온이 된다. 겉감이 찢어져 공기가 샐 경우 테이프와 같은 수선도구를 이용해 수리를 할 수 있다. 그러나 단점도 많다. 침대형은 공기를 주입하거나 뺄 때 펌프를 이용해야 한다. 또 매트리스에서 공기를 완전히 제거하더라도 부피가 커 수납공간을 많이 차지한다.

TIP

이너매트

매트리스와 함께 텐트 안을 방처럼 편안하게 꾸며주는 게 이너매트다. 이너매트는 텐트와 달리 착용감이 뛰어난 재질로 마감되어 있어 텐트 바닥 전체를 골고루 덮어준다. 방습기능을 갖추고 있어 실내를 쾌적하게 만들어준다. 또한 최소한의 쿠션이 있어 완충작용도 한다. 최근에는 텐트에 맞춘 전용 이너매트도 출시되고 있다.

캠핑과 전기장판

캠핑장에 전기장판을 가져간다고? 전기를 사용할 수 있는 캠핑장이 늘면서 전기장판이 오토캠핑용품 취급을 받고 있다. 사실, 자연친화적인 캠핑을 추구하는 이들에게 전기장판은 좀 거슬리는 존재라고 할 수 있다. 전기장판까지 깔고 잘 거라면 뭐 하러 캠핑을 가느냐는 빈정거림도 있다. 캠핑이 자연과 교감하게 해준다는 점에서 충분히 일리가 있는 지적이다.

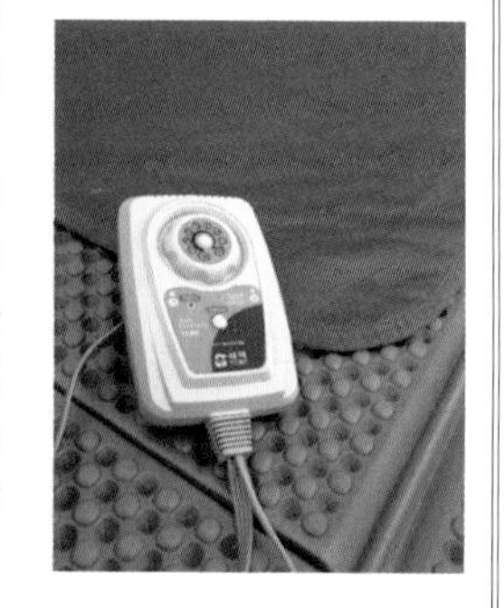

그러나 겨울에 캠핑을 가는 캠퍼에게 전기장판은 없어서는 안 될 존재다. 텐트는 난방에 아주 취약하다. 스토브나 난로의 불을 끄는 순간 공기는 곧장 차갑게 식는다. 그때 따끈하게 데워진 전기장판이 있다고 하자. 그렇게 반가울 수가 없다. 특히, 아이나 추위를 많이 타는 여성에게는 구세주 같은 존재다. 가급적 봄~가을에는 전기장판과 같은 인위적인 것을 배제한 채 캠핑을 떠나는 것이 좋다. 그러나 겨울에는 전기장판만큼은 예외로 인정해야 한다.

화로 Fire Pit

AUTOCAMPING GEAR

모닥불 피우기는 캠핑의 꽃이라 해도 과언이 아니다. 캠퍼들은 캠핑을 모닥불 피우러 가는 것이라고 여길 정도다. 어둠 속에서 타닥타닥 소리를 내며 타는 장작의 불꽃은 감수성을 깨워주며, 장작불이 타며 만드는 불빛은 사람들의 얼굴을 따스하게 물들인다. 화로는 안전하게 불을 피울 수 있도록 해주는 도구이자 캠핑장의 낭만을 대변한다.

화로는 분위기 메이커일 뿐만 아니라 캠핑장의 보온에도 중요한 역할을 한다. 가을로 갈수록 한기가 느껴지는 캠핑장에서 화로 하나면 두세 가족이 훈훈한 저녁을 보낼 수 있다. 또 아침에 화롯불을 쬐며 마시는 커피 한 잔의 여유와 따스함은 경험해본 이들만 알 수 있다.

최근에는 화로가 요리의 중심 공간으로 변하고 있다. 화로와 테이블, 바비큐 불판이 함께 결합하면서 즉석에서 바비큐와 철판구이 같은 요리를 만들어 먹을 수 있다. 또 아이들은 꼬치구이 등을 즐기며 '불맛'을 만끽한다. 그러나 화로는 가장 위험한 장비 가운데 하나이기도 하다. 주의 깊게 다루지 않으면 화제의 원인이 된다. 불을 피울 때부터 소화까지 불티 하나라도 밖으로 나가지 않도록 항상 신경을 쓰고 관리해야 한다.

재질과 모양에 따른 분류

역삼각형 화로

사각형 화로

• 재질

화로는 오토캠핑이 대중화되면서 가장 각광받는 장비 가운데 하나다. 워낙 쓰임새가 다양하기 때문에 활용법만 충분히 숙지하면 만능 장비로 활용할 수 있다. 장시간 불을 피워야 하기 때문에 화로는 고열에도 견딜 수 있는 내구성 있는 재질로 만들어졌다. 주된 소재로는 아연이나 크롬을 도금한 스틸과 스테인리스 2종이 있다. 스틸은 합금으로 녹이 스는 문제를 해결해 내구성이 좋다. 무겁기는 하지만 안정감이 뛰어나다. 스테인리스는 무게가 가벼운 반면, 고온에 장시간 노출 시 변형의 위험이 있다.

• 모양

제조사별로 조금씩 다르지만 상단은 모두 사각형이다. 화로의 하단은 4면이 하나의 꼭짓점에 모아진 역삼각형과 상단과 같이 사각형으로 된 것이 있다. 역삼각형은 수납 시 부피를 최소화할 수 있다는 장점이 있는 반면, 불을 피울 수 있는 공간이 좁다는 단점이 있다. 사각형은 수납 시에도 공간을 많이 차지한다. 화로를 조리공간으로 활용할 경우 그릴은 없어도 좋다. 반면 더치오븐은 활용도가 높아진다. 화로에서 강력한 화력을 안정적으로 제공받을 수 있기 때문이다. 특히, 많은 양의 요리를 할 때는 스토브보다 훨씬 유리하다.

화로의 구입요령

화로는 수납 시 크기가 작고 간편하게 설치할 수 있으면서 내구성이 뛰어난 것이 좋다. 필요에 따라 스탠드와 철판 등 다양한 도구를 얹어 사용해야 하기 때문이다. 최근에는 화로를 조리공간으로 활용하는 게 일반화되고 있으므로, 그릴로도 활용할 수 있는 제품이 좋다. 이 경우 화로 테이블과 바비큐 스탠드, 바비큐용 석쇠와 철판 등과의 조화도 엄밀히 따져보고 구입해야 한다. 가장 좋은 방법은 화로와 부대장비를 같은 회사의 제품으로 구입하는 것이다.

부대장비

• **숯불받이 :** 화로 안에 설치하면 불꽃을 잘 피울 수 있도록 도와준다. 숯불받이에 난 구멍을 통해 재는 바닥으로 떨어지고, 공기가 유입된다.

• **장갑 :** 화로나 기타 장비를 조작할 때 필수다.

• **화로 받침대 :** 화로의 틈새에서 떨어지는 불씨가 화재로 번지는 것을 막아준다. 또 화로 사용 후 손쉽게 청소하기 위해서도 꼭 필요하다.

• **화목 :** 땔감으로 쓸 나무다. 땔감으로는 장작이 대표적이다. 최근에는 톱밥을 다져서 만든, 불꽃은 크지 않으면서 오래 타는 화목이 출시되기도 했다. 요리를 중심에 둔다면 브리케트나 숯을 사용할 수도 있다.

• **사이드 테이블 :** 화로를 감싼 사각의 테이블로 머그컵이나 용기를 올려놓을 수 있다. 화로를 가운데 두고 대화를 하거나 식사를 할 때 필수다. 또 아이들이 화상을 입지 않도록 하는 안전 펜스의 역할도 한다.

• **바비큐 스탠드 :** 화로 위에서 요리를 할 때 석쇠나 철판을 올릴 수 있도록 만들어진 받침대다. 규격이 잘 맞도록 하려면 화로와 같은 회사의 제품을 사용하는 것이 좋다. 요리와 불판의 종류에 따라 스탠드의 높낮이를 조절할 수 있어야 한다.

• **그릴 :** 석쇠와 철판이 대표적이다. 요리의 종류에 따라 취사선택할 수 있다.

화로 테이블과 구성

화로와 테이블을 결합한 이 구성은 가족 캠핑의 중심이 되었다. 별도의 테이블 없이 이곳에서 식사와 바비큐를 함께 해결할 수 있어 금상첨화다. 또 식사가 끝난 뒤에는 바비큐 그릴을 빼고 화롯불을 지펴 불멍의 시간을 가질 수 있다. 가장 보편적인 화로 테이블 세팅은 화로를 가운데 두고, 사각형의 전용 테이블을 설치한다. 그런 다음 화로 테이블을 중심으로 의자와 보조 테이블을 설치한다. 보통 화로 테이블은 6~8인까지 이용할 수 있는데, 대각선 방향으로 미니 테이블을 보조 테이블로 활용하면 좋다. 이 시스템이 있으면 다른 테이블이 없어도 된다.

TIP

불멍은 캠핑의 진리

요즘 캠핑하면 '불멍'이라는 단어가 저절로 따라온다. 그만큼 캠핑의 상징이 되었다는 뜻. 불멍은 화로에 피운 모닥불을 바라보며 가만히 멍을 때린다는 뜻이다. 여기서 멍을 때린다는 것은 쉰다는 의미다. 모닥불은 캠핑의 낭만과 멋을 가장 잘 표현한다. 딱히 무엇을 하지 않고 가만히 있어도 힐링이 된다. 모닥불은 또 한여름을 제외하고 서늘한 밤에 몸을 따뜻하게 덥혀준다. 요즘은 저렴한 불멍 전용 미니 화로도 있어 부담 없이 즐길 수 있다.

바비큐 그릴 Barbeque Grill

AUTOCAMPING GEAR

맛있는 음식과 즐거운 대화는 캠핑의 즐거움을 한층 배가시킨다. 특히, 바비큐는 캠핑과 각별한 관련이 있다. 우리나라는 주택의 대부분이 아파트 형태다. 단독주택이라도 정원이 있는 경우는 거의 없고, 건물이 밀집되어 있다. 따라서 도시에서는 연기가 많이 발생하는 바비큐를 요리하기가 쉽지 않다. 이 때문에 캠퍼들은 캠핑을 갈 때면 바비큐에 대한 기대를 하곤 한다. 하나같이 아침이나 점심은 간단히 먹더라도 오후나 저녁에 바비큐만큼은 푸짐하게 준비하려고 마음먹는다.

캠핑장에서 맛있는 바비큐 파티를 열게 해주는 장비가 그릴이다. 그릴은 숯이나 가스 등의 연료로 불을 피워 석쇠나 불판에서 고기를 굽게 해준다. 그릴은 크기와 모양, 용도에 따라 다양한 제품이 출시되고 있다. 최근에는 화로 테이블과 연결해 사용할 수 있는 제품도 속속 출시되고 있다. 그릴은 보조장비와 결합시키면 다양한 용도로 사용할 수 있다. 또한 더치 오븐처럼 특별한 조리기구는 바비큐의 새로운 장을 열게 해준다. 그릴 사용하는 법만 제대로 알고 있어도 캠핑요리는 한 단계 진화한다.

바비큐 그릴의 종류

• **스탠드형 :** 다리가 달려 있어 그릴을 단독으로 세워놓고 사용한다. 다리는 분리가 가능해 수납 시 용이하다. 그릴의 대명사로 자리 잡은 웨버도 스탠드형이 대부분이다. 스탠드형은 공간의 제약을 받지 않고 어디서나 사용할 수 있다는 장점이 있다. 그릴이 깊고 뚜껑이 있는 것은 직화구이는 물론, 훈제용으로도 활용할 수 있다.

• **테이블형 :** 테이블에 올려놓고 사용하는 그릴이다. 모양은 직사각형이 많다. 화기가 테이블에 미치는 것을 막기 위해 2중으로 만들어졌다. 다리를 연결하면 스탠드형으로 사용할 수도 있다. 최근에는 테이블 가운데에 공간을 마련, 일체형으로 사용할 수 있게 만든 제품이 인기를 끌고 있다.

• **화덕형 :** 화로와 겸용으로 사용할 수 있는 제품이다. 다른 그릴과 달리 장작 등을 이용해 직접 불을 만들 수 있다. 또 바비큐의 종류에 따라 석쇠와 철판을 바꿔서 사용할 수 있다. 화로를 둘러싸고 테이블을 설치할 수 있어 바비큐를 하면서 여럿이 함께 식사를 할 수 있다.

• **스모크형 :** 훈제구이에 적합하게 만들어진 그릴이다. 스팀 기능이 있어 훈연한 고기를 촉촉하게 해준다. 스모크칩을 사용해 훈제요리에 특별한 향을 가미한다. 직화구이를 선호하는 국내에는 아직까지 큰 인기를 끌지 못하고 있다. 그러나 캠핑요리에 대한 관심이 많다면 주목하자.

연료에 따른 구분

숯은 그릴에서 가장 많이 사용되는 연료다. 숯은 불을 붙이기는 어렵지만, 일단 붙으면 화력이 세고 오래 지속된다. 또한 숯으로 구운 고기는 특별한 향기가 더해져 직화구이 특유의 풍미를 갖춘다. 브리케트는 숯을 잘게 부순 뒤 고압으로 압축해 계란 크기로 만든 것으로, 숯과 함께 바비큐에 가장 많이 쓰이는 연료다. 특히, 직화구이 외에 훈제에도 많이 쓰인다. 번개탄은 숯과 천연 접착제를 이용해 연탄 모양으로 만든 제품이다. 표면에 착화제가 접착되어 있어 라이터 등으로 쉽게 점화시킬 수 있다. 어디서나 간편하게 사용할 수 있다는 장점이 있지만 첨가물이 많아 신뢰도가 떨어진다. 가스는 부탄가스를 연료로 이용한다. 숯에 비해 불꽃 조절이 쉽고 점화와 소화도 간편하다. 그러나 바비큐의 맛은 숯에 비해 현저히 떨어진다.

그릴 보조기구

• **차콜 스타터 :** 브리케트나 숯에 불을 붙일 때 사용한다. 착화제가 첨가된 고체연료로, 라이터로도 쉽게 불을 붙일 수 있다.

• **브러시 :** 석쇠에 달라붙은 음식 찌꺼기를 제거할 때 쓴다. 솔이 강철로 된 제품이 청소도 깨끗이 되고 수명도 길다.

• **가죽 장갑 :** 바비큐 요리 시 손에 화상을 입는 것을 방지해 준다.

• **침니 파이어 스타터 :** 브리케트나 숯에 불을 붙일 때 유용한 도구다. 휴대하기 편리하도록 접을 수 있는 구조로 된 것이 좋다.

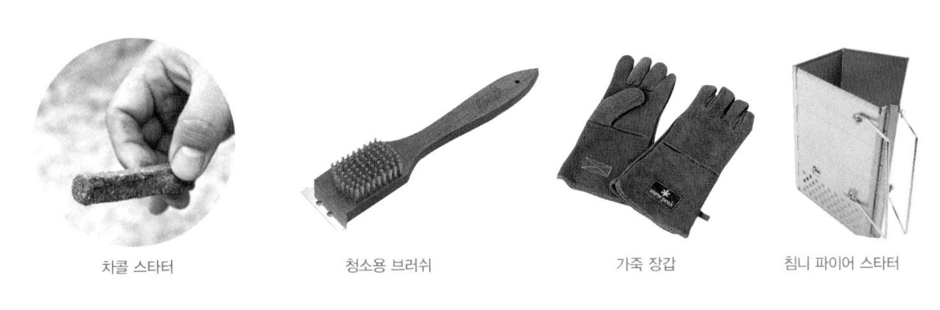

차콜 스타터 / 청소용 브러쉬 / 가죽 장갑 / 침니 파이어 스타터

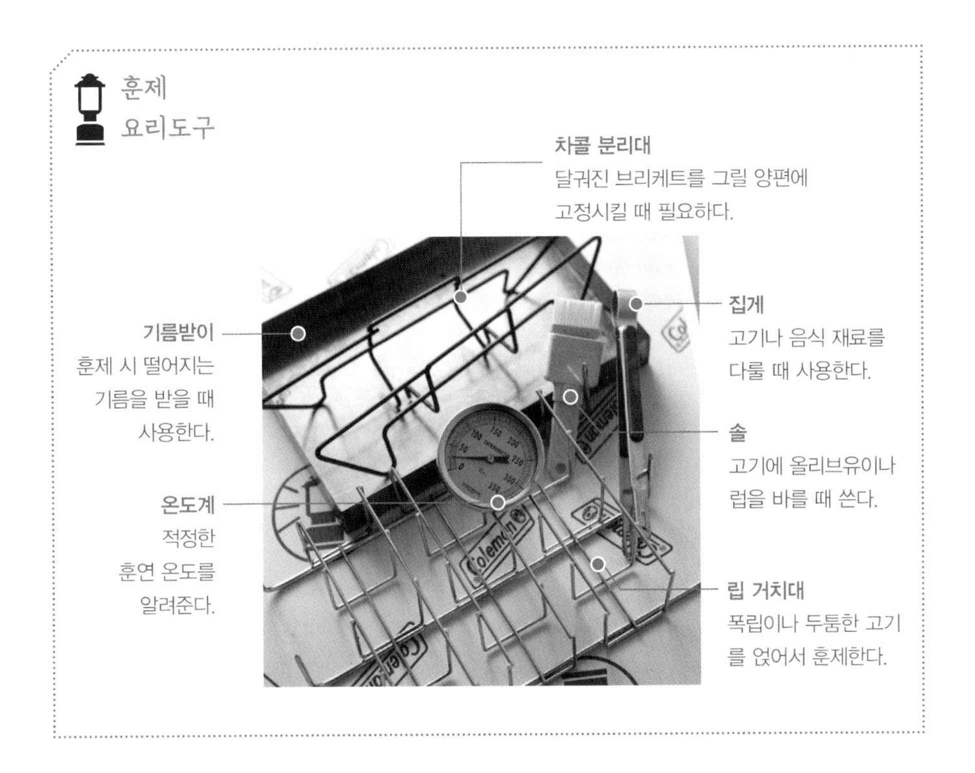

더치오븐 Dutch Oven

AUTOCAMPING GEAR

더치오븐은 캠핑 마니아라면 누구나 탐내는 무쇠냄비다. 미국 서부개척시대 네덜란드계 이민자가 들여와 더치오븐Dutch Oven이란 이름을 얻었다. 더치오븐만 잘 활용하면 아주 특별한 캠핑요리사가 될 수 있다.

더치오븐은 알루미늄이나 스테인리스로 만든 코펠과 달리, 주철로 만든다. 지름이 30cm인 경우 무게가 10kg이 나갈 만큼 무겁다. 이 오븐을 사용하기 위해서는 별도의 거치대가 필요하다. 또 뚜껑을 들 때도 도구를 사용해야 한다.

이처럼 무겁고 거추장스러운데도 불구하고 더치오븐이 인기를 끄는 이유는 일당백으로 요리를 감당하기 때문. 그야말로 '만능냄비'라 할 수 있다. 더치오븐은 열전도성이 낮은 주철로 되어 있어 음식물을 태우는 일 없이 계속 가열할 수 있다. 또 무거운 뚜껑이 확실하게 밀폐해주기 때문에 압력솥과 같은 효과를 낸다. 따라서 익히거나 찌거나, 굽거나 볶는 등 더치오븐으로 대부분의 조리가 가능하다.

더치오븐은 또 화로나 스토브 등 모든 열원을 사용할 수 있는 게 장점이다. 화로의 장작불로 달궈도 되고, 캠핑 스토브를 이용해도 된다. 또한 뚜껑 위에 달구어진 브리케트를 올려서 요리해도 된다.

뚜껑핸들

오븐 걸이

• 뚜껑 핸들

무거운 더치오븐의 뚜껑을 여닫을 때 사용한다. 다른 도구를 이용했다가 자칫 뚜껑을 떨어트리면 낭패를 당할 수 있다.

• 오븐 걸이

화로에 더치오븐을 걸고 요리할 때 필요하다. 육중한 더치오븐의 무게를 지탱할 수 있는 튼튼한 다리와, 더치오븐을 거는 고리, 숯이나 브리케트, 장작을 이용해 가열할 수 있는 받침대로 구성됐다.

• 오븐 받침대

더치오븐을 테이블 위에 올려놓을 때 사용한다. 달궈진 더치오븐을 받침대 없이 놓으면 자칫 테이블에 달라붙을 수도 있다.

• 스테인리스 플레이트(트리벳)

더치오븐 내에 음식물을 올려놓고 조리할 때 필요하다. 또 더치오븐 뚜껑 위에 플레이트를 설치한 후 달구어진 브리케트를 놓으면 설거지할 때 용이하다.

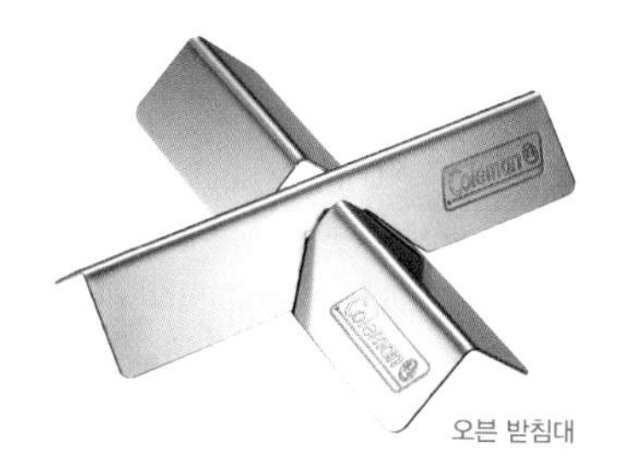

오븐 받침대

스테인리스 플레이트

그리들 Griddle

AUTOCAMPING GEAR

요즘 캠핑장에서 사용하는 조리도구 가운데 가장 핫한 것이 그리들이다. 솥뚜껑을 뒤집어놓은 것처럼 생긴 이 조리도구는 거의 만능이다. 무쇠나 두꺼운 스테인리스로 만들어진 그리들은 못하는 요리가 없다. 항상 불쇼가 걱정되는 삼겹살 바비큐도 걱정 없다. 철판에서 노릇하게 구워지는 삼겹살은 맛이 끝내준다. 비가 올 때는 김치전도 척척 부쳐낸다. 곱창전골처럼 육수가 필요한 요리도 전혀 문제되지 않는다. 심지어 국물이 자작자작하게 라면도 끓여낸다. 마무리는 항상 볶음밥! 고기를 굽고 남는 기름을 이용한 볶음밥은 충분히 배가 불러도 다시 한 그릇 뚝딱 비우게 만든다. 그리들 하나면 모든 요리가 끝이다. 그러니 캠퍼들에게 사랑받을 수밖에!

구성과 재질, 크기

• 그리들 구성

그리들은 솥뚜껑을 세 개의 다리가 지탱하는 구조로 되어 있다. 그냥 세워 놓으면 껑충한 모습이지만 아래에 화로나 대형 스토브를 놓으면 안정적인 자세가 나온다. 그리들은 원형 철판과 다리, 손잡이, 그리고 보관 파우치로 구성되어 있다. 원형 철판은 무쇠나 스테인리스로 만든다. 두께가 아주 두꺼워서 열을 함축하는 능력이 뛰어나다. 또한, 불판 전체에 열기가 전달되어 음식이 고르게 익는다. 다리는 수납하기 좋게 탈부착식으로 되어 있다. 또한, 열원에 맞춰 높이를 조절할 수 있게 2단으로 되어 있다. 손잡이는 요리할 때나 나중에 설거지할 때 불판을 다루기 위해 꼭 필요하다. 보통 나무로 만들어 가열된 상태에서도 화상을 입지 않게 한다. 전용 파우치는 그리들의 보관 및 운반을 위해 필요하다.

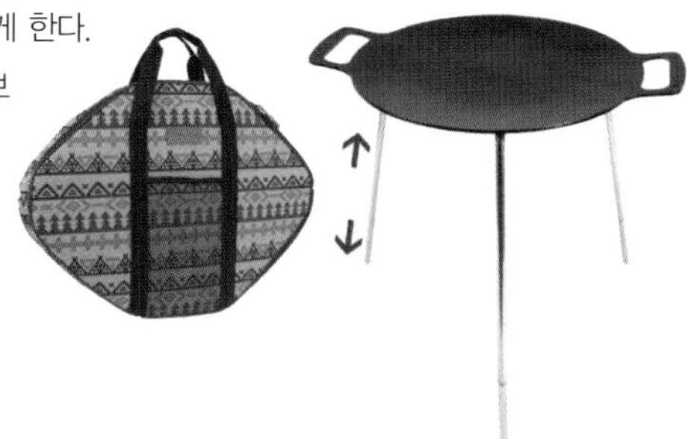

• 그리들의 재질과 크기

그리들의 재질은 무쇠와 스테인리스다. 무쇠는 사용할수록 짙은 검정색이 된다. 반면 스테인리스는 고유의 메탈빛을 유지한다. 관리 및 손질은 스테인리스가 쉽다. 무쇠는 사용한 뒤에 항상 기름을 발라놓아야 녹이 슬지 않는다. 이런 관리가 조금 불편하다. 하지만 고기 맛은 무쇠가 좋다. 열을 모으는 축열 기능이 탁월한 무쇠 특유의 성질이 고기 맛을 좋게 한다. 무쇠냐 스테인리스냐 선택은 캠퍼의 취향에 달렸다.

그리들은 8인치부터 12인치까지 다양한 크기가 있다. 작은 것은 가족용, 큰 것은 5~6인도 거뜬히 소화할 수 있다. 다만, 전골이나 라면을 끓여 먹으려면 조금 큰 게 좋다. 그래야 국물이 끓어 넘지 않는다. 따라서 조금 넉넉한 사이즈로 구매하는 것이 좋다. 다만, 크기가 커진 만큼 무게도 그만큼 무겁다. 8인치는 4~5kg, 12인치는 6~8kg 정도 된다.

스테인리스　　　　무쇠

• **그리들 열원**

그리들이 캠퍼들에게 각광받는 것은 요리에 필요한 열원의 구애를 받지 않기 때문이다. 그리들은 대형 가스 스토브를 이용하는 것이 가장 간편하다. 4kg들이 프로판 가스통을 이용하면 연료 걱정 없이 그리들을 이용할 수 있다. 장작을 피운 화로도 이용할 수 있다. 화로에 장작 대신 브리케트나 숯을 사용해도 된다. 다만, 어떤 열원을 이용하는가에 따라 그리들 다리의 높낮이를 조절해야 한다. 열원과 그리들 거리가 너무 멀면 열이 부족하고, 연료 효율이 떨어진다.

• **그리들과 스킬렛**

그리들과 비슷한 것이 스킬렛이다. 스킬렛은 무쇠로 만든 프라이팬이다. 그리들이 나오기 전까지는 스킬렛이 만능 조리도구의 주역이었다. 그러나 그리들이 등장하면서 스킬렛의 자리를 차지해버렸다. 그리들이 캠퍼들로부터 큰 인기를 끌게 된 가장 큰 이유는 '다리'다. 그리들에는 높낮이를 조절할 수 있는 다리가 있다. 이 다리가 그리들의 쓰임새를 높여준다. 다리가 있어 열원에 따라 높이를 조절하고, 요리하며 먹기 좋은 높이를 제공한다. 반면, 스킬렛은 스토브나 화로에 올려 쓰는 등 용도가 한정적이다. 다만, 무쇠의 두께만 놓고 본다면 스킬렛이 그리들보다 한 수 위처럼 보인다. 무쇠의 두께는 얼마나 많은 열을 모아둘 수 있는가를 재는 척도다. 당연히 두꺼울수록 축열 기능이 좋고, 음식 재료에 안정적으로 열을 공급한다. 그리들과 스킬렛은 모양도 조금 차이가 있다. 그리들은 솥뚜껑을 엎어놓은 모양인데, 깊이가 조금 얕다. 반면 스킬렛은 일반 프라이팬처럼 가장자리부터 깊이가 균일해 국물이나 전골 요리를 할 때도 조금 더 자유롭다. 따라서 집에 스킬렛이 있다면 그리들 대신 활용해도 된다.

• **그리들을 이용한 요리**

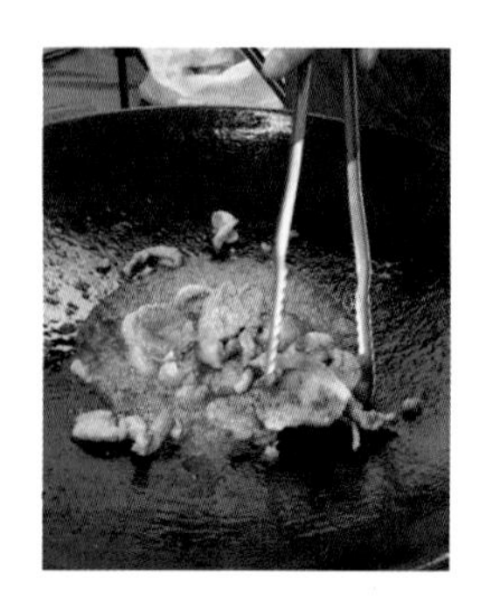

그리들은 열원을 따지지 않는 것과 함께 아주 다양한 요리를 할 수 있다는 것이 장점이다. 두툼한 철판을 이용해 바비큐부터 전, 국물이 자작자작한 전골, 볶음밥까지 못 하는 요리가 없다. 삼겹살도 기름으로 인한 불쇼 걱정 없이 안정적으로 구울 수 있다. 또 닭갈비나 곱창 등 양념이 많이 있는 요리도 전혀 문제가 되지 않는다. 김치전이나 계란 후라이 등 부침 요리는 거의 환상적이다. 고등어 같은 생선도 구이를 할 수 있다. 또 국물이 적당히 있는 요리도 척척 해낸다. 식사의 마무리는 볶음밥! 고기를 굽거나 전골 요리를 해먹은 뒤 마지막에 김치와 밥을 넣고 볶음밥을 하면 별미다. 바닥에 있는 고소한 누룽지까지 다 먹게 된다. 이렇게 다양한 요리를 그리들 하나로 할 수 있다. 하나의 요리가 끝난 후 키친타월이나 물로 그리들을 깨끗이 닦아주면 바로 다음 요리로 들어갈 수 있다. 요리에 따라 코펠이나 프라이팬 등 여러 도구를 사용하는 게 아닌, 그리들 하나로 할 수 있으니 아주 편리하다.

• 그리들 보관

그리들은 사용하고 나면 전용 파우치에 넣어서 보관한다. 이때 다리와 철판이 분리되기 때문에 수납하면 의외로 부피가 작다. 더치오븐처럼 자리를 크게 차지하지 않는다. 다만, 그리들을 보관할 때는 더치오븐이나 스킬렛처럼 기름을 발라 시즈닝을 해야 한다. 특히, 무쇠로 된 것은 반드시 시즈닝을 해놔야 녹이 슬지 않는다. 그리들은 사용한 후 깨끗이 씻은 다음 뜨거운 불로 가열하면서 키친타월에 식용유를 묻혀 골고루 발라준다. 기름만 발라줘도 녹이 스는 일이 없다. 그리들을 닦을 때는 주방세제를 사용하지 않는다. 물에 충분히 불려 수세미로 닦아만 준다.

그리들 사용 시 주의점

그리들은 만능 조리도구로 캠퍼들의 사랑을 받지만 조심해서 다뤄야 하는 장비다. 자칫 잘못 다루면 화상이나 화재 사고가 날 수 있다. 특히, 가열된 그리들을 다룰 때는 조심, 또 조심해야 한다. 그리들을 다룰 때는 반드시 두꺼운 가죽장갑을 끼거나 실리콘 패드를 이용한다. 그리들 손잡이는 나무로 된 것을 달아놓는 게 좋다. 절대로 달구어진 그리들을 맨손으로 잡거나 하면 안 된다.
그리들의 열원도 잘 살펴야 한다. 특히, 가스를 연료로 하는 스토브를 사용한다면 가스통이 가열되지는 않는지 체크한다. 그리들과 가스통, 지표면 사이의 공간이 좁으면 자칫 가스통이 가열되어 폭발할 수도 있다. 그리들과 스토브 사이에 충분한 공간을 두어야 하고, 가스통이 열 받지 않게 해야 한다. 장작불을 이용해 요리할 때는 불꽃이 어느 정도 진정된 후 요리하는 게 좋다. 불이 너무 세면 음식이 탈 수 있고, 요리하는 과정에서 손에 화상을 입을 수도 있다. 아이가 그리들에 접근하지 못하도록 하는 것도 중요하다. 아이들은 예열된 그리들의 위험성을 모르고 손으로 덥석 철판을 잡을 수 있다. 또한, 주변에서 놀다가 부주의하게 그리들로 넘어질 수도 있다. 이렇게 되면 화상을 크게 입을 수 있다. 따라서 아이가 있다면 그리들 곁으로 오지 못하도록 신경을 써야 한다.

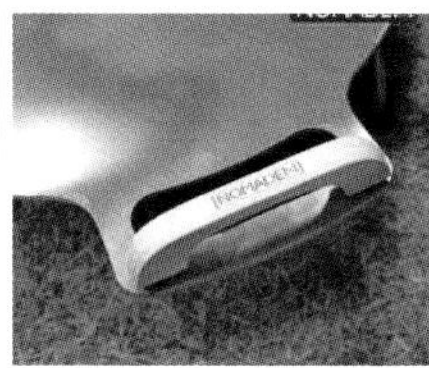

기타 장비 Other Equipments

AUTOCAMPING GEAR

캠핑은 자연 속에서 작은 공간을 마련하고 지내는 일이다. 잠을 자고, 요리 하고, 먹고, 쉬는 등 모든 생활을 캠핑장에서 한다. 따라서 집에서 필요한 것들 대부분이 캠핑장에서도 필요하다. 텐트와 침낭, 코펠, 스토브, 의자, 테이블 등 굵직굵직한 장비를 마련했다고 해서 끝나는 게 아니다. 소소한 물품까지 챙겨야 할 것이 아주 많다. 야전침대, 카라비너, 로프, 여분의 팩, 해먹, 망치, 도끼, 아이스박스 등 소소하지만 꼭 필요한 장비들이다. 이런 것들이 없으면 캠핑하는 데 불편하다. 기타 장비들은 캠핑을 시작한 후 우선순위를 정해서 하나씩 마련해 나가자.

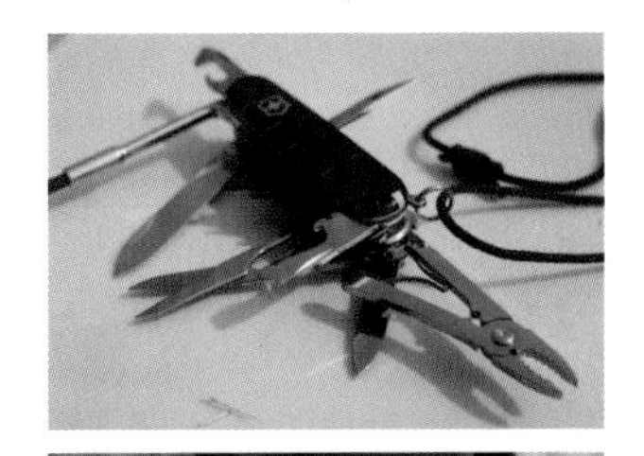

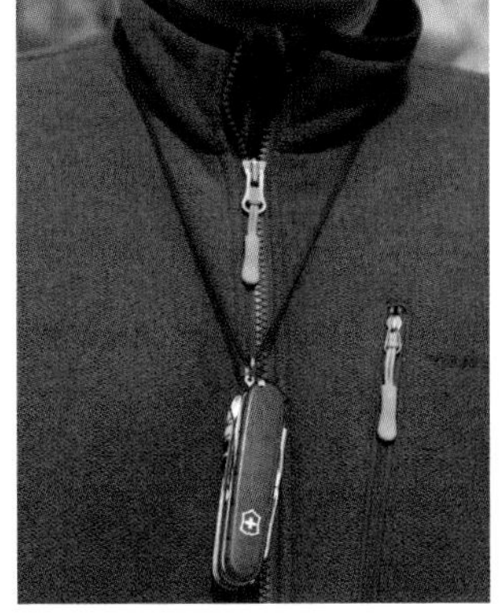

• 아웃도어 나이프

캠핑장에서는 의외로 아웃도어용 칼이 필요한 순간이 많다. 이를테면 로프를 자르거나 나무를 깎을 때 아웃도어용 칼이 필요하다. 또 아웃도어용에 포함된 여러 도구들은 나사를 조이거나 캔을 딸 때 등 다양한 영역에서 활용 가치가 높다. 따라서 다용도 아웃도어용 칼 하나 정도는 가지고 있는 것이 좋다.

휴대하기 편리하면서 다양한 기능이 있는 칼 중에 가장 유명한 것은 스위스의 빅토리녹스Victorinox 제품이다. 아미 나이프 혹은 맥가이버 나이프라는 애칭으로 불리는 이 칼은 스위스를 상징하는 붉은 십자가 마크가 새겨져 있다. 빅토리녹스는 특수하게 배합한 스테인리스 합금으로 만들어져 강도가 뛰어나다. 또한 쉽게 녹이 슬지 않는다. 빅토리녹스의 또 다른 장점은 칼 이외의 여러 기능을 갖추고 있다는 것. 톱, 병따개, 가위, 돋보기, 니퍼, 와인 오프너, 드라이버 등 20여 가지 이상의 기능이 있다.

미국 제품 중에는 레더맨Leatherman이 호평을 받는다. 이 제품은 니퍼를 기본으로 하여, 손잡이에 다양한 도구를 결합시킨 것이 특징이다. 빅토리녹스에 비하면 크기가 조금 더 크다.

오토캠핑용 아웃도어 나이프는 크기가 큰 것이 좋다. 가격이 비싼 게 흠이지만 기능이 많을수록 쓰임새도 많다. 또 기능이 단순하다면 사이즈가 큰 것이 활용도가 높다. 작은 제품은 자동차 키와 함께 묶어놓으면 원하는 순간에 사용할 수 있어 보조용으로 적당하다.

빅토리녹스

레더맨

• 야전침대

리빙셸을 중심으로 한 캠핑이 활성화되면서 야전침대도 새삼 주목받고 있다. 야전침대는 미군용 야전침대가 발전해 캠핑 장비로 자리 잡은 것이다. 알루미늄으로 만든 지지대를 이용, 천을 팽팽하게 당겨 그 위에서 잠을 잘 수 있게 만들었다.

야전침대는 바닥에 깔고 자는 매트리스에 비해 장점이 많다. 우선, 바닥의 상태에 구애받지 않아도 된다. 바닥에 자갈이나 돌이 많아 울퉁불퉁해도 상관없다. 또 비가 와서 텐트나 리빙셸 바닥에 빗물이 스며도 괜찮다. 바닥에서 습기나 냉기가 올라오는 것도 걱정할 필요가 없다. 야전침대는 또 입식생활에 익숙한 현대인들이 캠핑장에서도 집처럼 편안하게 생활할 수 있게 해준다. 가족 수에 따라 야전침대 몇 개를 이어붙이고, 튼튼한 에어 매트리스를 깔면 킹사이즈 침대가 부럽지 않다.

야전침대를 잘 활용하면 텐트 없이도 잠자리를 만들 수 있다. 오토캠핑의 생활공간이라 할 수 있는 타프나 리빙셸에 야전침대만 놓으면 그대로 잠자리가 된다. 따라서 익숙한 캠퍼들은 텐트 대신 리빙셸과 야전침대만으로 잠자리를 만들기도 한다. 야전 침대는 침대는 물론 간이의자로도 활용도가 뛰어나다. 타프나 리빙셸 안에서 마주보게 야전침대를 설치하면 많은 수의 사람들이 앉을 수 있다.

리빙셸과 야전침대

리빙셸과 야전침대만으로 잠자리를 마련할 경우 몇 가지 신경 쓸 게 있다. 우선 여름철에는 모기에 대한 대책을 세워야 한다. 별도의 모기장을 치거나 모기향 등을 이용하는 것이 좋다. 날씨가 추워지면 튼튼한 침낭을 마련하는 등 보온에 신경을 써야 한다. 텐트의 경우 비록 얇은 천으로 되어 있지만 추위를 이기는 데 일정 정도 도움을 준다. 또 전기장판 등을 이용할 수도 있다. 그러나 야전침대에서는 두터운 침낭과 탕파 등을 이용해 보온을 해야 한다.

• 카라비너

카라비너는 암벽이나 빙벽 등을 등반할 때 유용한 장비다. 카라비너는 스프링이 달린 고리를 열고 닫아 그 안에 로프가 지날 수 있게 만들어졌다. 카라비너를 통과한 로프는 바위나 벽에 고정할 수 있게 설치한 확보물과 연결되어 등반자의 안전을 지켜준다. 카라비너는 등산은 물론 일상생활에서도 유용하게 쓰인다. 이를테면 열쇠고리 대신 카라비너를 이용하면 허리띠나 벨트 고리에 쉽게 열쇠를 고정시킬 수 있다. 또 로프와 매듭법, 카라비너를 활용하면 훌륭한 캠핑장 연출이 가능하다.

카라비너는 텐트 속에서 랜턴이나 기타 장비를 천장에 매달 때 훌륭한 역할을 한다. 어느 곳이고 연결줄만 있으면 간편하게 장비를 걸 수 있다. 또 신발이나 고리가 있는 물품을 빨랫줄에 널어 말릴 때도 요긴하게 쓰인다. 작은 카라비너는 막대형 미니 랜턴이나 숟가락, 포크, 아웃도어용 장비를 고정시킬 때 사용할 수 있다.

카라비너는 등반용이 아닌 이상 굳이 성능이 우수한 것을 살 필요가 없다. 성능이 좋은 것은 그만큼 가격이 비싸다. 가격대는 작은 것이 1개당 1,000~2,000원, 세트는 5,000~8,000원 정도다. 단, 일반용 카라비너를 절대 등반용으로 사용해서는 안 된다.

• 로프(줄)

캠핑사이트를 구축하다 보면 의외로 로프가 필요한 곳이 많다. 이를테면 로프로 빨랫줄을 만들어 놓으면 빨랫감은 물론 침낭을 말릴 때도 유용하게 사용할수 있다. 또 해먹을 설치하거나 타프, 텐트 등을 고정시킬 때도 여분의 로프가 필요하다. 로프는 특히, 바람이 강하게 불거나 비가 많이 내릴 때 유용하다. 이때는 여분의 로프를 이용해 텐트나 타프를 팽팽하게 당겨 비바람으로부터 보호할 수 있다. 물론 텐트와 타프를 고정하는 스트링이 제품 구입 시 기본으로 제공되지만 충분히 사용할 수 있을 만큼 넉넉하지는 않으므로, 여분의 로프를 준비하는 것이 좋다.

로프는 길이가 각기 다른 것을 다양하게 준비해두면 좋다. 보통 빨랫줄로 사용하려면 길이가 10m 이상은 돼야 한다. 굵기도 0.5cm 정도는 돼야 힘을 받는다. 텐트 플라이나 타프를 고정시키는 당김줄은 5m와 3m 등 길이별로 준비하는 것이 좋다. 줄이 짧을 경우 매듭으로 연결해 사용하면 된다. 스트링은 지름이 0.3cm 이하인 것이 다루기 편리하다.

로프는 사용하고 난 뒤 가지런히 말아서 묶어두어야 다음번에 이용하기 편하다. 그러지 않으면 서로 뒤엉켜 나중에 사용할 때 곤란을 겪을 수 있다. 줄 정리 하는 법은 몇 번의 연습을 통해 쉽게 체득할 수 있다.

스트링

로프

• **해먹**

나무 혹은 지지대를 이용해 걸터앉거나 눕게 만든 그물 침대를 말한다. 기온이 높은 열대지방에서 주로 사용하는데, 브라질 원주민들이 나무껍질로 엮은 그늘 위에서 잠을 잔 것이 시초라고 한다. 지금은 캠프장의 낭만을 살려주는 필수 장비로 대접받는다. 해먹은 설치가 간편하고, 활용도가 뛰어나다. 누워서 책을 읽을 수도 있고, 달콤한 낮잠을 잘 수도 있다. 또한, 해먹에서 아이들과 함께 보내는 시간은 소중한 추억이 된다. 해먹의 매력에 한번 빠져들게 되면 안락의자가 천대(?)받게 된다. 해먹은 천이나 그물, 로프 등으로 만들어진다. 사계절 사용하기 위해서는 천으로 된 것을 구입하는 것이 좋다. 여름에는 그물과 로프식도 괜찮다.

팩

스트링과 함께 다양한 종류의 팩도 필요하다. 텐트나 타프 구입 시 제공되는 팩은 극한 상황에서는 사용하기 어려운 경우가 있다. 이를테면 겨울에 꽁꽁 언 곳이나 아스팔트에 팩을 박아야할 경우에는 특별한 팩이 필요하다. 텐트나 타프를 설치하다 팩이 부러지거나 휘어져 사용할 수 없는 경우에 대비해서도 항상 여분의 팩을 준비하는 게 좋다. 특히, 플라스틱 팩은 쉽게 부서지기 때문에 스테인리스나 강철로 만든 팩을 사용하는 게 좋다.

• 망치

캠핑장에서 가장 중요한 일 가운데 하나가 텐트와 타프를 고정시켜 캠핑사이트를 구축하는 일이다. 이때 없어서는 안될 장비가 망치다. 망치는 팩을 박거나 빼낼 때 유용하다. 캠퍼 가운데는 팩을 박을 때 망치 대신 돌을 이용하는 사람도 있다. 그러나 돌을 구하기가 쉽지 않은 캠핑장도 있다. 또 돌로는 팩을 정확하게 가격하는 데 어려움이 따른다. 자칫 손등을 쳐서 부상을 입는 경우도 많다. 따라서 팩을 박을 때는 반드시 망치를 이용하는 게 좋다. 망치는 사용한 가스 연료통이 폭발하지 않도록 구멍을 내서 버릴 때나 나무를 이용한 놀이도구 등을 만들 때도 유용하다.

• 아이스박스

기온이 높은 여름철에는 상하기 쉬운 음식물을 보관하거나 물이나 음료를 차게 보관하기 위해 아이스박스가 필수다. 아이스박스는 재질에 따라 하드형과 소프트형으로 나뉜다. 하드형은 외피를 스테인리스와 플라스틱으로 제작한 것이다. 하드형은 보냉 기능이 탁월한 반면, 부피가 큰 단점이 있다. 또 아이스박스의 사이즈에 맞는 용기가 아니면 수납 능력이 현저하게 떨어진다. 따라서 부피가 크더라도 가급적 40ℓ 이상의 대형을 사용하는 게 유리하다. 소프트형은 보냉 기능이 떨어지며, 외부에서 강한 충격을 받으면 내용물이 깨지거나 상처를 받을 수 있다. 그러나 반찬통이나 용기를 수납할 때는 융통성을 발휘한다. 또 필요에 따라서는 물통이나 설거지통으로 변경해 사용할 수도 있다. 소프트형은 20ℓ 이하의 작은 것을 구입하여 하드형의 서브로 활용하는 게 좋다.
아이스박스와 함께 아이스팩도 필수다. 아이스팩은 맨 위에 올려놓을수록 보냉효과가 탁월하다. 캠핑장 주변에서 얼음을 구할 수 있다면 굳이 아이스팩이 필요하지 않다. 아이스박스에는 하루에 한 번 정도 얼음을 채워준다.

• 야전삽

캠핑사이트를 구축하는 핵심 장비 가운데 하나다. 일반캠핑과 달리 자연적인 조건에서 캠핑사이트를 조성할 경우 쓰임새가 많다. 야전삽은 바닥을 고르거나 텐트의 플라이에 맞춰 배수로를 팔 때 요긴하다. 특히, 갑자기 폭우가 쏟아지거나 빗물이 텐트 속으로 스며들어 배수로를 확보해야 할 때 꼭 필요하다. 때로 망치가 없을 때 망치 대용으로 사용하기도 한다. 야전삽은 접이식으로 된 것을 구입하는 게 휴대하기 편리하다. 삽날이 날카롭기 때문에 어린아이들이 가지고 놀지 못하도록 주의하여 관리해야 한다.

• 톱

나무를 베거나 자를 때 필요하다. 화목을 만들 때 도끼를 사용하기 전 톱을 이용하여 적당한 크기로 잘라준다. 캠핑장이 아닌 공간에 사이트를 구축할 때 불필요한 나뭇가지를 쳐내는 역할도 한다. 톱은 접이식이 안전하고 부피도 작다. 크기가 큰 아웃도어용 칼의 경우 제법 쓸 만한 톱이 내장되어 있는 것도 있다. 이 톱을 이용하면 손목 굵기 정도의 나무는 어렵지 않게 자를 수 있다.

• 도끼

가을에서 겨울로 가면서 쓰임새가 많아지는 장비다. 특히, 화목을 마련할 때 요긴하다. 캠핑용 화목은 캠핑 전문점에서 구입할 수 있지만 부피가 만만치 않다. 그렇다고 캠핑장에서 구입하자니, 판매하는 곳을 찾기 어려운 경우도 있다. 이때는 도끼를 이용해 필요한 화목을 직접 마련해야 한다. 캠핑용 도끼는 일반용에 비해 부피가 작고, 무게도 적게 나간다. 한 손으로도 손쉽게 사용할 수 있는 크기의 것을 구입하는 것이 좋다. 그러나 장기간 캠핑을 하거나 화목이 많을 경우에는 손잡이가 길고 큰 도끼가 유리하다. 도끼는 날이 날카롭기 때문에 보관하거나 사용할 때 주의해야 한다.

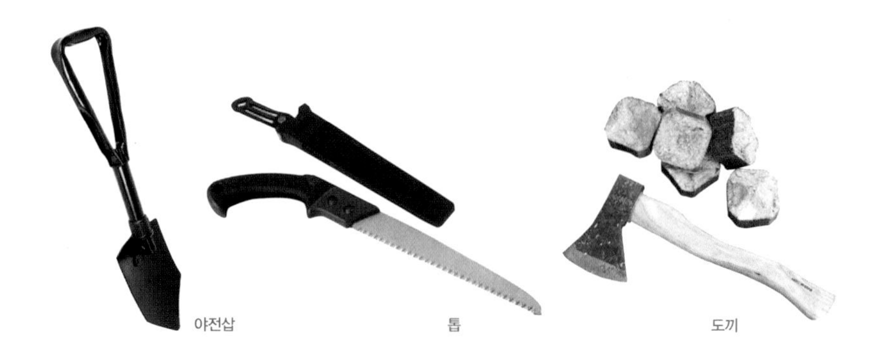

야전삽 톱 도끼

- 카고백

산악인이나 운동선수들이 장거리 이동 시 이용하는 가방이다. 100ℓ 내외의 대형 수납공간을 가지고 있으며 모양을 자유롭게 변형시킬 수 있는 게 특징이다. 수납을 한 뒤에는 벨트를 이용해 조일 수 있다. 따라서 필요 시에는 부피를 최소화시킬 수 있다. 카고백은 차량 이동 시 침낭이나 옷가지 등 부피가 많이 나가는 제품을 수납할 때 유용하다. 오토캠핑용 카고백을 별도로 구입하면 차량의 캐리어에 고정시켜 사용할 수도 있다. 또 텐트 내에서는 불필요한 장비나 옷가지를 담아두는 수납공간으로 활용해도 좋다.

- 세면용품 가방

세면용품을 보관하는 가방이다. 캠핑장에서의 청결 유지를 위해 세면용품은 꼭 필요하다. 수건, 칫솔, 치약, 비누, 샴푸, 면도기, 로션 등은 필수다. 이 용품들을 각기 따로 보관하면 일일이 찾아서 사용하기가 힘들다. 또 분실의 우려도 높다. 따라서 세면용품은 하나의 가방에 함께 보관하는 게 관리도 쉽고 편리하다. 세면용품 가방은 칫솔과 치약, 샴푸와 로션, 수건 등 용도에 따라 분류하여 수납할 수 있도록 다양한 주머니가 있는 게 좋다. 또 다른 장비가 젖지 않도록 방수도 돼야 한다. 최근에 출시되는 캠핑용 세면용품 가방은 다양한 주머니와 편리한 수납공간, 사용 시 걸어놓기 쉬운 고리 등이 포함되어 있다. 세면용품 가운데 수건은 가급적 스포츠 타월을 쓰는 게 좋다. 언제나 쉽게 빨아서 사용할 수 있는데다 건조도 빠르므로 편리하다. 또 한 번만 짜면 바로 사용할 수 있어 활용성이 높다. 세면용품은 사용 뒤 반드시 말려서 보관해야 곰팡이가 슬지 않는다.

- 전기 장판

여름을 제외하고 거의 필수장비가 됐다. 겨울은 기본이고, 밤이면 기온이 쌀쌀해지는 봄가을까지 폭넓게 사용한다. 대부분의 캠핑장에는 사이트마다 전기시설이 되어 있어 사용하기도 편리하다. 전기장판을 이용하면 많은 부분에 도움이 된다. 우선, 겨울에 바닥 공사가 조금 부실해도 문제가 되지 않는다. 또 바닥이 따뜻해 고가의 오리털 침낭을 사용하지 않아도 겨울 캠핑을 할 수 있다. 특히, 어린아이가 있는 캠퍼들에게 꼭 필요하다. 전기장판은 1인용과 2~3인용이 있다. 필요에 따라 사이즈를 선택하면 된다. 접어서 수납해도 문제가 없는 제품으로 해야 한다.

• 모기 퇴치용품

여름날 캠핑장의 가장 큰 골칫거리 중 하나가 모기다. 모기는 보통 6월 중순에서 9월 말 사이에 나타난다. 따뜻한 남쪽 지방에서는 11월 초순까지도 활동하며 캠퍼를 괴롭힌다. 모기는 날이 습하고 기온이 높을 때 활발하게 활동한다. 또 고인 물이 있는 곳이나 은신처가 되는 숲이 가까운 곳에 많다. 반면, 바람이 불거나 건조한 곳에서는 활동력이 현저히 저하된다. 특히 해발 700m 이상의 고지대에는 모기가 살지 않는다. 따라서 태백이나 평창처럼 해발 고도가 높은 곳으로 캠핑을 가면 성가신 모기로부터 해방될 수 있다.

모기를 퇴치하려면 용도에 맞게 사용할 수 있는 모든 모기 퇴치용품을 구입하는 게 좋다. 모기 퇴치용품에는 모기장과 모기약이 있다. 모기장은 텐트에 기본으로 장착되어 있어 안심할 수 있다. 그러나 리빙셸에서 야전침대를 이용해 잠을 잘 경우 반드시 별도의 모기장이 필요하다.

모기약은 크게 바르는 것, 뿌리는 것, 불을 피우는 것 등 세 종류로 나뉜다. 캠핑에서는 이 3종 모두 필요하다. 야외활동을 할 때는 바르는 모기약이, 잠자리에 들기 전 텐트 안에서는 뿌리는 모기약이 필요하다. 스프레이로 약을 뿌려두면 모기를 원천봉쇄할 수 있다. 야간에 테이블에 둘러앉아 지낼 때는 불을 피우는 모기약인 모기향을 테이블 아래에 피워 놓는다. 모기향은 지속성이 강한 장점이 있다. 전기를 사용할 수 있는 곳은 전자모기향을 피우는 것도 방법이다. 캠핑에서 모기를 퇴치할 수 있는 완벽한 방법은 없다. 최선은 모기 퇴치용품을 골고루 준비하고, 몸을 깨끗이 씻어주는 것이다.

• 전기 릴선

캠핑에서는 의외로 전기용품의 사용빈도가 높다. 특히, 최근에 조성된 캠핑장은 사이트별로 배선판을 설치, 캠퍼들이 편리하게 전기를 사용할 수 있도록 하고 있다. 문제는 배선판과 캠핑사이트와의 거리다.

사이트마다 배선판이 설치된 캠핑장은 10m 내외의 연결선이면 충분하다. 또 전기 릴선을 별도로 구입하지 않고 집에서 사용하는 것을 이용할 수도 있다. 그러나 그렇지 않은 캠핑장이 대부분이다. 화장실이나 취사장에서 전기를 끌어와야 하는 경우도 있는데, 이때는 전기 릴선이 반드시 필요하다.

전기 릴선은 전선의 길이에 따라 가격이 다르다. 전선의 길이가 30m인 경우 부피가 작고 가격도 저렴하다. 그러나 이 정도의 줄로 부족한 경우도 있다. 적어도 50m는 돼야 안정적이다. 반면, 100m는 전기 릴선의 부피가 너무 커서 활용도가 떨어진다.

• 멀티 콘센트

전기를 사용할 수 있는 캠핑장의 경우에는 다양한 전기제품을 가져가는 것이 좋다. 겨울철의 경우 전기장판은 필수다. 노트북이나 휴대폰 충전도 해야 한다. 그러나 전기 릴선의 콘센트는 2개로 제한되어 있다. 따라서 2~3m 길이의 멀티콘센트를 휴대하는 게 좋다.

• 선풍기(서큘레이터)

무더운 여름철에는 작은 바람에게도 고맙다. 그러나 캠핑장에서 냉방장치를 기대하기는 어렵다. 이때 많이 사용하는 게 건전지 선풍기다. 건전지 선풍기는 보통 한 손에 쥘 수 있을 정도로 아담한 크기다. 날개는 쉽게 구부러질 수 있는 부드러운 플라스틱 소재를 사용한다. 날개가 회전할 때 손으로 잡아도 무방한 것이라야 하며, 텐트 본체에 쉽게 탈부착시킬 수 있는 자석식이 편리하다. 선풍기는 또 장작이나 바비큐용 숯에 불을 피울 때도 요긴하게 사용할 수 있다.

• 바람막이

캠핑에서 조리를 할 때 바람이 불면 무척 신경이 쓰인다. 리빙셸 안에서 조리하는 경우는 바람의 영향이 적지만 개방형 타프에 주방을 설치한 경우에는 바람의 방해로 조리하는 데 애를 먹는 경우가 많다. 투웨이 버너에는 바람막이가 있지만 사방에서 불어오는 바람을 막기에는 역부족이다. 바람을 막지 못하면 조리시간이 길어지고, 연료의 낭비가 심하다. 이때는 등산용 캠핑에서 많이 사용하는 바람막이를 이용하면 효과적이다. 바람막이는 알루미늄으로 제작되어 부피가 작고 무게도 가볍다. 이 바람 막이로 버너와 코펠을 감싸면 바람의 방해를 거의 받지 않는다.

• 눈가리개, 귀마개

캠핑장에서는 어느 정도 프라이버시가 침해되는 것을 감수해야 한다. 텐트는 집과 같은 역할을 하지만 생각보다 주위 환경에 약하다. 특히 방음 기능는 거의 없어서, 텐트 밖이나 안에서 발생하는 소음에 거의 무방비다. 밤에 발생하는 소음은 숙면을 방해하는데, 이때를 대비해 귀마개를 휴대하는 것이 좋다. 텐트는 빛을 막는 기능 역시 거의 없다. 여름철의 경우 오전 5시 30분이면 해가 뜨는데, 당연히 텐트 속도 환해져 숙면을 방해한다. 이때 눈가리개가 있으면 수면 상태를 유지하기가 조금 더 편해진다. 또 낮잠을 잘 때도 요긴하다.

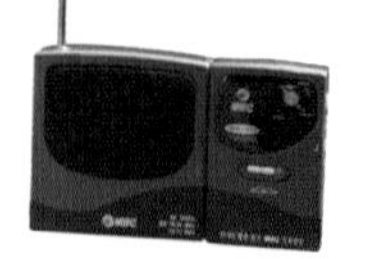

• 라디오

음악이 있는 캠핑장은 분위기가 좋다. 요즘은 스마트폰을 이용해 음악을 듣는 경우가 많지만 캠핑장에서는 라디오만큼 기분을 돋우는 것이 없다. 자연친화적 공간인 캠핑장에서 아날로그적인 감수성을 일깨우는 데 라디오가 큰 역할을 한다.

라디오는 단순히 분위기를 살려주는 역할만 하는 것이 아니다. 태풍이나 폭우 같은 갑작스런 기상이변이나 천재지변이 발생했을 때 큰 도움을 얻을 수 있다. 실시간으로 들려오는 재난방송에 따라 대피를 할 수도 있다. 또 그날그날의 일기예보를 체크해 텐트를 걷을 시점 등도 파악할 수 있다.

• 호루라기

아이들과 함께 캠핑을 가면 뜻하지 않은 위험에 처할 수 있다. 특히, 아이들만 돌아다니다 숲에서 길을 잃거나 바위에 미끄러져 부상을 입을 수도 있다. 흔하지는 않지만 동물이나 개로부터 위협을 당할 수도 있다.

이때 아이들이 호루라기를 휴대하고 있으면 자신이 처한 위험을 부모에게 빨리 알릴 수 있다. 호루라기는 크기가 작아 휴대하기도 편리하고, 어느 상황에서나 쉽게 사용할 수 있다. 부모와 자녀가 위험에 따른 호루라기 신호를 미리 정해 놓으면 훨씬 빨리 알아챌 수 있다.

• 식기류

코펠에는 접시와 밥그릇, 국자 등이 포함되어 있는 제품이 많다. 그러나 이것만으로는 부족한 경우가 있다. 여러 명이 캠핑을 가서 밥그릇이 부족해 코펠 뚜껑을 이용하는 경우를 종종 볼 수 있다. 따라서 부피가 작은 숟가락이나 젓가락 등을 항상 여유 있게 준비해두는 것이 좋다. 또 코펠에 들어 있는 밥그릇과 국자, 주걱 등은 대부분 품질이 좋지 않으므로 별도로 구입하는 게 좋다. 특히, 플라스틱류는 기름기 많은 음식을 먹었을 때 기름기가 잘 닦이지 않아 불결한 느낌을 준다. 따라서 캠핑장에서 쓰는 식기류는 가급적 스테인리스나 알루미늄, 천연소재인 나무로 된 것을 사용하는 게 좋다.

밥그릇을 살 때는 여러 개를 포개더라도 부피가 거의 늘어나지 않는 것을 고르는게 좋다. 시에라컵이나 접이식 손잡이가 달린 스테인리스 제품도 좋지만 가격이 비싼 게 흠이다. 할인 마트에서 스테인리스로 된 저렴한 밥그릇을 구입하는 게 가장 경제적이다. 단 완벽히 포개지는 것을 구입해야 한다.

캠핑장의 식기는 밥그릇과 국그릇의 구별이 없다. 따라서 밥만 담을 수 있는 형태보다는 국을 담아도 크게 어색하지 않은 모양을 구입하는 게 좋다. 또 컵도 하나로 포개어질 수 있는 제품을 구입해야 부피를 줄일 수 있다. 반찬이나 볶음요리 등을 담아낼 접시도 필수다. 접시는 코펠의 규격과 같은 것을 사는 게 유리하다.

• 조리도구

요리가 캠핑에서 큰 비중을 차지하자 조리와 관련된 스토브와 코펠, 그릴 등 조리도구가 캠퍼들의 관심을 받고 있다. 이 가운데 간과해서 안 되는 것이 국자나 뒤집개, 칼, 도마 등이다. 스토브나 그릴 등의 장비가 좋아질수록 가위나 국자, 칼, 도마 등도 어울리는 제품을 갖춰야 한다.

칼과 도마는 필수적인 조리도구다. 칼은 칼집이 있는 것을 사용하여 혹시 모를 사고를 예방하는 게 좋다. 그러나 칼이 작으면 많은 양의 요리를 할 때 답답하다. 이때는 집에서 쓰던 것과 같은 큰 칼을 쓰는 게 좋다. 도마는 작은 것보다 큰 것을 쓰는 게 유용하다. 캠핑장에서는 음식 재료를 담아둘 그릇이 많지 않으므로 도마 자체가 수납공간의 역할을 하기 때문이다.

국자는 꼭 필요한 도구는 아니다. 밥그릇이나 코펠 뚜껑이 국자의 역할을 하기도 한다. 한편, 부침개나 파전을 해먹을 요량이라면 뒤집개가 필수다. 뒤집개는 대체할 만한 조리도구가 없다. 또 가위와 집게는 활용도가 높으므로 꼭 준비한다.

• 양념통, 물통

양념통만큼 창의성을 요하는 조리도구도 없다. 음식을 조리하기 위해서는 기본적인 양념이 필요하다. 그러나 양념을 집에서 쓰는 것처럼 큰 통에 가져갈 수는 없는 일이다. 무게도 무게지만 수납공간을 너무 많이 차지한다. 따라서 캠핑에 필요한 양만큼만 담아 갈 수 있는 용기가 필요하다. 이런 용기는 캠핑 매장에서 쉽게 구할 수 있지만 값이 비싸다. 비싼 용기를 구입하지 않아도 조금만 창의성을 발휘하면 저렴한 가격에 훌륭한 용기를 구할 수 있다.

양념통을 살 때는 우선 모양이 동일한 것을 사야 수납 시 용이하다. 또 깨지지 않는 제품을 사야 한다. 마지막으로 관리하기 편하도록 하나의 박스에 담을 수 있는 양념통이라면 금상첨화다. 양념은 잘 상하거나 변질되지 않는다. 따라서 캠핑을 마친 후에는 사용했던 만큼만 다시 보충해두면 다음 캠핑을 갈 때 캠핑 준비하는 시간을 단축할 수 있다.

• 물통

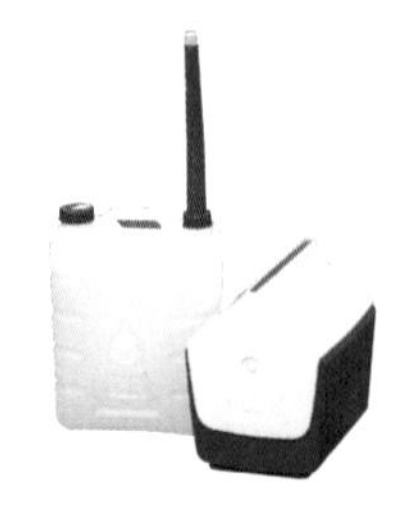

대부분의 캠핑장에는 식수로 사용해도 무방한 물이 공급된다. 그러나 끓이지 않고 그냥 마실 물은 별도로 준비하는 게 좋다. 또 캠핑장 물을 식수로 사용한다고 하더라도 물통이 있으면 편리하다. 일단 물통에 많은 양의 물을 받아오면 요리를 하거나 더러워진 손발을 씻을 때 편리하다. 특히, 캠핑사이트에서 취사장까지 거리가 먼 경우에 물통이 없으면 매우 불편하다. 요즘은 대형 마트에서 4ℓ짜리 초대형 생수를 판매한다. 또 1.5ℓ 페트병 6개 한 묶음을 준비하면 2~3일은 너끈하다.

• 식기건조망

설거지한 식기를 건조하는 망이다. 타프 폴대에 걸어두는 3단 망으로 되어 있다. 모양은 원형과 사각형 두 가지 타입이 있다. 식기건조망은 식기를 건조하는 것 외에 수납공간으로도 활용도가 높다. 식기류가 많지 않으면 테이블에 올려놓는 스탠드형을 건조대를 이용해도 된다. 또 자립형 스탠드 스타일도 있다.

• 설거지통

캠핑장에서는 먹는 것만큼 치우는 일도 중요하다. 설거지통은 코펠이나 수저 등 설거지를 한 번에 담아갈 수 있는 유용한 장비다. 코펠이나 그릇, 수저 등 많은 식기를 한 번에 담아 취사장으로 갈 수 있다. 설거지통은 방수 원단을 이용해 원형으로 만든다. 용량은 30~40리터 정도다. 웬만한 설거지는 한 통에 다 담을 수 있다. 설거지통은 물을 담아 올 때도 유용하다. 사이트에서 간단히 씻거나 허드렛물이 필요할 때 설거지통을 이용한다.

• 수납용 박스

캠핑장비를 차곡차곡 차에 싣는 일은 항상 캠퍼들의 가장 큰 고민거리다. 그래서 대부분 수납용 박스를 이용한다. 수납용 박스는 직사각형으로 되어 있어 차량 내 적재 공간을 효율적으로 활용할 수 있다. 또 캠핑장비를 용도별로 모아두면 캠핑장에서 찾아 쓰기 편하다. 수납용 박스는 미니 테이블로도 활용할 수 있는 하드 케이스와 소프트 케이스 두 종류가 있다.

• 쓰레기 분리 수거대

캠핑장에서는 쓰레기도 많이 나온다. 대부분의 캠핑장에는 재활용과 음식물 쓰레기 등을 버리는 곳이 있다. 그래도 캠핑을 하면서 쓰레기를 미리미리 분리해두면 손이 덜 간다. 쓰레기 분리 수거대는 재활용과 일반 쓰레기, 두 가지로 준비한다. 음식물 쓰레기는 캠핑장에서 받은 비닐봉투를 이용한다.

• 앞치마

캠핑용 앞치마는 캠핑의 멋을 살려주는 소품이다. 캠핑장에서는 앞치마 두르고 설거지통을 들고 가는 남자들이 전혀 이상하지 않다. 앞치마는 설거지는 물론 요리할 때도 유용하다. 집에서 사용하는 것보다는 캠핑 이미지로 장식된 앞치마로 준비하자.

• 집게

화롯불 쬐며 불멍할 때 꼭 필요한 도구가 집게다. 화로에 나뭇가지를 집어넣기도 하고, 불씨를 관리할 때도 쓰인다. 또 텐트 주변의 소소한 쓰레기를 주울 때도 요긴하게 사용된다. 용도가 다르지만, 조리할 때도 조리용 집게가 필요하다. 화로용 집게 1개, 요리용 집게 1~2개는 기본으로 있어야 한다.

• 토스트기

식생활이 서구화되면서 아침에 빵을 먹는 캠퍼들도 많다. 토스트기는 스토브 위에 올려서 식빵을 노릇노릇하게 구워 먹는다. 기기는 간단하다. 토스트기 대신 프라이팬을 이용해 식빵을 구워도 된다.

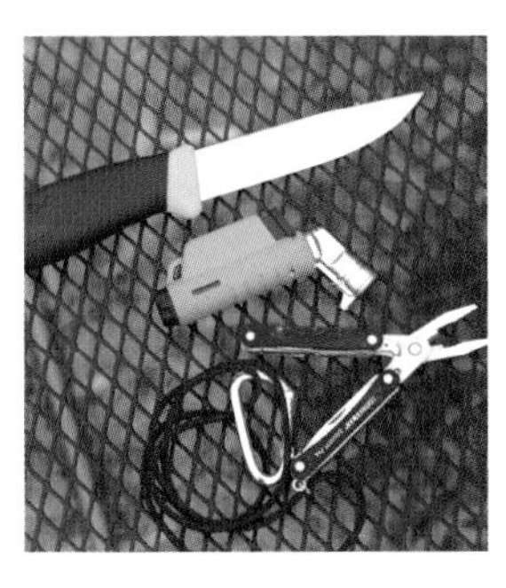

• 서바이벌 키트

캠핑을 하다보면 예상치 않은 돌발상황이 발생할 수 있다. 예를 들면, 나무를 쪼개 장작을 만들려고 하는데 도끼가 없을 수 있다. 또 불을 피우려고 하는데, 라이터 등 점화 도구가 없거나 물에 젖어 사용할 수 없을 수 있다. 이처럼 응급한 상황에 활용할 수 있는 것이 서바이벌 키트다. 도끼 대신 사용할 수 있는 부시크래프트 칼과 불을 피울 때 필요한 파이어 스틸, 부싯깃 등을 비상용으로 가지고 다니면 좋다. 서바이벌 키트는 특별한 경우가 아니면 사용할 일이 없지만, 만일을 위해 구비해 두자. 또한, 사용법도 미리 숙지해두자.

장비 구입 요령과 구입 리스트

AUTOCAMPING GEAR

취미의 시작은 장비 구입부터다. 오토캠핑도 예외는 아니다. 문제는 어느 선까지 구입 하느냐다. 주변에서 캠핑 장비를 운반하기 위해 차를 바꿔야겠다는 캠퍼를 흔히 볼 수 있다. 또 장비 구입에 차 한대 값이 들었다는 소리도 심심찮게 들린다. 그러나 이것은 어디까지나 마니아들의 이야기다. 이제 시작하는 초보 캠퍼라면 장비 구입에 처음부터 욕심낼 필요가 없다. 꼭 필요한 장비를 중심으로 구입해서 다양한 경험을 쌓는 게 중요하다. 그 다음 필요한 장비들을 골라서 하나씩 구입해도 늦지 않는다.

• 꼭 필요한 것부터 우선적으로

캠핑 장비에도 우선순위를 매길 수 있다. 이를테면 텐트와 매트리스, 스토브, 침낭, 테이블, 랜턴 등은 꼭 필요한 장비다. 그러나 이 가운데서도 집에서 사용하던 것을 대체할 수 있는 장비가 있다. 이를테면 스토브는 가스레인지로, 침낭은 담요로 대체할 수 있다. 물론 모양새는 안 나겠지만 캠핑의 1차적인 목적은 자연과 친해지는 것이다. 따라서 반드시 필요한 장비를 우선 구입하고, 나머지는 순차적으로 구입하는 게 바람직하다.

• 2~3년의 기간에 걸쳐 구입

오토캠핑 장비를 제대로 갖추려면 많은 돈이 필요하다. 갑부가 아닌 이상 한 번에 모두 구입하기에는 무리가 따른다. 장비는 2~3년 정도의 기간을 두고 하나씩 갖추어 나가는 게 좋다. 적어도 봄, 여름, 가을, 겨울 각각 한 번씩은 캠핑을 다니면서 장비의 쓰임새와 활용도를 직접 체험해본 후에 장비를 구입해야 실패를 줄일 수 있다.

• 값싼 패키지는 조심해야

싼 게 비지떡이라는 말이 있다. 가격이 싸다고 무조건 좋은 것이 아니다. 캠핑 시즌이 도래하면 대형 할인점에서 패키지로 묶어서 캠핑 장비를 판매하는 경우가 많다. 그러나 이런 장비들의 대부분은 그해를 넘기지 못하고 폐기처분된다. 따라서 값싼 패키지에는 눈을 돌리지 않는 것이 좋다.

• 활용도 높은 것은 비싸도 좋은 것을 구입해야

텐트나 스토브, 테이블, 의자, 타프 등 활용도가 높은 제품은 가격이 비싸도 좋은 것을 구입하는 게 바람직하다. 이런 장비들은 캠핑을 갈 때마다 필요한 것들이기 때문이다. 좋은 제품을 구입하면 나중에 A/S를 받기도 수월하다.

• 집에서 쓰던 것도 활용하여 비용 절약

최근 오토캠핑의 주된 추세는 대형화다. 자동차를 십분 활용하기 때문에 부피와 무게에 제약을 덜 받기 때문이다. 따라서 집에서 사용하던 장비를 활용해도 무방하다. 예를 들면 고가의 오리털 침낭 대신 모포와 여름 침낭을 이용해도 웬만한 추위를 이길 수 있다. 또 여러 가족이 함께 떠날 때는 가격이 비싼 포트를 사는 대신 집에서 쓰는 대형 찜통을 사용해 도 무방하다.

• 차량을 고려해 장비 구입해야

장비 때문에 차량을 바꿀 수는 없는 일이다. 그렇다면 차에 수납할 수 있는 만큼의 장비를 구입해야 한다. 부피가 너무 큰 것은 아쉬워도 다음 기회로 미루는 게 좋다. 또 같은 장비라면 부피가 작은 것을 선택한다.

• 사용기 참조하면 구입에 큰 도움

오토캠핑 장비는 대부분 고가다. 충분한 고려 없이 구입하면 자칫 큰 손해를 입을 수도 있다. 따라서 구입하려는 장비의 장단점을 사전에 면밀히 파악해야 한다. 이때는 캠핑 동호인들의 장비 사용 후기를 적극 활용할 필요가 있다. 제품에 대해 확실한 조언을 얻을 수 있는 방법 중 하나다.

오토캠핑 장비 구입 리스트

장 비 \ 구입 시기	1차	2차	3차	비고
텐트	◎			타프와 구성을 생각해서 구입한다. 리빙셸의 경우 타프 기능까지 겸할 수 있다.
이너매트	◎			매트리스와 중복되기 때문에 뒤로 미뤄도 된다.
그라운드 시트		◈		텐트 바닥 방수를 위해 꼭 필요하다.
타프		◈		여유가 있으면 1차에 텐트와 세트로 구입하는 게 좋다. 그렇지 않다면 일단 텐트로 버티면서 텐트와 최상의 조합을 이루는 것을 찾아 구입한다.
사이드월			▣	있으면 활용도가 뛰어나다.
프런트월			▣	캠핑의 달인을 상징하는 장비다.
스크린			▣	있으면 아주 좋다. 그러나 그 정도 투자할 가치가 있는지는 따져볼 필요가 있다.
침낭	◎			가족 수만큼 필요하다. 일단 담요로 해결해도 된다.
매트리스	◎			바닥의 보온과 방수를 위해 필수다. 우선 저렴한 발포성 매트리스로 시작한다.
랜턴	◎			외부에서 사용하는 가스나 가솔린 랜턴 하나와 텐트 안에서 쓰는 건전지 랜턴 하나, 이렇게 최소한 2개가 필요하다. 캠핑을 하면서 1~2개의 랜턴이 추가로 필요하게 된다.
스토브	◎			투웨이로 구입하는 게 좋다. 나중에 보조용 스토브가 필요하다. 급한 대로 휴대용 가스레인지를 이용해도 된다.
코펠	◎			가급적 큰 사이즈를 구입한다. 집에서 쓰는 냄비를 가져갈 수도 있지만 너무 초보 티를 내는 행동이다.
테이블	◎			가족 수보다 1~2인 큰 것을 구입한다
의자	◎			가족 수만큼 구입한다. 미니 의자는 가격도 저렴하고 활용도도 높다.
키친		◈		일단 테이블로 해결할 수 있다. 그러나 바로 사고 싶은 욕심이 생길 것이다.
그릴		◈		바비큐를 위한 필수 장비지만 우선 집에 있는 것을 사용하면서 나중에 구입해도 늦지 않는다. 저렴한 것으로 시작해도 된다.
화로		◈		캠핑의 꽃이지만 필수는 아니다. 다만, 세번만 캠핑을 가면 살 수밖에 없을 것이다.
더치오븐			▣	캠핑의 고수임을 보여주는 장비다. 서둘러 구입할 필요는 전혀 없다.

구입 시기 / 장 비	1차	2차	3차	비고
화목난로			▣	봄, 가을에 충분히 캠핑을 다닌 후 고려해도 늦지 않다.
해먹		◈		아이들에게 이보다 좋은 놀이터는 없다. 3차로 늦춰도 무방하다.
야전침대			▣	활용도가 뛰어나지만 의자와 용도가 겹친다.
전기 릴선		◈		전열장비가 있을 때 필요하다. 겨울에 전기장판 사용해본 이들은 결코 빼놓지 않는다.
망치			▣	집에서 쓰는 장도리로 대체할 수 있다.
야전삽			▣	가급적 땅 파는 일이 없어야 환경에도 좋다.
카라비너		◈		의외로 요긴하게 사용하는 장비다. 저렴한 것을 세트로 사는 것이 좋다.
로프		◈		빨랫줄을 만들 때 필요하다. 급하면 스트링을 우선 이용한다.
도끼			▣	급하면 빌려 쓰자.
아웃도어용 칼		◈		없어도 되지만 있으면 아주 유용하다.
아이스 박스		◈		집에서 사용하던 것을 써도 충분하다. 여름에는 없으면 고생한다.
탕파			▣	우선 페트병에 뜨거운 물을 넣어 사용한다. 핫팩도 좋다.
장갑			▣	장작이나 화로를 다룰 때 절실하다. 우선 목장갑부터 활용하자.
물통			▣	2ℓ짜리 페트병으로 대신한다.
포트			▣	집에서 쓰는 들통을 활용해도 충분하다.
식기류		◈		코펠에 기본적으로 들어 있는 것을 이용한다. 대형 마트에서 캠핑용에 적합한 저렴한 제품을 구입한 다.
조리도구	◎			집에서 쓰는 것을 우선 이용한다.
양념통	◎			창조적인 아이디어가 있으면 돈 몇 푼 들이지 않고, 또는 공짜로 마련할 수 있다.
선풍기			▣	활용도가 크게 높지 않다.
라디오		◈		저렴한 값에 비해 활용도가 은근히 높다.
귀마개, 눈가리개			▣	외국 여행길에 비행기에서 얻을 수 있으면 얻어서 쓴다.
머그컵		◈		식기를 시에라컵으로 활용하면 따로 구입하지 않아도 된다.
앞치마			▣	집에서 쓰던 것을 사용한다.

CHAPTER 3

오토캠핑 가기

 GO AUTOCAMPING

오토캠핑 순서

짐 싣기

캠핑 장비는 규모와 무게가 만만치 않다. 따라서 자신의 차에 맞게 장비를 싣는 것도 요령이다. 무겁고 덩치가 큰 것은 아래로, 가볍고 작은 것은 위로 차곡차곡 실어야 한다. 짐을 다 싣고 나면 캠핑장으로 출발한다.

자리 잡기

어느 자리가 좋을까? 일단 캠핑장에 도착하면 가장 좋은 자리를 찾는게 급선무다. 화장실과 취사장의 거리, 소음 정도, 그늘 여부 등을 따져 최선의 자리를 잡아야 캠핑이 즐겁다. 캠핑장이 아닌 경우 캠핑하기 좋은 조건에 맞는 장소를 찾아야 한다.

캠핑장 배치

자리를 잡았다면 캠핑장을 어떻게 꾸밀지 지혜를 모아야 한다. 텐트와 타프의 위치와 방향, 차량 등을 종합적으로 고려해 밑그림을 그려보자. 바람이 불어오는 방향과 사람들이 오가는 동선, 나무 그늘의 움직임 등을 종합적으로 고려하는 것이 좋다.

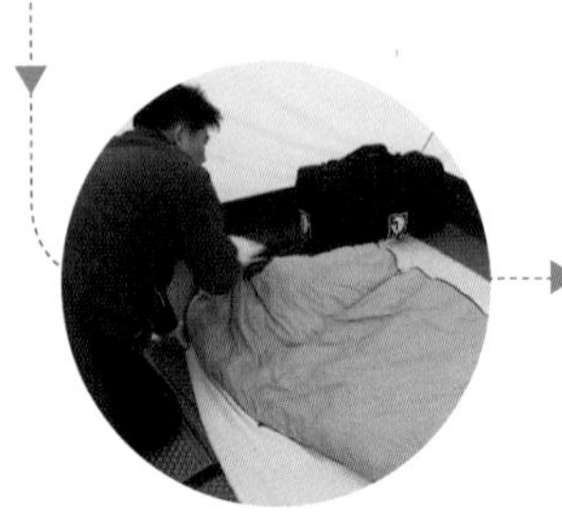

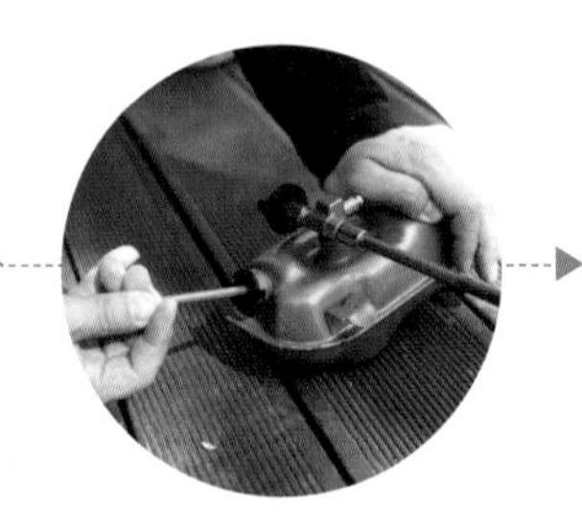

텐트 꾸미기

텐트 안에 매트리스를 깔고, 침낭을 펴놓는다. 밤에 꼭 필요한 물품도 가지런히 정리해둔다.

조리도구 설치하기

음식을 조리할 도구를 설치한다. 스토브에는 연료를 주입하고, 코펠은 깨끗하게 씻어둔다. 더치오븐은 길들이기를 한 후 삼각대에 걸어둔다.

조명 밝히기

랜턴은 어둡기 전에 맨틀을 갈아 끼운다. 랜턴의 배치는 캠핑장을 골고루 비칠 수 있는 곳에 하는 것이 좋으며, 텐트 속에도 건전지 랜턴을 배치해서 밤에 찾는 소동을 벌이지 않도록 한다.

타프 치기

타프는 캠핑 시 주된 생활공간이 된다. 타프는 캠핑 장비 가운데 가장 넓은 면적을 차지하므로 타프의 위치를 잘 잡아야 텐트가 들어설 자리가 나온다. 타프를 잘못 치면 전체적으로 캠핑장 배치가 엉망이 될 수도 있다

텐트 치기

텐트는 잠을 자는 곳이자 가장 독립적인 공간으로 활용되는 곳이다. 텐트를 칠 때는 타프와 연결성도 고려해야 한다. 스트링과 팩을 이용해 마무리까지 확실히 해서 텐트를 완성한다.

가구 배치하기

테이블은 어디에 놓을까? 키친은 어디에 설치할까? 화로와 그릴은 또 어디에 둘까? 타프가 배치된 형태에 맞게 가구를 배치한다.

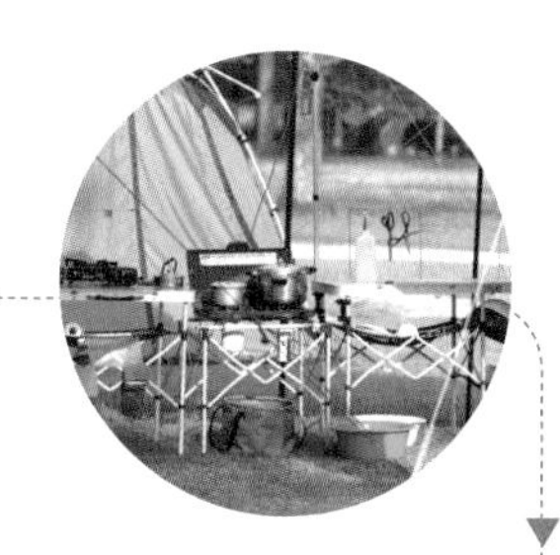

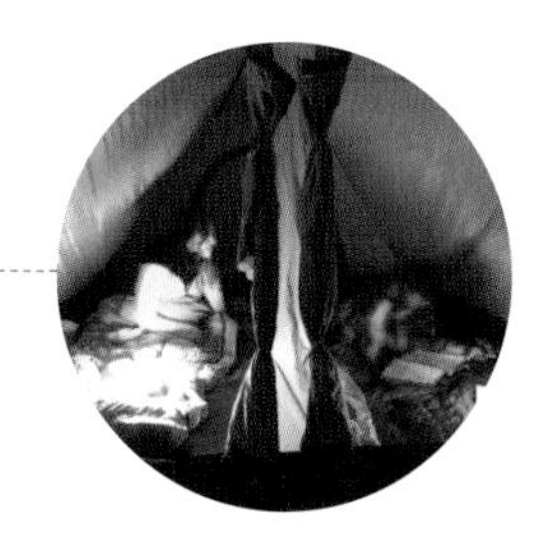

불 피우기

캠핑장의 밤은 모닥불이 있어 즐겁다. 화로 위에서 타닥타닥 타는 장작을 보고 있으면 행복이 밀려온다. 모닥불을 쬐며 정다운 대화를 나누다 보면 밤은 깊어진다.

요리하기

캠핑의 즐거움 중 하나가 요리다. 아빠는 바비큐를 굽고, 엄마는 맛있는 찌개를 끓인다. 온 가족이 둘러앉아 먹는 밥은 꿀맛이다. 와인으로 건배를 나누면 캠핑의 기쁨은 배가 된다.

취침

잠은 다음날을 위한 보약이다. 화로의 불을 완전히 끄고, 주변을 깨끗하게 청소한 후 잠자리에 든다.

짐 싣기

GO AUTOCAMPING

이제 캠핑을 떠날 시간이다. 초보든 마니아든 차에 장비를 싣고 떠날 때만큼 행복한 시간은 없다. 그러나 장비를 수납하는 요령이 부족하다면 출발부터 골치가 아플 수 있다. 오토캠핑 장비는 대부분 부피가 크고 무겁다. 따라서 장비의 모양과 크기, 무게에 따라 차곡차곡 수납하는 방법을 익혀야 장비를 다 싣지 못해 애먹는 불상사를 예방할 수 있다. 또, 장비를 좌우 균형에 맞지 않게 실으면 차가 조금만 흔들려도 장비가 무거운 쪽으로 기울거나 쏠린다. 최악의 경우 트렁크 문을 열 때 무거운 장비가 와르르 쏟아지는 사태가 초래될 수도 있다. 또 음식물이나 유리 글로브가 있는 랜턴 등은 위에 무거운 물건을 놓으면 깨지거나 찌그러질 수 있어 특별히 배려하여 실어야 한다.

자동차 수납공간을 극대화시킬 수 있는 노하우도 필요하다. SUV나 CUV 등 레저용 차량은 2열 시트를 접을 수 있으므로, 인원에 맞춰 다양하게 활용하는 법을 익혀둘 필요가 있다. 승용차의 경우 외장형 캐리어로 부족한 수납공간을 확보해야 장비를 실을 수 있다. 최근에는 오토캠핑 장비가 점점 대형화되고 종류가 많아지면서 소형 트레일러를 구입하는 경우도 늘고 있다. 짐 싣기 단계에서 분명한 것은, 장비를 차에 싣지 못하면 캠핑을 떠날 수 없다 는 것이다.

자동차와 수납공간

한국형 오토캠핑은 주로 일반 차량에 장비를 싣고 캠핑 가는 형태로 진행된다. 그러나 중대형 레저차량을 제외하고는 차에 캠핑 장비를 수납하기가 만만치 않다. 특히, 승용차를 가진 캠퍼의 고민은 깊다. 그렇다고 캠핑만을 위해 차를 함부로 바꿀 수도 없는 일이다. 따라서 자신의 차에 맞게 수납공간의 활용도를 최대한 높이는 게 짐 싣기 단계에서 관건이 된다.

• SUV

렉스턴, 싼타페, 투싼 등 험한 길에서도 주행이 용이하도록 만든 차량을 말한다. 캠핑에 가장 적합한 차량이다. SUV는 Sports Utility Vehicle(스포츠 유틸리티 비이클)의 약자다. 트렁크의 적재공간이 넓은데다 루프캐리어가 설치되어 있어 수납공간의 활용도가 뛰어나다. 4륜구동의 경우 캠핑장 여건에 구애받지 않고 사용할 수 있으며, 2열 시트를 접을 수 있어 공간 활용도가 뛰어나다. 힘이 좋기 때문에 소형 트레일러도 끌 수도 있다.

2열 시트 활용법

SUV는 2열과 3열 시트를 자유롭게 변형시킬 수 있다. 캠핑 장비를 최대한 많이 수납하려면 2열과 3열을 모두 접는 게 좋다. 그러나 가족이 3인 이상인 경우에는 2열은 좌석으로 남겨둬야 한다. 가족이 3인일 때와 4인일 때 각각 적재공간을 최대한 늘릴 수 있는 방법이 있다.

2열 시트의 경우 두 개로 나뉘어 있다. 하나는 3분의 1 크기이며, 다른 하나는 3분의 2 크기다. 만약 3인이 캠핑을 간다면 3분의 2 크기의 시트를 접는다. 이것만 접어도 150ℓ 이상의 적재공간이 확보된다. 4인이 캠핑을 갈 경우 계산이 조금 복잡하다. 중학교 이하의 어린이가 둘이라면 3분의 1 시트를 접으면 된다. 3분의 2 시트만으로 둘이 충분히 앉아 갈 수 있다. 그러나 중학교 이상이거나 성인이라면 3분의 2 시트로는 앉을 공간이 충분치 않다. 이 경우 2시간 이내에 도착할 수 있는 캠핑장을 찾아감으로써 협소한 공간이 가지는 문제점을 극복해야 한다.

• CUV

레저와 승용차의 특징을 겸용한 차량을 말한다. CUV는 Crossover Utility Vehicle(크로스오버 유틸리티 비이클)의 약자다. 카니발과 스타렉스, 투리스모 등이 해당한다. 카니발과 스타렉스 같은 대형 CUV는 적재능력이 최고다. 또 시트 활용도도 뛰어나 웬만한 장비는 시트를 접지 않고도 적재할 수 있다. 그러나 쏘울, 니로 같은 작은 것은 기본적으로 시트를 접어야 캠핑 장비의 수납이 가능하다. 눈길과 오프로드에 약하다는 단점이 있다.

• 승용차

오토캠핑에 가장 취약한 차량이다. 트렁크 적재공간이 크게 부족하다. 따라서 최소한 루프캐리어를 별도로 설치, 최대한 많은 장비를 루프캐리어에 수납해야 한다. 그렇게 하더라도 부피가 큰 장비는 수납하는 데 어려움이 많다. 따라서 장비 구입 시 부피를 고려하는 것은 물론, 캠핑 시 다른 가족과 함께 장비를 공용하여, 캠핑 장비의 수를 가능한 만큼 줄이는 지혜가 필요하다.

짐 줄이기

짐을 꾸리는 요령 중 하나는 부피를 최대한 작게 하는 것이다. 캠핑 장비 가운데 가장 부피를 많이 차지하는 게 침낭과 의류, 담요 등 보온장비다. 침낭과 의류는 사방에서 조일 수 있는 끈이 달린 주머니를 이용하면 부피를 크게 줄일 수 있다. 또 대용량의 카고백을 이용해 옷가지를 콤팩트하게 수납하는 방법도 있다. 카고백은 캠핑장에서 불필요한 장비를 수납하는 공간으로 요긴하게 활용할 수 있다.

외장형 캐리어

자동차 적재공간이 여의치 않을 경우 외장형 수납공간이 필요하다. 외장형은 크게 루프캐리어와 트레일러, 두 가지로 나눠볼 수 있다.

• 루프캐리어

차량의 지붕에 짐을 실을 수 있게 만든 장치다. SUV나 CUV에는 기본으로 루프캐리어가 설치되어 있으며, 승용차의 경우 별도로 장착을 해야 한다. 루프캐리어만으로는 장비를 수납할 수 없고, 루프캐리어에 고정시켜 사용할 수납공간이 필요하다.

하드 케이스

루프캐리어에 고정시켜 사용하는 수납장비는 크게 박스와 바스켓, 카고백으로 나뉜다. 박스는 유선형의 하드케이스로 만들어졌다. 제품을 안정적으로 수납할 수 있고 도난예방과 기상이변에도 안전하게 사용할 수 있다. 단점은 가격이 비싸고, 수납공간이 생각보다 작다는 점. 바스켓은 사각형의 철망에 장비를 담은 후 그물이나 줄로 묶은 것을 말한다. 장비의 크기와 형태에 관계없이 수납할 수 있다. 단점은 비나 기상 변화에 취약하고, 부실하게 고정시킬 경우 적재물이 떨어질 수도 있다는 점이다.

소프트 케이스

카고백은 벨트를 이용해 루프캐리어에 고정시키는 가방이다. 침낭이나 의류 등 부피가 크면서 가벼운 장비를 수납할 때 용이하다. 캠핑장에서는 장비수납함으로 사용할 수도 있으며 가격도 다른 외장형 캐리어에 비해 상대적으로 저렴하다. 단점은 무거운 장비를 실을 수 없다는 점이다.

카고백

• 트레일러

캠핑 장비가 너무 많아 차량만으로 적재가 불가능할 경우 이용할 수 있다. 웬만한 장비는 모두 수납이 가능할 만큼 크다. 의류나 침낭, 음식물 등 세탁이나 관리에 주의를 기울여야 하는 것만 트렁크에 싣고 나머지 장비는 트레일러에 넣어두면 장비 보관 문제도 수월하게 해결할 수 있다. 국내에서 제작한 제품도 출시되고 있다. 단점은 가격이 비싸다는 것과 대형 SUV가 아니면 트레일러를 끌고 다니기에 무리가 따른다는 점이다.

자동차에 짐 싣기

01 키친과 테이블, 매트리스 등 각 지고 면적이 넓은 것을 맨 밑바닥에 놓는다. 맨 밑바닥에 놓는 장비는 아이스박스나 스토브처럼 딱딱하면서, 각이 진 장비를 올려놓아도 흔들리지 않는 평평한 것이라야 한다. 밑바닥 공간이 남으면 그곳에 가늘고 길게 수납되는 의자 등을 배치한다.

02 아이스박스와 장비박스, 스토브 등 각 지고 부피가 큰 것을 밑바닥에 놓인 장비 위에 올린다. 랜턴, 코펠, 망치 등 작은 규모의 장비는 박스에 담아서 실으면 차량 수납 시, 그리고 캠핑장에서 사용 시 편리하다. 음식물이나 연료 등도 종이박스 등에 차곡차곡 담아서 수납하면 공간 활용도를 높일 수 있다.

03 텐트와 타프 등 무게가 나가며서 부피가 큰 장비를 나머지 공간에 배치한다. 텐트와 타프 등은 수납 과정에서 일정 정도 부피를 줄일 수 있어 가급적 밀착해서 수납하는 게 좋다.

04 수납을 하다 보면 장비의 길이가 달라 빈 공간이 생긴다. 이곳을 비워둔 채 장비가 놓인 곳에만 층을 쌓아서는 안 된다. 무거운 장비를 올려도 상관없는 유연성과 변형성이 좋은 것들로 빈 공간을 구석구석 채워주는 게 공간을 효율적으로 활용하는 방법이다. 또 차량 이동 시에도 흔들림에 따른 충격을 줄여준다.

05 맨 위에는 부피가 크면서 가벼운 장비를 올린다. 또 접었을 때 접은 면이 울퉁불퉁하거나 다른 장비를 올리면 수평이 깨지는 장비들(접이식 의자류)도 맨 위에 올리는 게 좋다.

06 트렁크 문을 닫기 전에 뾰족하게 튀어나온 곳이 없는지 확인한다. 금속으로 만든 부분이 튀어나와 있으며 차량이 흔들릴 때 트렁크 유리를 깨트릴 수도 있다.

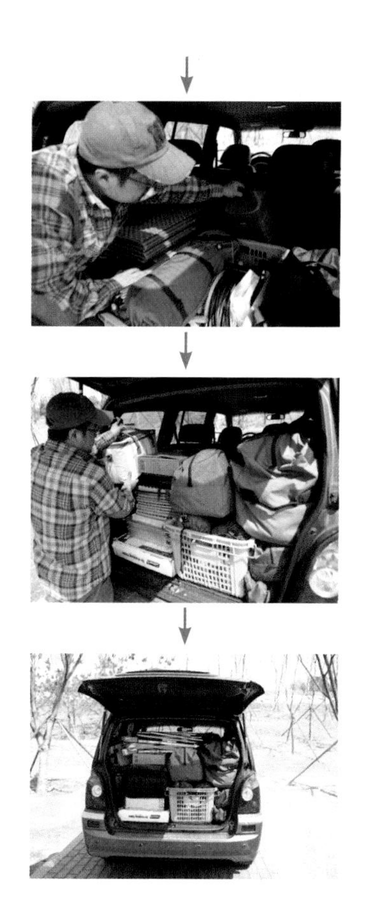

장비수납 시 후방시야 확보해야

트렁크에 장비를 수납할 때 천정과 장비 사이에 일정 공간을 남겨둬야 한다. 자동차 주행 중에 후방을 주시할 수 있는 최소한의 시야를 확보해야 하기 때문이다. 가득 찬 장비 때문에 후방을 확인할 수 없으면 운전자는 답답하다. 또 후진을 할 경우 시야가 확보되지 않아 안전사고의 원인이 되기도 한다. 트렁크에 장비를 적재할 때 마지막 짐은 가운데보다 양쪽 측면에 쌓도록 하는 게 좋다. 트렁크 가운데에 손바닥 높이의 공간만 있어도 후방의 시야를 확보할 수 있다.

자리 잡기

GO AUTOCAMPING

좋은 자리를 잡기 위해서는 우선 캠핑장을 한눈에 파악할 수 있어야 한다. 캠핑장에 도착하면 먼저 안내도를 보면서 명당이 될 만한 장소를 찾아본다. 그 다음 한 바퀴 돌아보면서 예상했던 것과 실제 조건이 일치하는지 꼼꼼하게 따져본다. 명당을 잡는 가장 좋은 비결은 일찍 도착하는 것이다. 아무리 좋은 명당이 있어도 먼저 차지하는 게 임자이므로 캠핑장을 갈 때는 남들보다 조금 서둘러야 한다.

꼭 캠핑장에서만 야영을 하라는 법은 없다. 노련한 캠퍼일수록 호젓한 공간을 좋아하며, 캠핑장을 벗어나려 한다. 인공적인 캠핑장이 아닌, 진짜 야생에서 캠핑을 하고 싶은 충동이 일 때도 있다. 그러나 캠핑장이 아닌 곳에서 캠핑할 때는 캠핑사이트 잡는 요령을 터득하고 있어야 낭패를 보지 않는다. 캠핑하기 적당한 곳에 자리 잡기 위해서는 홍수나 산사태 여부, 바람이나 폭우같은 자연재해로부터 안전한 곳을 찾아내는 능력이 있어야 한다. 이 능력은 다년간의 캠핑을 통해 축적된다.

명당의 조건

캠핑장마다 최고의 명당은 따로 있다. 고수들은 어느 자리가 명당인지 첫눈에 알아낸다. 또 자신이 즐겨 찾는 캠핑장의 명당 자리는 훤히 꿰고 있다.

• 취사장과의 거리

취사장과 화장실 등 편의시설과 가까워야 한다. 설거지통을 들고 다니는 일은 생각보다 피곤하다. 또 잠에서 깨어 화장실을 갈 때도 거리가 멀면 아주 귀찮아진다.

• 소음

아무리 취사장과 화장실이 가까워도 캠퍼들이 지나다니는 길목이라면 좋은 자리가 아니다. 늦은 밤에 오가는 발자국 소리에 잠이 깬다거나 하면 짜증스럽다. 또 개방형 타프의 경우 길목에 설치하면 지나는 캠퍼들의 눈요깃거리가 되기도 한다.

• 바닥 상태

돌이 많거나 울퉁불퉁하면 편안한 잠자리를 만들기 어렵다. 비가 왔을 경우, 텐트 쪽으로 물이 흘러 들어올 수 있는, 기울어진 곳은 피한다. 사이트를 넉넉하게 꾸릴 수 있게 바닥이 넓은지도 고려해야 한다.

• 그늘

5월부터 10월까지는 햇살이 강렬하다. 여름에는 말할 것도 없다. 타프가 있어도 자연적인 그늘만큼 시원하지는 않다. 텐트사이트를 충분히 덮어줄 나무가 있다면 금상첨화다. 나무가 있으면 해먹을 걸거나 빨랫줄을 걸 때도 요긴하다.

캠핑장 아닌 곳에서 자리 잡기

요즘은 캠핑장을 벗어나 캠핑을 하고 싶어하는 캠퍼들이 많다. 차박캠핑이나 백패킹을 떠나는 이들이 대표적이다. 이는 캠핑장 예약하기가 쉽지 않고, 자신의 취향이 좀 더 자연적인 공간을 선호하기 때문이기도 하다. 그러나 캠핑장을 벗어나 캠핑을 할 경우 안전에 대한 부분을 꼼꼼하게 잘 따져야 한다.

우선 주변 지형을 잘 살피고 산사태가 난 흔적이 있는지, 물이 범람한 흔적이 있는지를 따져본다. 풀이 옆으로 쓰러져 있거나 풀잎에 누런 흙물이 배어 있다면 최근에 물이 범람했다는 증거다. 특히, 여름철에는 갑작스런 폭우로 인한 사고가 자주 발생한다. 따라서 강가나 계곡에 텐트를 치는 것은 절대 금물이다. 겨울에는 눈사태가 발생할 수 있는 협곡인지도 따져야 한다. 설악산에서는 눈사태로 야영 중이던 산악인들이 목숨을 잃는 사고가 종종 일어난다.

차량통행이 빈번한 도로는 좋은 장소가 아니다. 차량 소음과 불빛은 숙면을 방해하는 최대의 적이다. 가급적 큰 나무가 있는 숲에 평지가 있다면 최고다. 나무를 활용해 빨랫줄이나 해먹을 걸 수 있다. 또 폭풍우가 몰아쳐도 방어막 역할을 해준다.

안락한 잠자리는 바닥의 평평함 여부에 달려 있다. 우선 자리를 골랐다면 바닥을 고르게 하는 작업을 한다. 돌과 나뭇가지는 주워낸다. 만약 바닥이 조금 기울어졌다면 빗물이 흘러내려갈 수 있게 배수로를 파는 작업도 잊지 말아야 한다. 캠핑장의 안전과 함께 자연보호도 중요하다. 아무리 좋은 곳도 캠핑을 할 수 없는 곳에서는 캠핑을 하면 안 된다. 또한, 자연을 훼손하는 일이 있어도 안 된다. 현지인들과 마찰을 빚을 소지가 있다면 그곳도 피해야 한다. 캠핑은 나만 좋자고 하는 게 아니다. 자연과 더불어 사는 이들에게 피해를 가지 않는 범위에서 즐겨야 한다.

나쁜 자리

좋은 자리

캠핑 사이트 설계하기

GO AUTOCAMPING

캠핑은 자연으로 생활공간을 옮기는 일이다. 집만큼 편하지는 않겠지만 가능한 가장 완벽한 조건을 만들려고 노력해야 한다. 캠핑장 배치는 밑그림을 잘 그려야 한다. 타프와 텐트를 설치하지 않고도 머릿속에서 전체적인 캠핑사이트의 배치도를 그려본다. 텐트와 타프를 어떻게 결합시켜야 동선을 최소화 시킬 수 있는지를 따져본다. 바람이 불어오는 방향과 햇볕을 피할 수 있는 방향도 선택해본다. 또 텐트나 타프 속에 설치할 가구나 주방도 그려봐야 한다. 화로나 야전침대를 놓을 위치도 잡아본다. 그룹 캠핑의 경우 여러 동의 텐트를 쳐야 하고, 여러 가족이 모일 수 있는 생활 공간을 확보해야 하는 등 보다 세밀한 밑그림이 필요하다.

캠핑장은 일단 배치하고 나면 다시 바꾸기가 어렵다. 특히, 타프와 텐트는 바꾸기가 거의 불가능하다. 설령 바꾼다고 하더라도 손이 많이 가게 된다. 따라서 타프와 텐트의 배치를 가장 신경 써야 한다. 캠핑사이트를 최적의 공간으로 꾸미는 것은 전적으로 캠퍼의 능력이다. 캠핑장을 능수능란하게 꾸미는 능력은 많은 경험과 시행착오 등을 통해서 얻을 수 있다.

헥사타프+텐트

헥사타프와 텐트를 이용한 전형적인 캠핑사이트다. 마치 돛대처럼 펼쳐진 헥사타프의 정면이 운치 있다. 헥사타프를 지탱하는 후면의 폴은 스트링을 연결해 텐트 뒤로 배치하는 게 포인트다. 이렇게 하면 텐트와 타프가 밀착되며, 스트링이나 폴의 방해를 받지 않고 오갈 수 있다.

헥사타프는 높이가 낮다. 따라서 화로는 타프와 일정 거리를 두고 배치한다.

타프 속에 테이블과 키친을 일자로 배치했다. 바람이 없고 날이 맑으면 이때는 여분의 폴을 이용, 타프의 한쪽 면을 세워서 개방성을 강조한다. 키친을 타프 밖에 설치할 수도 있다.

타프의 폴을 텐트 뒤로 넘겨서 설치한 모습이다. 타프가 쳐지지 않게 팽팽하게 당겨서 치는 게 요령이다.

헥사타프의 날렵한 맵시. 이 우아한 선의 흐름에 한번 반하면 헥사타프가 아닌 것은 눈에 들어오지 않는다.

조명을 환하게 밝힌 모습. 헥사타프의 개방성이 유감없이 발휘된다. 야전침대와 화로, 의자 등을 타프 밖에 배치하면 비좁은 느낌을 없앨 수 있다.

정면에서 바라본 모습. 개방적인 분위기가 거슬린다면 프런트월을 이용해 앞가림을 한다. 앞가림을 하면 운치와 실용성도 높아진다.

타프 속에서 바라본 정면. 시야가 탁 트였다.

스크린타프+텐트

콜맨 시리즈의 전형적인 형태다. 돔형 텐트와 돔형 타프, 혹은 사각형의 스크린타프를 결합해 사이트를 설치한다. 키친과 테이블 등을 스크린타프 안에 배치할 수도 있고, 맑은 날에는 타프 밖으로 빼내 개방성을 최대한 즐길 수도 있다. 스크린타프는 4면이 메시창이라 문을 다 닫아도 개방성이 보장되며, 여름밤에도 모기 걱정 없이 지낼 수 있다. 모든 문을 닫으면 보온효과를 극대화할 수 있어 겨울에도 좋다. 스트링이 길게 나오는 타프에 비해 공간을 작게 차지하는 것도 장점이다.

스크린타프는 메시창을 사용해도 사각이나 헥사타프처럼 개방적이지 않다. 따라서 화로는 언제나 밖에 설치해야 한다.

스크린타프는 키친과 테이블, 야전침대를 모두 배치할 수 있을 만큼 넓다. 또 4면이 메시창이라 통풍이 잘 된다. 실내에 설치된 야전침대는 튼튼이 누워서 쉬기 좋다.

뒤에서 바라보면 돔형 텐트만 보인다. 차를 적절한 곳에 배치해 바람막이로 활용한다.

텐트와 스크린타프가 결합된 모습. 마치 2개의 우주선이 도킹하는 것처럼 보인다.

스크린타프 한쪽 면에 설치한 키친. 한낮에는 키친과 테이블을 야외에 배치해 개방감을 즐긴다.

외부에서 메시창을 통해 바라본 스크린타프.

텐트 정면에 사각타프를 배치하고, 차량을 바람막이로 활용하는 구조로 가장 전형적인 배치도다. 타프와 텐트 사이에 공간을 두어 개방감을 극대화시켰다. 이와 같은 구조는 초원이나 잔디밭처럼 넓은 공간을 사용할 때 힘을 발휘한다. 맑은 날씨나 여름처럼 기온이 높은 계절에 좋다. 야전침대와 화로, 의자 등을 자유자재로 배치할 수 있는 것도 장점이다.

일직선으로 늘어선 조리도구와 키친.

키친 배치도. 안에서 밖을 바라보며 요리를 할 수 있다.

정면에서 바라본 타프와 텐트. 키친을 제외하고는 모든 것이 일렬로 배치되어 있다.

개념도

뒤에서 바라본 캠핑사이트. 차량을 활용하면 바람을 막고 독립성을 확보할 수 있다.

야전침대에서 바라본 타프와 실내. 사방으로 탁 트여 있어 시원한 느낌을 준다.

옆에서 바라본 주방. '아이스박스–조리대–스토브–수납함'으로 이어진 장비가 가지런하게 배치되어 있다. 동선을 최대한 좁혀서 요리를 하기가 편리하다.

사방이 트여 있어 주방을 제외한 모든 공간에서 캠핑가구를 활용할 수 있다. 또 시간대에 따라 달라지는 타프의 그림자를 활용하면서 휴식할 수 있다.

사각타프+리빙셸 텐트

캠핑사이트가 가로변이 긴 직사각형 모양일 때 유용한 구조다. 타프와 리빙셸 텐트를 일렬로 배치한 후 차는 사이트가 독립적인 공간을 유지할 수 있도록 적절한 곳에 배치했다. 사각타프는 중심 폴이 텐트를 기준으로 좌우에 놓이도록 배치하는 게 일반적이다. 이렇게 하면 타프의 한쪽 면이 텐트의 지붕과 결합되어 비가 와도 비를 맞지 않고 타프와 텐트 사이를 오갈 수 있다.

멀리서 바라본 캠핑사이트 전경이다. 차가 이웃 텐트와 사이트의 경계를 만든다. 리빙셸 텐트와 사각타프가 길게 늘어섰다.

사각타프의 중심은 테이블이다. 공간이 넓기 때문에 오히려 조촐한 느낌마저 준다.

개념도

정면에서 바라본 사이트의 모습이다. 사각타프와 리빙셸의 거주공간을 동시에 활용할 수 있어 넓게 지낼 수 있다. 리빙셸 안에 야전침대를 설치하면 4인 가족 이상이 사용해도 무리가 없다.

사방이 개방되어 있고, 타프가 높게 설치되어 있어 타프 안에서 화로를 피울 수 있다.

리빙셸 가장 안쪽에 자리한 침실. 타프부터 길게 이어져 있어 아늑한 느낌을 준다.

사각타프의 한쪽 면에는 키친을 배치하고 사이드월을 설치했다. 이는 개방적인 타프의 단점을 보완하면서 주방을 안정감 있게 유지시켜준다. 사이드월의 메시창은 더울 때는 개방하고, 바람이 불거나 추울 때는 닫아서 편안하게 요리할 수 있도록 한다. 여성들이 선호하는 구조다.

다양한 사이트 구성

1

2

3

4

5

6

❶ 텐트와 타프, 사이드월을 이용해 독립성을 최대한 확보한 배치다. 사방이 트인 공간에서 유용하다. 특히, 잔디가 아니라 흙바닥인 경우 바람에 의한 흙먼지를 예방할 수 있다.

❸ 사각형 스크린타프와 텐트를 결합한 배치. 공간을 최대한 활용, 아늑한 느낌을 준다. 주변에 그늘이 있어 개방형 타프가 없어도 아쉽지 않다.

❺ 사각 타프 아래 2인용 작은 텐트를 설치한 모습이다. 인원이 작은 캠핑에서 고려할 수 있다.

❷ 리빙셸 일체형 텐트와 헥사타프를 일자형으로 배치한 구조다. 타프에서 다시 정면으로 빨랫줄을 걸어 가로 방향을 최대한 활용했다. 차량이 오가는 쪽에는 차를 배치, 취침 시 숙면을 배려했다.

❹ 리빙셸 일체형 텐트만으로 꾸린 캠핑사이트. 나무 그늘을 적절히 활용해 개방형 타프가 없는 아쉬움을 보완했다.

❻ 리빙셸에 두 동의 이너 텐트를 결합하고, 타프를 가로로 설치한 구성. 대가족 캠핑에 유용한 구조다. 리빙셸도 거실로 활용할 수 있다.

타프 치기

GO AUTOCAMPING

캠핑의 중심은 타프다. 이것은 몇 번을 강조해도 지나치지 않는다. 따라서 캠핑장을 꾸밀 때는 항상 타프를 중심으로 생각해야 한다. 타프는 또 캠핑을 마치는 마지막까지 쉼터를 제공한다.

타프는 모양과 크기에 따라 연출 방법이 제각각이다. 따라서 상황에 따른 타프의 변화까지도 고려해서 설치한다. 바람이나 태양의 각도, 이웃 캠퍼나 차량이 들고나는 것에 따른 주변의 시선 등도 고려한다. 이 같은 외부의 요인을 타프 본체나 사이드월, 프런트월과 같은 보조장비를 이용해 차단할 수 있게 배치한다.

노련한 캠퍼들은 혼자서도 뚝딱뚝딱 타프를 잘도 친다. 그러나 초보 캠퍼들은 온 가족이 달라 붙어도 폴조차 세우지 못해 쩔쩔매는 경우가 많다. 설령 타프를 쳤다고 해도 전혀 엉뚱한 방향으로 틀어지거나 모양이 나지 않는다. 특히, 바람이 심하거나 비가 올 경우 타프가 넘어지거나 빗물이 넘쳐 낭패를 볼 수도 있다.

타프를 칠 때는 정석부터 시도한다. 타프에 변화를 주거나 멋을 내는 것은 자신이 사용하는 타프에 충분히 익숙해진 뒤에 시도해도 늦지 않다.

사각타프 치기

설치하기

❶ 타프 설치에 필요한 장비를 점검한다. 폴을 미리 연결해둔다.

❷ 타프를 설치할 위치에 본체를 절반으로 접어서 펼쳐놓는다. 본체에서 직각이 되게 메인 폴을 놓은 뒤 다른 메인 폴을 그 폴의 중심에 오게 배치, 팩 박을 위치를 잡는다.

❸ 폴 양 끝에 팩을 박은 후 ❹ 폴, 타프, 스트링 순으로 아일릿(구멍)에 끼운 다음 메인 폴을 세운다. ❺ 스토퍼를 이용해 스트링을 팽팽하게 당겨준다.

❻ 반대편도 같은 방법으로 메인 폴을 세운다.

❼ 타프 가장자리에 폴, 타프, 스트링 순으로 아일릿에 끼운 다음 서브 폴을 세운다.

❽ 돌아가면서 스트링을 팽팽하게 조절하면 완성된다.

설치 포인트

- 폴을 세우고 난 뒤 스트링을 팽팽하게 당길수록 지탱하는 힘이 커진다.
- 메인 폴을 세울 때 팩을 박는 각도는 중심을 기준으로 45°를 유지한다.
- 한쪽 폴을 세우기 전에 반대쪽에서 각도와 길이를 재서 폴을 설치해놓으면 쉽게 설치할 수 있다.
- 서브 폴을 세울 때 스트링을 대각선 방향으로 맞춘다.

200% 활용법

- 타프 세로면에 7개의 아일릿이 있다. 이 가운데 어느 쪽에 메인 폴을 끼우는가에 따라 다양한 연출이 가능하다.
- 서브 폴을 끼우는 아일릿도 2곳이 있어 펼친 것과 접이식 2가지로 설치할 수 있다.
- 비가 올 때는 타프 가로면 중앙에 있는 아일릿에 스트링을 연결하면 배수효과를 높일 수 있다.
- 리빙셸 일체형 텐트에 가로로 걸치도록 사각타프를 치면 완벽한 조화를 이룬다.
- 사이드월과 프런트월을 결합하면 더 효율적인 공간 연출이 가능하다.
- 사방이 메시창으로 된 스크린을 걸면 여름에 모기나 해충 걱정 없이 캠핑을 즐길 수 있다.

사각타프의 활용

❶ 2개의 사각타프를 활용해 대규모 거실공간을 만들었다. 두 가족 이상이 캠핑을 할 경우 도전해볼 만하다. 오른쪽 타프는 서브 폴을 중간에 배치하고, 끝부분을 스트링으로 연결해 고정시킨 것도 눈에 띈다.

❷ 타프의 왼쪽은 정상, 오른쪽은 서브 폴을 안쪽으로 배치하여 차양효과를 극대화 시켰다. 통풍이나 개방성은 떨어지지만 사이드월을 설치한 것과 같은 차양효과를 기대할 수 있다. 캠핑장이 비좁아 다른 캠퍼의 사이트와 겹칠 때도 활용할 수 있다.

❸ 사각타프와 프런트월을 이용한 아름다운 연출이다. 사각타프의 한쪽 면이 바닥에 닿을 만큼 내려오고, 세로면은 사각의 프런트월이 차단해 완벽한 프라이버시를 확보했다. 차량이 빈번하게 오가는 길 옆이나 한쪽 면이 황량한 공간에서 연출하면 효과를 볼 수 있다.

❹ 사각타프와 리빙셸을 결합해 독립성을 최대한 살렸다. 바닷가나 강가에서 바람을 피하기 좋은 방법이다.

❺ 리빙셸 일체형 텐트와 사각타프가 가로로 결합한 모습이다. 공간을 최대한 활용할 수 있는 전형적인 배치다.

❻ 터널형 텐트와 사각타프를 결합시켰다. 타프의 절반쯤이 텐트와 겹쳐지고, 겹치는 부분의 반대편 타프는 서브 폴을 제거한 채 스트링을 설치, 완벽하게 독립된 공간을 연출했다. 여름을 제외한 계절에 아늑한 공간을 만들 수 있는 배치다.

❼ 캠핑 트레일러와 타프를 이어서 공간을 만들었다. 타프와 카라반 사이에 공간이 뜨지 않으면서 타프가 울지 않게 치는 것이 관건이다.

❽ 양면에 사이드월을 치고 앞에는 패널을 설치해 아파트형 구조를 만들었다. 조금 답답한 감은 있지만 독립성은 최대한 보장된다.

5 6 7 8

헥사타프 치기

설치하기

❶ 설치할 헥사타프의 구성물을 확인한다.

❷ 폴은 모두 연결하고 타프를 펼쳐놓는다.

❸ 타프 본체와 직각이 되게 메인 폴을 놓은 뒤 다른 메인 폴을 그 폴의 중심에 오게 배치, 팩 박을 위치를 잡는다. 팩을 박고 폴, 타프, 스트링 순으로 아일릿에 끼운다.

❹ 메인 폴을 세운뒤 스트링을 팽팽하게 당겨준다.

❺ 반대편도 ❹와 같은 방법으로 메인 폴을 세운다.

❻ 타프 양쪽이 대칭이 되도록 아일릿에 스트링을 연결해 고정한다.

❼ 돌아가면서 스트링을 팽팽하게 조절해준다.

설치 포인트

- 헥사타프의 자랑인 곡선이 살 수 있도록 팽팽하게 쳐야 한다.
- 메인 폴 2개로 지탱해야 하기 때문에 균형이 잘 맞아야 한다. 특히, 메인 폴이 위는 밖을 향하고 아래는 안을 향하도록 경사지게 설치해야 타프가 곧게 펴진다.
- 메인 폴을 세우기 전에 거리를 체크하여 양쪽에 미리 팩을 박는다. 그 다음 팩에 스트링을 걸고 약간 팽팽할 정도로 당겨 놓으면 세우기 쉽다.
- 스트링은 좌우가 마주보도록 당겨서 팩을 박고, 타프의 중심을 향하게 한다.

200% 활용법

- 소형 텐트와 결합하면 아름다운 하모니를 이룰 수 있는 타프다.
- 사이드월을 설치할 수 없지만 프런트월을 이용하면 색다른 캠핑공간을 연출할 수 있다. 특히, 앞뒤로 프런트월을 설치하고, 보조용 텐트를 곁에 치면 캠퍼들의 주목을 한몸에 받을 수 있다.
- 텐트와 결합해 설치할 때는 메인 폴을 텐트 뒤로 보내는 방법을 활용해야 한다.
- 타프 모서리의 각도를 조절하는 것만으로도 차양과 방풍효과를 볼 수 있다.
- 서브 폴을 활용하면 사각 타프 못지않은 개방감을 더할 수 있다.

헥사타프의 활용

❶ 헥사타프와 텐트를 결합한 전형적인 모습이다. 텐트 뒤에 메인 폴을 배치하는 것이 자세를 잡는 요령이다. 최근에는 타프와 텐트 뒤의 폴을 연결하는 스트링의 길이를 자유롭게 조절할 수 있는 연결끈이 출시되어 타프 치기가 훨씬 편리해졌다.

❷ 헥사타프와 프런트월을 이용한 캠핑 고수의 연출법이다. 앞뒤가 활짝 들린 헥사 타프의 한쪽 면을 프런트월이 막아주면서 아늑한 공간이 생겼다. 이 공간에 키친을 배치해 주변의 시선을 받지 않고 요리를 할 수 있게 했다. 헥사타프와 마주 보는 자세로 텐트를 치기 위해서는 공간이 넓은 곳이 좋다.

❸ 텐트 없이 리빙셸과 헥사타프만을 이용해 사이트를 꾸렸다. 헥사타프를 가로로 리빙셸과 결합한 것이 눈에 띈다. 타프의 높이를 조절하면 그늘을 확보하고, 리빙셸의 개방성을 보완하는 역할도 한다. 여름철에 활용도가 뛰어난 구조다.

1

2

3

❹ 헥사타프를 해변에 단독으로 친 모습이다. 설치가 간단해 어느 곳에서나 자유롭게 칠 수 있는 게 헥사타프의 장점이다.

❺ 잔디밭에서도 헥사타프 하나면 아늑한 쉼터가 마련된다. 가구나 장비가 간단할수록 헥사타프의 자연스런 선의 흐름이 살아난다.

❺ 헥사타프와 프런트월을 이용한 전위적인 캠핑사이트 구축이다. 특히, 프런트월을 플라이로 활용, 그 안에 텐트를 배치한 것에서 고수의 솜씨가 분명하다는 것을 알 수 있다.

4

5

6

사이드월 치기

사이드월은 사각타프와 결합하여 차양과 방풍 역할을 한다. 가로면에 치는 것을 사이드월, 메인폴에 치는 것을 프런트월이라고 한다. 사이드월은 직사각형 모양이다. 그러나 프런트월은 꺾쇠 모양으로 꺾인 삼각형이나 사각형 모양이다. 사이드월이 사각타프에만 결합할 수 있다면 프런트월은 사각타프와 헥사타프 모두와 결합 가능하다. 사이드월은 타프에 몇가지 기능을 더해줄 뿐 아니라 타프의 운치를 살려주는 역할도 한다. 타프와 연결하는 사이드월과는 별도로, 독립된 모양으로 설치하는 바람막이도 있다.

설치하기

❶ 사각타프를 설치한 후 모서리를 따라 토글을 끼워준다.

❷ 바닥을 따라 팩으로 고정한다. 사이드월의 각도를 조절해 통풍을 원활하게 하고 싶다면 스트링을 이용해 바닥면이 들리게 배치한다.

❸ 통풍이 원활하게 메시창만 설치한 모습.

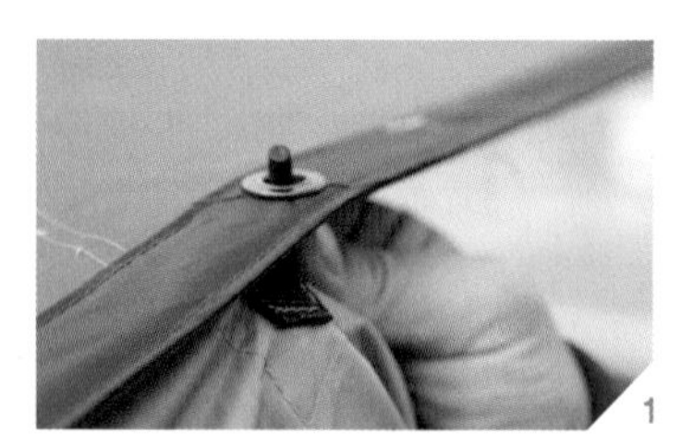

1

2

3

완성

사이드월& 프런트월의 활용

❶ 프런트월과 사각타프를 활용한 공간연출이 돋보인다. 특히, 궂은 날 프런트월은 비가 들이치는 것을 막아주어 리빙셸 부럽지 않은 아늑한 공간을 연출한다.
❷ 헥사타프와 프런트월을 이용한 연출이 매혹적이다. 텐트가 없지만 프런트월이 있어 아늑한 느낌도 준다.
❸ 바람막이로 리빙셸을 정면을 감싼 모습. 타인의 시선을 막을 수 있고, 캠핑사이트의 독립성을 높일 수 있다.
❹ 텐트와 사각타프, 사이드월을 활용해 사이트를 꾸렸다. 정면에 사이드월을 설치함으로써 외부의 시선을 완벽하게 차단했다.

타프 잘 치는 법

타프 치기는 캠핑사이트를 구축할 때 가장 먼저 하는 작업이다. 따라서 타프를 어느 자리에 어떤 모양으로 치느냐에 따라 캠핑사이트의 구성이 좌우된다. 특히, 타프 치는 법을 익혀두지 않으면 가족 모두를 고생시킬 수도 있다는 점을 명심하자.

• 바람과 태양을 주시하라

타프의 가장 중요한 임무는 방풍과 차양이다. 즉, 바람은 막아주고, 햇볕은 차단해야 한다. 그 임무를 잘 수행하기 위해서는 타프의 방향을 잘 선택해야 한다. 타프의 옆면이 태양이 지나가는 각도와 바람이 불어오는 방향을 향하게 한다. 그래야 타프의 각도를 조절해 바람과 햇볕을 막을 수 있다.

• 비 오는 날은 혼자서

메인 폴의 중심만 잡을 줄 알면 웬만한 날씨에서도 타프를 혼자 칠 수 있다. 특히, 비가 내리는 날에는 가족을 고생시킬 이유가 없다. 따라서 궂은 날씨에도 혼자 타프를 칠 수 있을 만큼 반복적으로 훈련해둘 필요가 있다. 또 날이 저물어서 캠핑장에 도착한 경우에도 타프 치는 법에 익숙하지 않으면 애를 먹는다.

• 팩은 단단한 것으로

타프는 돛과 같다. 바람이 불면 몸 전체로 바람을 맞는다. 따라서 강풍에도 타프가 휘둘리지 않도록 하려면 단단한 팩으로 타프를 고정시켜야 한다. 최소 30cm 이상의 T자형 두랄루민 팩이나 단조팩을 사용하는 것이 좋다. 팩의 각도를 45도 기울여야 가장 큰 힘을 발휘한다는 것도 기억해둔다.

• 스트링은 팽팽하게

타프는 본체의 넓이에 비해 지탱하는 폴이 간단한 편이다. 헥사타프의 경우 메인 폴 2개가 전부다. 그럼에도 본체가 튼튼하게 서 있는 것은 스트링의 힘이 타프를 지탱해주기 때문이다. 사방에서 타프를 지탱해주는 스프링 때문에 바람이 불어도 타프는 끄떡 없다. 그러기 위해서는 스트링을 항상 팽팽하게 당겨 주어야 한다. 만약 스트링이 느슨하면 강풍이 순식간에 타프를 넘어뜨려 낭패를 볼 수 있다. 타프만 넘어지면 다행이지만 넘어지면서 텐트를 덮치면 플라이가 찢어져 피해가 생길 수도 있다.

• 텐트의 배치를 고려하라

타프는 캠핑사이트의 중심이다. 그리고 또 타프의 중심은 텐트다. 따라서 타프와 텐트를 설치할 때는 서로 겉돌지 않고 조화롭게 연결되도록 설치한다. 그러기 위해서는 텐트와 타프의 색깔과 크기가 서로 조화를 이루도록 할 필요가 있다. 텐트와 타프는 가급적 같은 회사의 것을 사용해야 일체감이 있다. 또 타프에 비해 텐트가 너무 크거나 반대로 너무 작으면 조화를 이루지 못한다.

• 창조성을 발휘하라

타프는 캠핑 장비 가운데 가장 변화무쌍하다. 타프를 치는 캠퍼의 의도에 따라 팔색조로 변신할 수 있기 때문이다. 따라서 캠핑장과 사이트에 맞는 배치에 대해 항상 고민해야 한다. 늘 치던 방식에서 벗어나 새로운 방법을 끊임없이 연구하고, 다른 캠퍼들이 친 모습을 따라해보는 등 창조적인 마음가짐이 필요하다.

• 밑그림을 잘 그려라

타프를 설치할 때 가장 곤혹스러운 것은 애초에 예상 했던 것과는 다른 위치에 설치되는 경우다. 탁 트인 공간은 큰 문제가 없지만 주차공간과 텐트사이트가 구획된 곳에서는 난감한 경우가 있다. 결국, 타프를 다시 치는 수고를 하게 된다. 이런 고생을 하지 않으려면 처음부터 밑그림을 잘 그려야 한다. 또 초보 시절에는 마음 가는 데로 치기보다 항상 정석을 따를 필요가 있다. 멋은 기본을 충실히 다져 놓은 뒤 부려도 늦지 않다.

텐트 치기

GO AUTOCAMPING

비록 타프에게 캠핑의 중심 자리를 내줬지만 그래도 캠핑의 터줏대감은 텐트다. 잠자리가 불편하면 캠핑의 기쁨이 사라지고 만다. 텐트를 칠 때는 바닥부터 신중하게 살펴야 한다. 바닥이 울퉁불퉁한 곳은 피하는 것이 좋다. 그라운드시트를 깔기 전에 잔돌이나 나뭇가지를 주워내야 한다. 텐트 바닥에서 노는 작은 돌 하나 때문에 잠을 망치는 일이 비일비재하다.

텐트를 치고 나면 팩과 스트링을 이용해 단단하게 마무리해야 한다. 자연에서는 작은 일기의 변화가 잠자리에 큰 영향을 미친다. 특히, 바람에 플라이가 펄럭이거나 텐트 모서리가 들썩이면 안락한 잠자리는 요원하다. 비가 들이치거나 빗물이 바닥을 타고 흘러드는 것은 최악이다. 따라서 텐트 모서리에 단단하게 팩을 박고, 플라이가 울지 않도록 스트링으로 팽팽하게 마무리한다. 또 비가 내릴 때 바닥을 따라 흘러내리는 물의 방향도 세심하게 살펴본다.

일체형 텐트 치기

설치하기

❶ 구성 목록을 확인한 후 폴을 미리 조립해놓는다.

❷ ❸ ❹ 먼저 노란색 슬리브에 메인 폴을 설치한 후 검은색 슬리브에 폴을 끼운다.

❺ 루프 중앙에 있는 지붕 폴을 아일릿에 끼운 후 웨빙을 당겨 단단하게 고정한다.

❻ 주 출입구를 기준으로 반대편 출입구, 사이드 순으로 팩을 박는다.

❼ 스트링으로 단단하게 고정시킨다.

❽ 수납주머니를 고리에 건다.

이너텐트 설치하기

❶ 메시창을 안쪽으로 감아올린다.
❷ 이너텐트 플라이의 버클을 리빙셸 중앙의 천장에 끼우고 좌우는 토글에 연결한다.
❸ 이너텐트 플라이 아랫부분 좌우를 주 출입구 고리에 고정시킨 후 이너텐트 플라이를 리빙셸 바깥으로 뺀다.
❹ 이너텐트 폴의 양쪽 끝에 팩을 박은 뒤 이너텐트폴의 스트링을 당겨서 다시 팩을 박는다. 이너텐트 플라이를 스트링으로 연결해 팽팽하게 당겨준다.
❺ 마름모꼴의 그라운드시트는 넓은 쪽이 앞으로 오도록 깐다.
❻ 앞쪽 위부터 연결고리를 차례로 걸어준 후 바닥은 안쪽부터 걸어준다.

설치 포인트

- 사이트가 좁을 경우 폴을 미리 조립해두지 말고, 텐트의 고리에 끼우면서 같이 조립하면 편리하다. 폴이 완전히 결합되지 않을 경우 폴이 부러질 수도 있다.
- 텐트를 펼칠 때 주 출입문(자주색 메시창)을 옆으로 오게 한다.
- 폴을 설치하기 전 맨 아래쪽에 있는 폴 홀더를 먼저 끼워두어야 설치 시 폴에 무리가 가지 않는다.
- 바닥 고정 웨빙은 리빙셸의 틀을 잡아주는 역할을 한다. 리빙셸을 설치한 후에는 해체해준다. 텐트를 걷을 때는 웨빙을 다시 설치해놔야 다음 캠핑 시 편리하다.
- 루프를 혼자 설치할 때는 이너텐트 지지 폴을 이용하면 용이하다. 일교차가 심하지 않으면 루프를 굳이 설치할 필요는 없다.
- 이너텐트 플라이는 버클이 있는 쪽이 앞이며, 뒤쪽에는 투명 비닐창이 있다.
- 이너텐트 앞에 카라비너를 걸어두면 앞뒤를 구별하기 용이하다.

200% 활용법

- 일체형 텐트는 대부분 폴이 플라이를 고정하는 방식이다. 이너텐트는 폴 없이 플라이에 걸어서 설치한다.
- 플라이만 단단히 고정하면 필요에 따라 이너텐트를 설치하지 않아도 된다. 특히, 더운 여름에는 이너텐트 대신 야전침대를 이용해 잠자리를 만들어 공간을 넓게 쓸 수도 있다.
- 겨울에는 개방형 타프 대신 전실 공간이 넓은 텐트를 이용하는 것이 효율적이다.
- 리빙셸과 텐트를 같은 브랜드로 구매하면 두 개를 도킹시켜 사용할 수 있다.

터널형 텐트 치기

설치하기

❶ 텐트 구성 물품을 확인한다.

❷ 콜맨 상표가 있는 쪽이 앞으로 오도록 텐트를 펼친 후 검은색 폴 2개를 대각선 방향으로 끼운다.

❸ 노란색 폴은 정면에서 볼 때 가로 방향부터 먼저 설치한 후 폴 홀더가 있는 세로 방향을 나중에 설치한다.

❹ 초록색 폴(기둥)을 앞쪽부터 2개씩 차례로 끼운다.

❺ 이너텐트 부분에 은색폴을 설치한다.

❻ 초록색 폴과 은색 폴이 겹치는 부분을 벨크로 테이프로 감아준다.

❼ 팩은 앞쪽부터 차례대로 박은 후 스트링으로 텐트를 고정한다.

❽ 그라운드시트 설치 후 이너텐트의 상표가 앞으로 오도록 펼친다.

❾ 위는 앞쪽부터 연결고리를 걸어준다. 바닥은 안쪽부터 연결고리를 걸어준다.
❿ 스트링을 당겨 단단하게 고정시킨다.

설치 포인트

- 조립해둔 폴을 끼울 자리에 미리 배치해두면 편리하다.
- 폴은 검은색(2개), 노란색(4개), 초록색(4개), 은색(2개) 순으로 설치한다.
- 지붕 폴을 연결하는 레그 폴은 세갈래로 펼쳐진 쪽이 위로 가도록 한다.
- 폴이 겹치는 곳은 벨크로 테이프로 감아줘야 텐트가 튼튼하게 설치된다.

200% 활용법

- 터널형 텐트는 대형 텐트의 가장 일반적인 형태다. 전실과 침실이 분리된 구조로 타프 없이 텐트 하나로 해결된다.
- 보온성이 좋아서 여름보다는 봄가을이나 겨울에 활용도가 뛰어나다.
- 이너텐트를 제거하면 파티를 열 정도로 넉넉한 거실공간을 확보할 수 있다.
- 큰 규모에 비해 설치방법이 간단하다. 특히, 별도의 조작 없이 간단하게 이너텐트를 걸 수 있다는 장점이 있다.
- 이너텐트가 넓어 5인 이상이 사용해도 부족함이 없다.
- 여분의 폴을 이용해 3면의 캐노피를 오픈하면 타프 부럽지 않게 넓은 거실공간을 확보할 수 있다.
- 거실공간은 3면이 대형 메시창으로 되어 있어 여름에도 시원하다.

케빈형 텐트 치기

설치하기

❶❷ 텐트 구성물을 확인한 후 폴을 조립한다.
❸ 폴은 지붕부터 조립한 후 기둥을 세운다.
❹❺ 기둥에 고리를 걸어서 본체를 설치한다. 고리를 걸고 나면 본체 네 귀퉁이의 걸쇠를 폴에 끼운다.
❻ 플라이를 씌운다. 캐노피가 있는 쪽이 정면이다.
❼ 뒤부터 돌아가면서 팩을 박아 플라이를 고정시킨다.

200% 활용법

- 캐빈형 텐트는 공간을 적게 차지하면서도 잠자리가 넓은 게 특징이다. 일반 텐트에 비해 전실공간도 제법 넓다.
- 캐노피를 정면과 측면에서 열 수 있게 했다.
- 폴 → 본체 → 플라이 순으로 설치한다. 혼자서도 간단하게 설치할 수 있다.
- 본체를 제거하고 캐노피를 오픈하면 작은 리빙셀로도 활용이 가능하다.
- 바람에 약하므로 30cm 이상 단조 팩을 이용해 플라이를 단단하게 고정시킨다.

티피형 텐트 치기

설치하기

❶ 텐트 구성물을 확인한다. ❷ 텐트 바닥을 모양(6각형, 8각형)대로 편다. ❸ 텐트 바닥 모서리에 팩을 절반 정도 박아 고정한다. ❹ 폴대를 조립한 후 텐트에 꽂아 세운다. ❺ 박았던 팩을 뽑아 텐트 바닥 모양에 맞게 조정한 뒤 다시 끝까지 박는다. ❻ 텐트 바닥을 고정했던 웨빙 스트립을 푼다. ❼ 이너 매트를 안쪽부터 체결한다. 이때 폴은 그라운드시트 가운데 구멍 안으로 설치한다. ❽ 텐트가 바닥에 밀착되도록 돌아가면서 팩을 박아준다. 텐트 본체와 연결한 스트링을 팽팽히 당겨 팩을 박아준다. ❾ 완성!

200% 활용법

- 원뿔형 텐트는 크기가 다를 뿐, 텐트 중앙에 하나의 폴을 세워 치는 방식은 같다.
- 처음 텐트 모서리를 따라 팩을 박을 때 절반만 박는다. 폴을 세워 텐트를 친 뒤 방향과 거리 등을 재조정한 뒤 나중에 확실히 박는다.
- 텐트 가장자리를 확실하게 지면과 밀착시켜야 바람의 침입을 막을 수 있다.
- 원뿔형 텐트의 통풍구는 꼭짓점에 있다. 항상 개방해 놔 통풍이 될 수 있도록 한다.
- 바람이 심한 날은 텐트를 빙 둘러가면서 스트링으로 단단하게 고정한다.

텐트 잘 치는 법

텐트는 캠핑장에서 가장 독립된 공간이다. 취침을 하거나 옷을 갈아입는 등의 활동을 하는 공간이므로 외부의 방해를 받지 않고, 편안하게 사용할 수 있어야 한다. 타프에 비해 중요도에서 밀리고 있기는 하지만 그래도 아직까지 캠핑의 중심에는 텐트가 있다.

• 주변 상황을 고려하라

텐트를 치기에 앞서 주변 상황을 면밀히 따져 좋은 자리인지를 판단한다. 이를테면 소음이 심한 곳은 아닌지, 캠퍼들이 다니는 길목은 아닌지를 따져본다. 또 주변에 가로등이 있어 밤늦도록 불을 켜놓는지, 벌레와 같은 해충이 많이 몰리지는 않는지 등도 고려해야 할 요소다. 소음과 빛, 해충은 편안한 잠자리를 방해하는 위해요소다.

텐트는 잠을 자는 공간이다. 만약 물 빠짐이 나쁜 장소일 경우 텐트 바닥으로 물이 스며들 수 있다. 따라서 지면의 기울기에 따라 배수로를 확보하는 등의 신경을 써줘 야 한다. 또한 비바람이 스며들지 않도록 플라이를 바닥까지 팽팽하게 당겨서 설치한다. 본체와 플라이가 붙으면 방수능력이 급격히 떨어진다는 것도 명심하자.

• 가장 안쪽에 배치하라

텐트는 캠핑사이트를 꾸릴 때 남의 시선을 가장 덜 받을 수 있는 안쪽에 배치한다. 텐트를 나서면 타프나 키친, 테이블 등 캠핑장이 한눈에 들어오게 한다. 또한, 가장 안쪽에 배치해야 프라이버시도 지킬 수 있다.

• 스트링은 팽팽하게

숙면을 방해하는 최대의 적은 바람이다. 소리가 요란함은 물론, 텐트를 흔들어 불안감을 조성한다. 바람에 의한 피해를 줄이려면 텐트를 최대한 팽팽하게 쳐야 한다. 플라이가 지면에 밀착되게 팩을 박아야 하고, 스트링을 최대한 팽팽하게 설치해야 한다. 플라이가 울거나 지면에서 들려 있으면 바람에 펄럭여 성가시다.

• 통풍구를 확보하라

통풍은 텐트를 설치할 때 중요하게 고려해야 할 요소다. 특히, 겨울철에 폭설이 내리면 공기가 순환되지 않아 질식사의 위험이 있다. 또 전기히터나 난로 등을 많이 활용할 때도 질식의 위험은 도사리고 있다. 여름에는 통풍이 안 되면 텐트 안이 찜통으로 변한다. 따라서 계절과 날씨에 따라 적절한 통풍이 이뤄질 수 있도록 세심한 주의를 기울여야 한다.

• 바닥을 정리하라

텐트는 잠자는 공간이다. 바닥 공사가 잘 되어야 숙면을 취할 수 있다. 우선 텐트를 치기 전에 바닥을 깔끔하게 정리한 후 그 위에 방수포를 설치하고 텐트를 친다. 텐트 속에는 이너매트를 깔고 가급적 바닥을 고르고 푹신하게 만든다.

• 상황에 맞게 변화를 주라

캠핑장의 기온은 하루에도 몇 번씩 변한다. 한낮에는 너무 덥기 때문에 텐트 안에 있는 것 자체가 고역이다. 밤에는 모기나 해충의 공습이 이어지며, 새벽은 기온이 싸늘하게 식는다. 이처럼 변하는 기온에 맞춰 텐트에 변화를 줘야 한다.

이너 텐트 꾸미기

텐트는 잠을 자는 곳이다. 따라서 가장 아늑하고 편안하게 꾸며야 한다. 습기나 냉기가 올라오는 것을 차단해 항상 쾌적하게 사용할 수 있도록 한다. 또한, 잠자리에 필요한 것들은 일목요연하게 정리되어 있어야 한다. 사용빈도가 높은 것은 항상 놓던 자리에 배치해야 어둠 속에서도 손쉽게 찾을 수 있다.

• 매트리스

바닥에서 올라오는 냉기와 습기를 차단하기 위한 필수 장비다. 매트리스는 틈새가 벌어지지 않도록 밀착해서 깐다. 에어 매트리스의 경우 공기가 충분히 삽입될 수 있도록 한다.

• 침낭

항상 가운데를 중심으로 배치한다. 텐트 모서리는 매트리스가 깔리지 않을 수도 있어 냉기와 습기에 노출되기 쉽다. 따라서 사각지대나 모서리에는 가방이나 옷가지 등을 놓아 냉기가 스미지 않게 한다. 머리는 출입구의 반대편에 두고 자야 가족 중 누군가 텐트 밖을 드나들어도 성가시지 않다.

• 조명

텐트 안에는 화상의 위험이 없고, 손쉽게 켤 수 있는 건전지 랜턴을 배치한다. 어둠 속에서도 찾기 쉽도록 천장에 부착하는 것도 좋다.

• 핫팩

날씨가 추운 계절에 꼭 필요한 필수품이다. 핫팩만 있어도 난로를 끌어안고 자는 것처럼 따뜻하다.

• 물

잠을 자다 보면 갈증이 날 수 있다. 물을 마시기 위해 텐트 밖으로 나가지 않아도 되도록 물병 하나쯤은 머리맡에 두고 자는 게 좋다.

• 잡주머니

휴대전화나 지갑, 자동차 열쇠 등 귀중품을 넣어 두면 찾기 쉽다.

• 베개

쾌적한 잠자리를 위한 필수 장비다. 베개가 없을 경우 외투 등을 이용해 임시로 만들어 사용한다.

• 더블백

텐트 속에 커다란 백을 배치해두면 옷가지나 부피가 많이 나가는 것을 담아두는 수납공간으로 요긴하게 활용할 수 있다. 또한, 물건이 침낭 속에 뒤섞이는 것을 막을 수 있다.

• 안경

텐트에 있는 고리에 걸어둔다. 바닥에 둘 경우 자칫 밟을 수도 있고, 깔고 잠을 잘 수도 있어 위험하다.

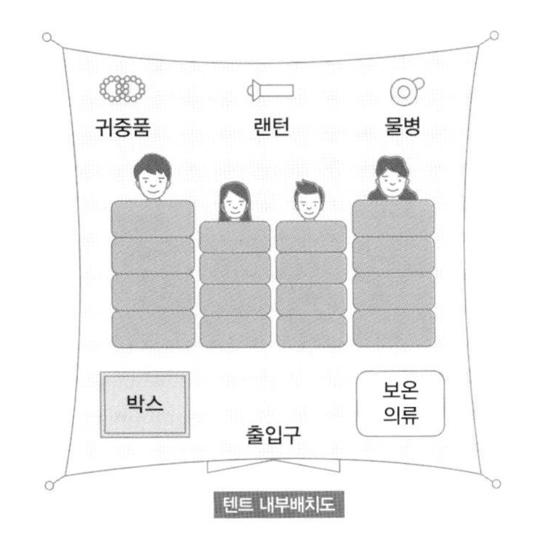

텐트 내부배치도

사각 침낭으로 이불 만들기

사각 침낭 2개를 이으면 이불을 만들 수 있다. 가족 가운데 아이가 있는 경우 사각 침낭으로 이불을 만들면 유용하다. 단, 날씨가 추운 계절에는 보온력이 떨어질 수 있다.

❶ 사각 침낭 2개를 준비한다.

❷ 사각 침낭의 지퍼를 끝까지 열어 펼쳐고 그 위에 또 하나의 사각 침낭을 겹치도록 펼쳐놓는다.

❸❹ 포개어진 사각 침낭의 지퍼를 연결한다.

❺❻ 지퍼를 끝까지 채워서 하나의 사각 침낭을 만든다.

귀마개와 눈가리개

텐트는 방음효과가 거의 없다고 봐야 한다. 따라서 예민한 성격이라면 귀마개를 준비하는 것이 좋다. 또 여름철의 경우 오전 5시만 넘으면 텐트 안이 환해지므로, 숙면을 위해 눈가리개를 준비하는 것도 좋다.

가구 배치하기

GO AUTOCAMPING

가구는 쾌적한 캠핑을 위한 필수 요소다. 키친이 있어야 요리를 하고, 테이블이 있어야 편안한 식사를 할 수 있다. 또 의자가 있어야 휴식을 취할 수 있다. 가구를 배치할 때는 자주 이용하는 공간인 만큼 동선을 최대한 고려해야 한다. 주방과 아이스박스, 설거지통, 다용도 사물함 등을 한자리에 모아서 배치하면 적은 움직임으로 요리를 할 수 있다. 따라서 연관성이 있는 가구끼리 모아서 배치를 하는 지혜가 필요하다.

가변성도 고려해야 한다. 맑은 날에는 주방과 테이블을 타프 아래나 리빙셸에 둘 필요가 없다. 이때는 가구를 야외에 배치해 최대한 자연과 친화할 수 있도록 한다. 특히, 이동이 자유로운 야전침대 등은 상황에 맞게 위치 변화를 주면 막강한 힘을 발휘한다. 그러나 밤이 되거나 날씨가 변할 때는 타프 속으로 배치, 혹시 모를 도난이나 비에 젖는 일을 막아야 한다. 따라서 가구를 배치할 때는 캠핑 기간 동안 고정시켜둘 것인가, 아니면 상황에 따라 변화를 줄 것인지를 미리 정해놓는다.

테이블 배치

텐트와 타프 치기가 캠핑의 틀을 만드는 일이라면 가구 배치는 속살을 채우는 일이다. 동선에 맞게 가구를 배치해야 캠핑장을 효율적으로 활용할 수 있는데, 그 중심에는 테이블이 있다. 테이블의 자리가 정해져야 키친의 위치도 정해진다. 테이블과 키친의 위치가 결정되면 가구 배치를 위한 밑그림은 거의 완성된 것이나 다름없다. 의자나 보조 테이블은 상황에 따라 자유롭게 위치를 변경할 수 있다.

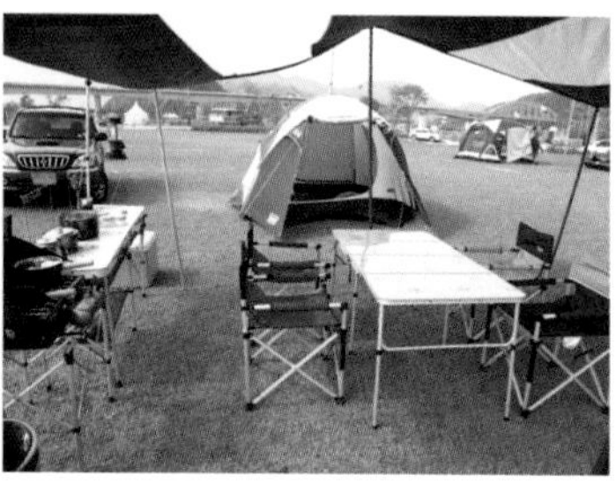

메인 테이블 타프나 리빙셸의 중심에 배치한다. 일단 자리를 잡으면 옮기기 쉽지 않으므로, 어느 곳에 배치할 것인가를 신중하게 결정해야 한다. 개방형 타프는 정중앙에, 키친 테이블과 공간을 공유해야 하는 리빙셸에서는 중앙에서 한쪽으로 약간 치우치도록 배치한다.

미니 테이블 상황에 따라 위치를 자주 바꿀 수 있다. 텐트 밖에 배치하여 독서나 차를 마시는 공간으로 활용하기도 하고, 텐트 속에 배치하기도 한다. 바비큐를 겸한 식사를 할 때 화로 테이블 곁에 놓으면 유용하게 활용할 수 있다.

화로 테이블 메인 테이블처럼 붙박이로 설치한다. 모닥불을 피울 경우는 타프 밖에, 브리케트 등을 이용해 바비큐를 할 때는 개방형 타프 안에 배치한다.

미니 의자 바비큐를 할 때 큰 힘을 발휘한다. 장작을 만들거나 화로에 불을 피울 때도 요긴하게 사용한다. 평소에는 접어서 수납해둔다.

릴렉스 체어 편안한 휴식을 취하는 의자로, 타프 안과 밖으로 자유롭게 이동할 수 있다. 미니 테이블과 함께 움직이면 커피 잔이나 책을 올려놓을 수 있다.

야전침대 활용도가 많은 장비로 덩치에 비해 움직임이 많다. 타프 밖에 설치 하면 개방된 공간에서 편하게 휴식을 할 수 있다. 의자가 부족한 경우 의자 대용으로 활용 가능하며, 아이들의 편한 쉼터로도 최고다.

콜맨 캡틴 체어 / 야전침대 조립하기

❶ 의자의 구성품을 확인한다.
❷ 받침대에 팔걸이를 끼운다.
❸ 뒷면 받침대에 등받이를 끼운다.
❹ 받침대 팔걸이를 고정한다. 이때 받침대는 당기고, 팔걸이는 밀어야 잘 결합이 된다. 팔걸이를 뺄 때는 팔걸이 안쪽에 달린 버튼을 눌러주면 쉽게 빠진다. 의자가 설치되면 가방은 접어서 등받이 수납공간에 넣는다.

1

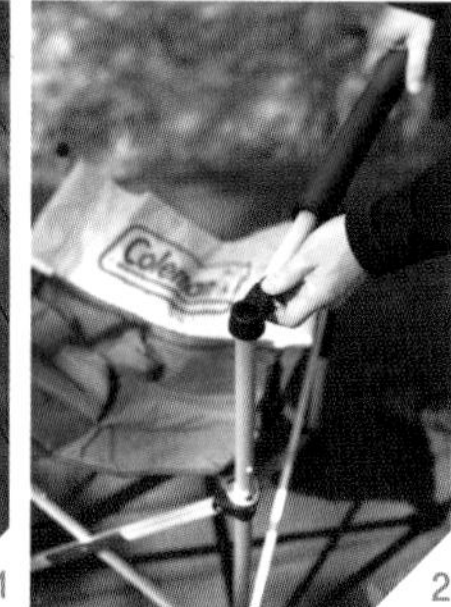
2

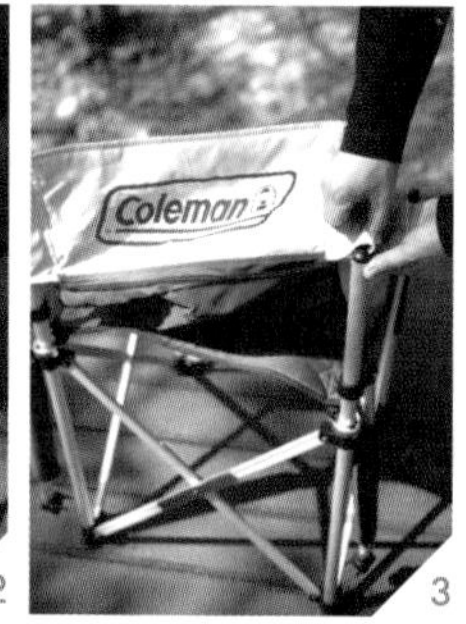

3

4

❶ 조립하기 쉽게 장비를 꺼내 놓는다.
❷ 야전침대를 펼친다. 천이 지지대 사이에 끼지 않게 조심한다.
❸ 코트 한쪽면의 모서리에 지지대를 끼운다.
❹ ❺ 다른 한쪽면도 지지대를 구멍에 끼워 넣은 후 벨크로 테이프를 당겨서 붙인다. 이때 여러번에 걸쳐 벨크로 테이프를 당겨서 다시 붙여야 천이 팽팽해진다.

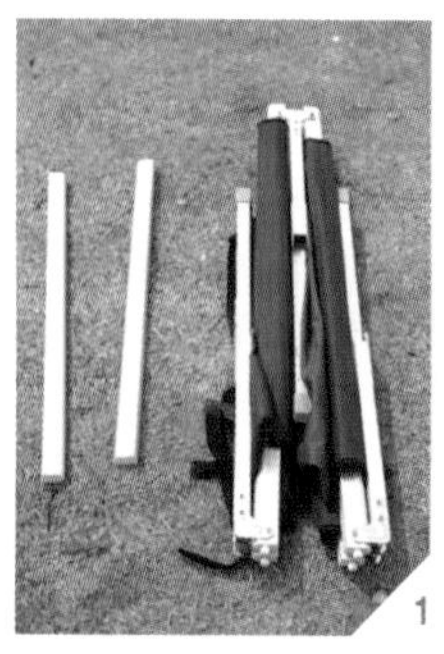
1

2

3

4

키친 테이블 조립하기

❶ ❷ 키친 테이블 조립에 필요한 장비를 가지런히 펼쳐놓는다.

❸ 키친 테이블 받침대를 적당한 넓이로 펼친다. 펼치는 넓이는 테이블과 스토브 거치대의 넓이와 같도록 한다.

❹ ❺ 스토브 거치대를 끼워 넣는다.

❻ 테이블을 거치대에 설치한다. 이때 거치대와 테이블에 있는 홈이 일치하도록 한다.

❼ 거치대는 스토브의 폭에 맞춰 거리를 조절한 후 나사로 조여 움직이지 않게 한다.

❽ 랜턴 걸이를 끼운다.

❾ ❿ 조리도구 거치대를 끼우고 수납그물을 건다.

키친 배치

키친은 요리의 공간이자 캠핑장에서 가장 활용도가 높은 공간이다. 키친 테이블을 중심으로 사물함과 아이스박스, 수납그물망, 설거지통 등 다양한 살림살이가 배치된다. 또한 조리를 위한 도구나 재료를 쉽게 사용할 수 있도록 동선을 최대한 짧게 배치하는 것에도 신경을 써야 한다.

❶ 사각타프 아래 설치한 개방형 키친이다. 타프의 한쪽 면을 따라 아이스박스, 테이블, 스토브, 수납함을 일렬로 배치했다. 개방형 타프에서 가장 일반적으로 배치하는 유형이다.

❷ 리빙셸을 활용한 배치다. 주 출입구 방향으로 키친과 테이블이 결합된 IGT를 설치했다. 테이블 오른편에 다용도 선반을 배치해 수납공간으로 활용하고 있다.

❸ 두 가족 이상이 참가하는 캠핑에서 활용 가능한 배치다. 스토브를 가운데 두고 테이블을 양 사이드에 배치해 여럿이 함께 조리할 수 있도록 했다.

❹ 리빙셸의 한쪽 면을 활용한 배치다. 안에 테이블과 의자를 놓아 조금 비좁은 감은 있지만 한 가족이 사용하기에는 부족함이 없다. 특히, 날이 추운 겨울에 활용할 수 있는 구조다.

키친 도구

식기 걸어두기

다용도 수납함

수납대

설거지통

수납그물

• 아이스박스

키친 테이블 곁에 설치해야 필요한 물건을 쉽게 꺼내 쓸 수 있다.

• 조리도구

키친 테이블 앞에 걸어놓는다.

• 다용도 수납함

재활용 쓰레기통으로 활용할 수 있다.

• 테이블

요리를 하는 공간이다. 양념통을 함께 올려놓아 동선을 줄인다. 코펠이나 식기 등은 다른 곳에 배치해 테이블을 넓게 활용할 수 있도록 한다.

• 수납그물

코펠과 식기류를 건조할 때 유용하다. 키친 테이블 자체에 있는 수납공간만으로는 부족하므로 따로 준비하는 것이 좋다.

• 수납대

밥솥이나 대형 코펠 등을 수납한다.

• 설거지통

키친 공간의 한쪽 구석에 설치한다.

• 수저통

잃어버리지 않도록 하나의 통에 보관하는 것이 관리하기 편리하다.

가구 배치가 끝나면 소소한 장비들을 배치한다. 텐트나 테이블에 비하면 작은 것들이지만 꼭 필요할 때 힘을 발휘하는 장비들을 적재적소에 배치한다. 세면용품이나 다용도 수납함 등은 공간을 많이 차지하지 않으면서 필요할 때 편리하게 사용할 수 있도록 하는 것이 배치의 요령이다.

❶ 세면용품 가방

온 가족이 사용하는 도구로 활용도가 높다. 누구나 쉽게 찾을 수 있도록 타프나 리빙셸에 눈높이로 걸어두면 편리하다.

❷ 전기 릴선

전기장판이나 전열도구를 사용할 때 필요하다. 사람들이 움직일 때 걸리적거리지 않도록 구석진 곳에 배치한다.

❸ 수납함

젖은 옷이나 빨래 등을 수납한다.

❹ 다용도 수납함

자질구레한 장비를 보관한다. 수선도구나 빈 케이스, 장갑, 망치, 팩 등 사용하고 남은 것을 넣어둔다. 차량에 짐을 실을 때는 코펠을 수납하는 공간으로 활용할 수 있다.

❺ 워터백

취사장이 먼 경우에 유용하다. 타프와 이웃한 나무에 걸어두고 물이 필요할 때마다 사용한다.

❻ 커피포트

필요할 때마다 사용할 수 있도록 화로나 스토브 곁에 놓는다.

❼ 빨랫줄

축축한 침낭이나 젖은 옷가지를 말릴 때 필요하다. 나무 등을 이용해 설치한다.

❽ 장작과 화로

화재의 위험이 있는 장비이므로 텐트나 타프에서 조금 떨어진 곳에 놓는다.

해먹 설치하기

❶ 준비물(해먹, 수건 2장, 5m 내외의 로프 2개)을 확인한다.
❷ 로프로 나무를 몇 바퀴 감은 후 해먹과 연결한다. 로프로 감는 부분은 미리 수건으로 감싸 나무가 다치지 않도록 한다.
❸ 반대 방향의 로프 역시 같은 방법으로 나무에 감은 후 해먹과 연결한다. 이때 매듭은 줄의 길이를 자유롭게 조절할 수 있는 터벅매듭을 이용한다.
❹ 매듭을 조여서 해먹이 적당한 높이가 되도록 만든다.

1 2 3 4 5

해먹 설치 요령

TIP

해먹은 나무와 나무 사이가 적당한 간격을 유지한 곳에 설치한다. 해의 진행 방향과 확보할 수 있는 그늘의 면적을 꼼꼼히 따져보는 것도 잊지 말아야 한다. 나무와 나무 사이의 거리가 너무 멀면 해먹에 앉았을 때 엉덩이가 땅에 닿을 수 있으므로 해먹을 나무에 고정하는 지점을 눈높이 이상으로 올려준다. 또 해먹이 수평이 될 수 있게 팽팽하게 당겨서 고정한다.

사각타프 속 가구 배치

타프 속 가구 배치의 전형은 중심에 테이블을 놓고, 타프의 한쪽 면에 키친을 설치하는 것이다. 화로는 타프의 맨 앞에 설치하고, 장작은 화로 곁에 질서있게 쌓아놓아 불 피우기 쉽도록 한다. 꽃을 이용해 테이블을 장식하고, 안락의자는 미니 테이블 곁에 두었다.

❶ 화로 테이블과 함께 더치오븐을 걸 수 있는 삼각대를 설치했다. 조리할 때 도움을 주기 위해 타프의 메인 폴에 랜턴을 걸어두었고, 장갑과 집게도 가지런하게 놓아두었다.

❷ 화로 곁에 켜켜이 쌓아놓은 장작. 우물 정(井) 모양으로 돌려쌓기를 해놓아 정갈한 느낌이 들도록 했다.

3

4

❸ 2개의 안락의자 사이에 미니 테이블을 설치했다. 안락의자에 앉아 휴식을 취하며 커피를 마시거나 책을 읽는 모습을 상상할 수 있다. 의자 위에 담요도 가지런히 접어놓아 쿠션이나 보온용으로 활용할 수 있도록 했다.

❹ 옆에서 바라본 키친. 키친 테이블과 스토브, 보조 테이블, 아이스박스, 설거지통으로 이어지는 완벽한 구성이다. 랜턴도 설치하여 해가 져도 요리할 때 불편하지 않도록 했다. 타프 반대편에는 사이드월을 설치해, 독립성을 확보함과 동시에 아늑한 분위기를 조성했다.

❺ 보조 테이블에 수납한 코펠과 양념통. 부피가 큰 코펠을 쇠살대로 만든 선반에 올려놓아 안정감이 느껴진다.

❻ 스토브 거치대와 보조 테이블 사이에 만든 휴지통이다. 창의적인 아이디어가 돋보인다.

❼ 키친 테이블의 랜턴걸이에 꽂아둔 꽃 한 송이. 캠핑장의 분위기를 환하게 빛내준다.

5

6

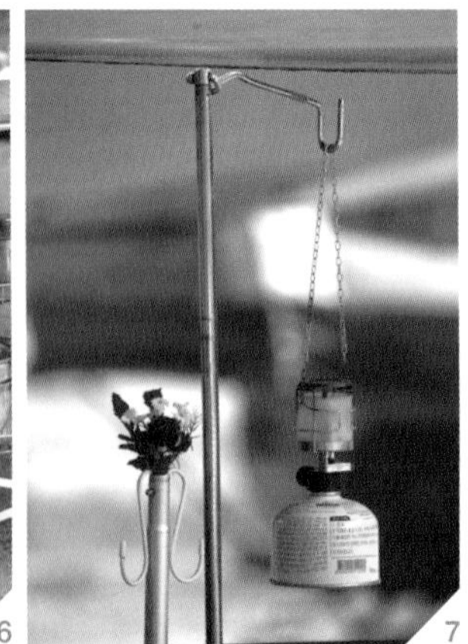

7

조리도구 설치하기

GO AUTOCAMPING

가구까지 배치하고 나면 캠핑장의 뼈대를 세우는 일은 끝이 난다. 그 다음은 캠핑의 재미를 더하기 위한 세밀한 작업이 필요하다. 조리도구 설치나 조명을 준비하는 일이 이에 해당한다.

조리도구는 캠핑 내내 사용하는 것들이다. 이 가운데 스토브는 요리를 위한 필수 도구다. 최근에는 부탄가스나 프로판가스처럼 사용하기 편리한 제품이 인기가 높아 스토브를 설치하는 일이 어렵지 않다. 그러나 가솔린 스토브의 경우 설치 과정이 복잡해 초보 캠퍼나 여성들을 당혹스럽게 하기도 한다. 특히, 노즐이 막혀 있거나 펌핑의 부족, 과다한 연료 분사로 인한 큰 불꽃 등이 발생하면 더욱 두려워진다.

조리도구를 설치할 때는 당장 사용해도 문제가 없을 만큼 준비를 해놓아야 한다. 가솔린의 경우 연료를 충분히 채워서 본체와 결합시켜 놓는다. 가스의 경우 용기에 남은 연료 용량을 확인한 뒤 사용 가능한 시간을 파악해둔다.

가솔린 스토브 설치하기

가솔린 스토브는 안정적인 화력을 제공한다. 그러나 가솔린 스토브를 사용하기 위해서는 연료 주입, 펌핑 등 기본적으로 준비해야 할 일이 있다. 또 버너에 불을 붙인 후 불꽃이 안정될 때까지 몇 가지 조치도 취해줘야 한다.

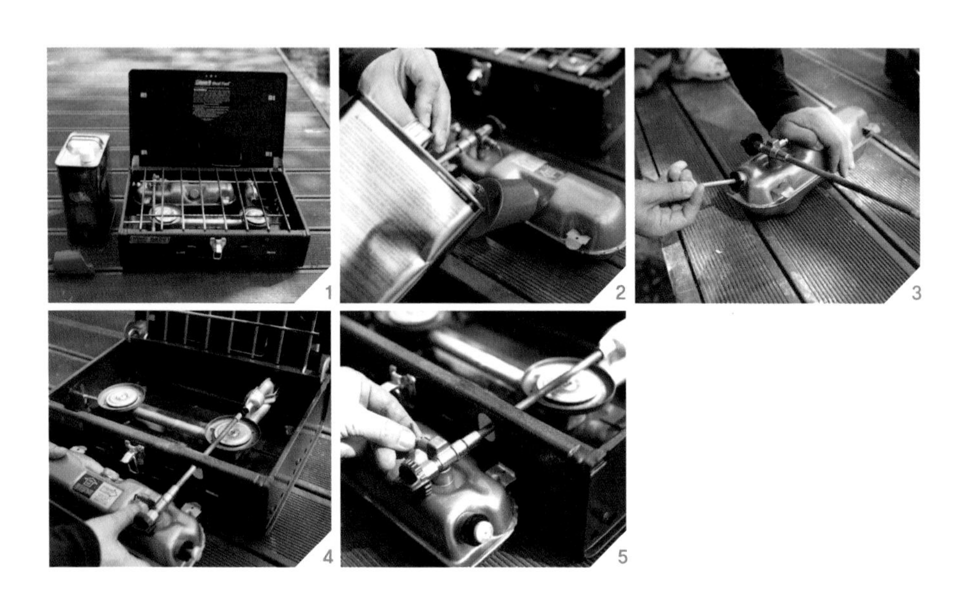

❶ 가솔린 스토브의 내용물(본체, 연료통, 깔때기, 화이트 가솔린)을 확인한다.

❷ 연료를 주입한다. 탱크 용량의 80% 정도를 가솔린으로 채운다. 연료는 순정 부품을 사용해야 하며, 깔때기를 사용해 이물질이 들어가는 것을 예방한다. 콜맨 정품 화이트 가솔린 1갤런(3.8ℓ)은 마개를 강하게 누른 상태에서 오른쪽으로 돌려야 열린다. 닫을 때는 특별한 압력을 가하지 않고 왼쪽으로 돌리면 된다.

❸ 탱크 안의 압력을 높여주기 위해 펌핑을 한다. 먼저 펌프 손잡이를 왼쪽으로 두 바퀴 돌린 후 엄지로 손잡이 중앙에 나 있는 구멍을 막고 빡빡한 느낌이 날 때까지 50회 내외로 펌핑을 한다. 펌핑이 끝나면 엄지로 구멍을 막은 채 손잡이를 오른쪽으로 두 바퀴 돌려 닫아준다. 펌핑은 스토브 사용 중에도 화력이 약할 때마다 20~30회씩 반복해서 해준다.

❹ 연료탱크를 설치한다. 연료가 나오는 노즐을 먼저 끼운 다음 연료탱크에 달린 걸개를 스토브에 건다.

❺ 점화 및 예열을 한다. 우선 점화레버를 12시 방향으로 돌려놓는다. 이렇게 해야 필요한 만큼

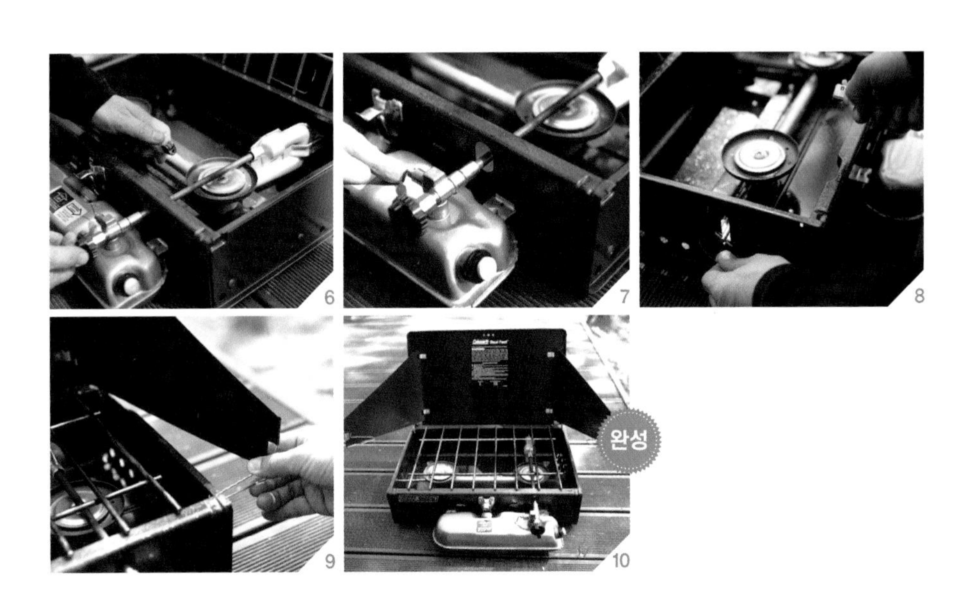

의 연료가 분사되어 비정상적인 점화가 일어나는 것을 예방할 수 있다.

❻ 연료밸브를 한 바퀴 돌린 후 라이터를 이용해 불을 붙인다.

❼ 불꽃의 빛깔을 확인한다. 노란색 불꽃이 파란색으로 바뀌면서 불꽃이 안정적으로 변하면 점화레버를 6시 방향으로 돌린다. 예열은 1분쯤 소요된다. 만약 노란 불꽃이 계속 나올 경우 충분한 펌핑을 했는지, 또 점화레버의 위치는 제대로 되어 있는지 확인한다. 펌핑과 점화레버가 이상이 없는데도 노란 불꽃이 인다면 A/S를 받는 게 좋다.

❽ 두 번째 버너를 점화한다. 스토브 왼쪽에 있는 점화레버를 한 바퀴 돌린 후 라이터로 점화한다. 불꽃이 안정적으로 변하면 레버를 돌려 원하는 화력에 맞게 조절한다.

❾ 스토브가 안정적으로 작동하면 바람막이를 설치한다. 바람막이는 스토브 양쪽에 파인 홈에 밀어 넣어 고정시킨다.

❿ 가솔린 스토브가 안정적이로 작동하는 모습.

가솔린 스토브 ABC

TIP

스토브는 불을 직접 다루는 장비이므로, 스토브를 다룰 때는 항상 화재나 안전사고에 유의해야 한다. 특히, 고장이나 응급 시의 대처법을 숙지하고 있지 않으면 텐트를 태우는 사고가 발생할 수도 있다.

1 가솔린 스토브는 석유 스토브와 달리 예열 과정이 필요치 않다. 그러나 처음부터 원하는 화력을 얻을 수는 없다. 노즐이 달구어져 파란 불꽃이 나오기까지는 30초에서 1분 남짓한 시간이 걸린다. 이때까지는 불꽃이 인다.

2 예열이 되지 않은 상태에서 연료밸브를 너무 많이 열어 놓을 경우 불꽃이 커질 수 있다. 심하면 50cm 가까이 불꽃이 올라온다. 따라서 처음에는 연료밸브를 조금만 열어두었다가 예열이 끝나고 파란 불꽃이 일 때 화력을 키운다.

3 예열 시 연료밸브를 적당히 열고 펌핑을 충분히 했는데도 불꽃이 크게 이는 경우가 있다. 이러한 현상은 연료밸브 주변에 연료가 흘렀을 때 발생하는 경우가 대부분이다. 펌핑을 하기 전에 밸브가 열려 있어서 연료가 조금씩 새어 나와 점화구에 고여 있다가 불을 붙였을 때 큰 불꽃으로 변한 것이다. 이때 이는 불꽃은 크기도 크고 연료밸브를 닫아도 소화가 되지 않는다. 가솔린 스토브를 사용할 때 가장 위험한 순간이다. 만약 이런 일이 발생하면 침착하게 대처해야 한다. 우선 연료밸브를 잠근 후 불꽃이 미치지 않는 스토브의 아랫부분을 잡고 신속하게 밖으로 나간다. 스토브를 땅에 내려 놓고 기다리면 불꽃은 저절로 꺼진다. 폭발하는 일은 없으니 안심해도 된다. 스토브가 충분히 식으면 처음부터 다시 조작한다.

4 펌핑을 해도 불꽃이 작거나 아예 불이 붙지 않는 경우가 있다. 이것은 불순물에 의해 노즐이 막혀 나타나는 현상으로 AS를 받아서 해결한다. 노즐이 막히는 것을 예방하려면 화이트 가솔린 순정품을 써야 한다. 자동차 연료로 사용하는 무연 휘발유에는 화학 첨가제가 들어가는데, 이 첨가제가 노즐이 막히게 하는 원인이다. 불순물을 걸러주는 깔때기를 사용하는 것도 방법이다.

5 가솔린 스토브는 연소될 때 특유의 소음이 난다. 파란 불꽃과 함께 스스스 소리가 나면 정상이다. 하지만 그 소리가 너무 크고 불규칙적일 때가 있다. 이것은 연료 공급이 원활하지 못하거나 에어가 차 있다는 뜻이다. 이때는 스토브를 소화시킨 후 처음부터 다시 조작해 재점화를 하면 대부분 정상으로 돌아온다. 그러나 계속해서 거친 소리가 나면 노즐이 휘는 등 기계적인 결함이 생긴 것이므로 A/S를 받아야 한다.

6 연료탱크에 펌핑을 해도 압력이 높아지지 않고 계속해서 헐거운 느낌이 나는 경우가 있다. 이것은 펌프의 끝에 달린 고무 패킹이 닳아서 발생하는 현상이다. 또 영하의 추운 날씨에는 고무패킹과 펌핑을 원활하게 해주는 윤활유가 얼어서 이런 현상이 발생하기도 한다. 고무패킹이 닳았다면 A/S를 받아 교체해야 한다.

가스 스토브 설치하기

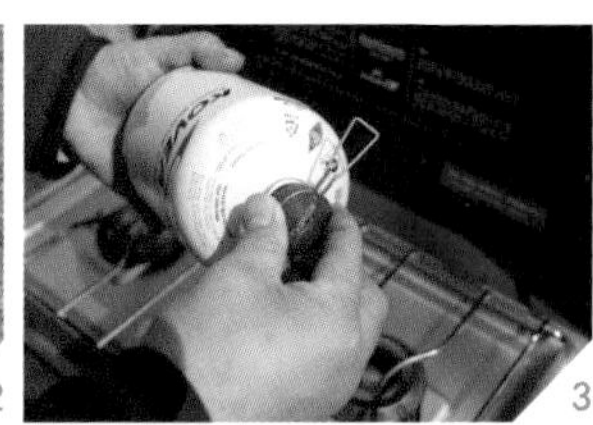

❶ 스토브 거치대에 스토브를 올린다.
❷ 바람막이를 열고 가스 용기와 연결하는 호스를 빼낸다.
❸ 가스 용기의 캡을 제거한 후 호스에 가스 용기를 돌려가면서 끼운다.
❹ 레버를 오른쪽으로 돌려 가스가 분출될 수 있게 한다.
❺ 화력이 좋아지도록 가스 용기를 안전한 곳에 거꾸로 세워놓는다.
❻ 점화레버를 돌린 상태에서 라이터로 불을 붙인다.

TIP

부탄가스 알뜰하게 쓰는 법

추운 겨울에는 용기 속에 액체상태로 존재하는 부탄가스가 쉽게 얼어붙어 곤란을 겪을 수도 있다. 이때 약간의 뜨거운 물만 있으면 부탄가스의 화력도 최대한 끌어올리고 가스를 한 방울도 남기지 않고 알뜰하게 사용할 수 있다. 우선 코펠 뚜껑처럼 평평하면서 부탄가스 용기를 안전하게 담을 수 있는 그릇에 따뜻한 물을 붓는다. 그런 다음 부탄가스 용기를 이곳에 올려놓으면 된다. 뜨거운 물이 액화가스가 어는 것을 막아줘 최대 화력을 얻을 수 있다. 단. 이 방법을 사용할 때는 화상이나 사고에 주의해야 한다. 너무 뜨거운 물에 담그거나 물의 양이 너무 많으면 예상치 않게 불꽃이 커지고 화력이 강해져 순간적으로 화상을 입을 수 있다. 간단한 방법으로 가스통을 두 손으로 감싸줘도 화력을 키우는데 도움이 된다. 천이나 가죽으로 된 가스통 커버를 사용하는 것도 방법이다. 또 키친에 설치된 가스 스토브는 가스통을 거꾸로 놓으면 연료 공급이 더 원활하다.

필요한 연료 계산하기

가솔린 투 버너 스토브와 랜턴 각 1개 사용을 기준으로 계산해보자. 투 버너 스토브의 탱크 용량은 1.2~1.6ℓ다. 최대 화력으로 사용할 경우 연소 시간은 2시간 내외다. 랜턴의 경우 탱크 용량은 590~980cc이며 최대 화력으로 사용 시 연소 시간은 7시간 내외다. 이를 종합하면 1박 2일간 스토브 4시간(2.5~3ℓ), 랜턴 7시간(1ℓ)을 사용하게 돼 약 1갤런(3.8ℓ)의 연료가 필요하다.
부탄가스 역시 투 버너와 랜턴 각 1개씩을 사용하는 것으로 계산을 해보자. 투 버너에는 2개의 용기를 장착한다. 연소 시간은 230g 기준 2시간 내외다. 여기에 랜턴은 230g 기준 연소 시간이 4~6시간이다. 따라서 스토브에 4개, 랜턴에 2개 등 6개의 용기가 필요하다. 그러나 스토브와 랜턴 사용 시간은 계절과 캠퍼에 따라 다르기 때문에 조금 여유 있게 준비하는 게 좋다.
만약 연료가 떨어지면 어떻게 할까? 가솔린 버너는 두 종류가 있다. 하나는 화이트 가솔린과 차량용 휘발유를 동시에 사용할 수 있는 것이고, 다른 하나는 화이트 가솔린 전용이다. 전자의 경우 급하면 주유소에서 연료를 구해 해결할 수 있다. 그러나 후자는 대책이 없다. 장작과 같은 자연적인 연료를 통해 열원을 얻을 수 밖에 없다. 가스는 사정이 좀 낫다. 원통형 가스는 일반 마트에서 쉽게 찾아볼 수 있다. 일반 부탄가스와 연결할 수 있는 어답터를 이용하면 연료 부족을 해결할 수 있다.

부탄가스

어답터

조명 설치하기

GO AUTOCAMPING

캠핑의 멋은 밤에 시작된다. 한낮의 밋밋한 정취도 해가 이울면서, 어둠이 피어나면서 한껏 빛을 발하기 시작한다. 그 중심에 랜턴이 있다. 랜턴은 캠핑장을 따뜻한 공간으로 변신시킨다. 랜턴 불빛이 머무는 곳이 내 가족이 머무는 소중한 공간이 된다.

조명은 어두워지기 전에 준비를 마치는 게 좋다. 가솔린 랜턴은 연료를 충분히 넣어둔다. 가스 랜턴은 가스통과 랜턴을 연결해둔다. 맨틀 점검도 놓치지 말아야 한다. 맨틀이 부서졌거나 이상이 있으면 갈아준다. 건전지 랜턴도 광량이 충분한지 미리 점검해둔다. 마지막으로 랜턴을 설치할 자리를 정해 미리 배치한다. 조명까지 설치하고 나면 이제 캠핑장 꾸미기는 마무리가 된 것이다. 이제 요리를 하고, 모닥불을 피우는 즐거움만 남는다.

조명의 배치

조명은 어두워지기 전에 준비를 마쳐야 한다. 가솔린 랜턴은 연료를 충분히 넣어둔다. 가스랜턴은 가스통과 랜턴을 연결해둔다. 건전지 랜턴도 광량이 충분한지 미리 점검해둔다. 또한 랜턴을 걸 위치를 정해 미리 설치해둔다.

타프와 텐트가 결합된 캠핑사이트에서 필요한 랜턴은 3개 내외다. 하나는 메인 테이블을 비추고, 다른 하나는 활동의 중심이 되는 공간을 중심으로 이동한다. 키친이나 화로 테이블 등이 이에 해당한다. 나머지 하나는 건전지 랜턴으로 준비하여 텐트 안에 비치해둔다.

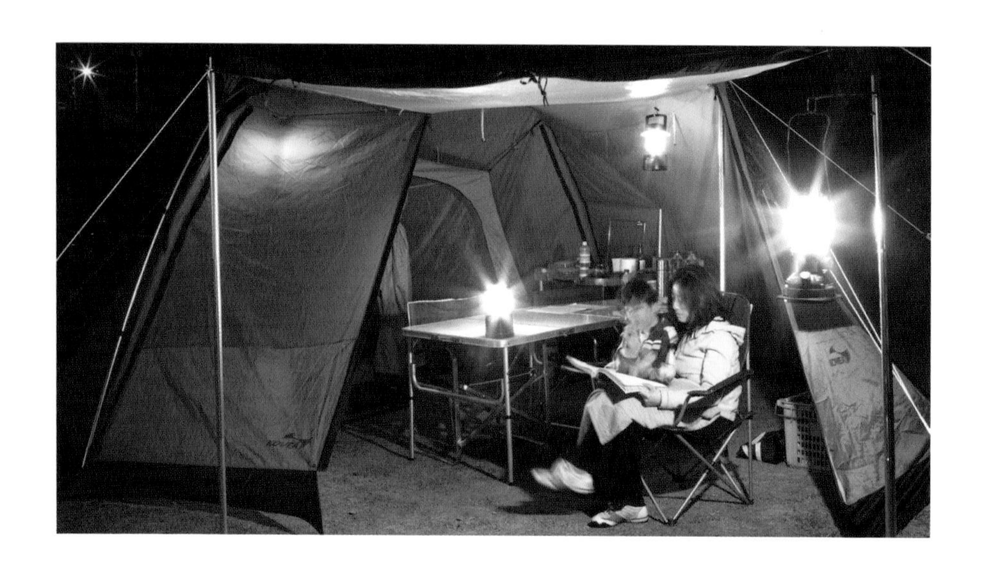

랜턴을 이용한 날벌레 퇴치법

모기와 나방 등 날벌레는 캠핑의 적이다. 날이 어두울 때 랜턴을 켜면 날벌레들이 무수히 날아들어 캠핑의 평화를 깬다. 심한 경우 음식을 먹지 못할 만큼 성가시게 굴기도 한다. 날벌레를 원천적으로 물리칠 수 있는 방법은 없다. 하지만 랜턴의 배치를 적절히 활용하면 날벌레의 훼방을 최소화시킬 수 있다.

날벌레는 빛을 향해 달려드는 속성이 있다. 또 가장 밝은 불빛을 중심으로 몰려든다. 따라서 캠핑장에 랜턴을 설치할 때 광량이 큰 랜턴은 테이블이나 여럿이 모여 있는 공간에서 멀찌감치 떨어진 곳에 걸어둔다. 테이블에는 식탁용이나 보조용 랜턴을 켜놓는다. 이렇게 하면 날벌레는 광량이 큰 랜턴으로 몰린다.

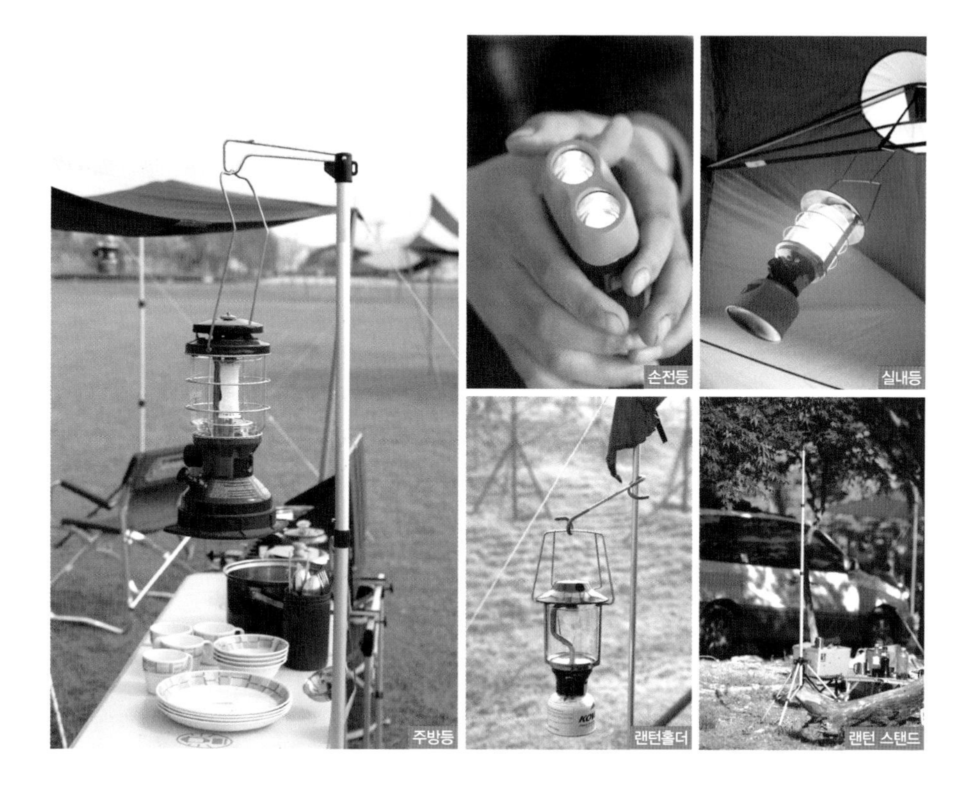
손전등
실내등
주방등
랜턴홀더
랜턴 스탠드

• 주방등

저녁을 준비할 때 필요하다. 랜턴 걸이가 기본으로 달려 있으면 랜턴 스탠드로 활용할 수 있다.

• 텐트

건전지 랜턴을 배치해 화상과 화재를 미리 예방한다. 광량이 크지 않은 것을 배치해도 무방하다.

• 랜턴 스탠드

타프와 거리가 먼 화로 테이블 곁에 세워놓을 수 있다. 또 모기나 벌레를 유인하기 위해 타프 밖에 랜턴을 설치할 때 유용하다.

• 실내등

리빙셸이나 타프에 걸어 설치한다. 테이블 위에 올려놓는 것보다 타프에 거는 것이 안전하며 불빛이 비추는 범위가 넓어 환하다.

• 헤드 랜턴

불빛이 없는 곳에서 양손을 이용해 작업을 할 때 필요하다.

• 랜턴홀더

랜턴 스탠드 없이 타프의 폴에 걸어 사용할 수 있어 편리하다.

• 손전등

밤에 화장실에 갈 때나 활동할 때 요긴하게 쓸 수 있다.

가솔린 랜턴의 구조와 명칭

가솔린 랜턴 사용법

❶ 준비물(랜턴, 화이트 가솔린, 깔때기, 맨틀)을 확인한다.

❷ 연료탱크의 마개를 열고 탱크 용량의 80%까지 연료를 넣는다. 연료 주입 시 깔때기를 이용한다.

❸ 벤틸레이터 너트를 풀어 랜턴걸이를 빼낸 후 벤틸레이터를 분리한다.

❹ 글로브 가드와 글로브를 빼낸다.

❺ 버너 부분의 홈에 맨틀을 끼운 후 끈으로 묶고 남은 끈은 잘라 낸다. 인스타 클립의 경우 원터치로 교환할 수 있다.

❻ 라이터를 이용해 맨틀의 아래부터 전체적으로 골고루 태운다.

❼ '글로브→글로브 가드→벤틸레이터→랜턴걸이→벤틸레이터 너트' 순으로 조립한다.

❽ 펌프 손잡이를 오른쪽으로 두 바퀴 돌린다. 손잡이가 빡빡한 느낌이 날 때까지 40~60회 가량 펌핑을 한다.

❾ 연료레버를 한 바퀴 돌린 후 라이터를 이용해 불을 붙인다. 연료가 완전 연소하여 맨틀이 하얗게 빛나면 연료레버를 돌려 광량을 조절한다.

가스 랜턴 사용법

❶ 마개를 제거한 연료통을 랜턴에 부착한다.

❷ 벤틸레이터 너트를 풀어서 랜턴걸이를 제거한 후 벤틸레이터를 분리한다.

❸ 글로브를 빼낸다.

❹ 버너 부분의 홈에 맨틀을 끼운 후 끈으로 묶고 남은 끈은 잘라낸다. 라이터를 이용해 맨틀의 아래부터 전체적으로 골고루 태운다.

❺ '글로브 → 벤틸레이터 → 랜턴 걸이 → 벤틸레이터 너트' 순으로 조립한다.

❻ 연료레버를 한 바퀴 돌린 후 라이터를 이용해 불을 붙인다. 연료가 완전 연소하여 맨틀이 하얗게 빛나면 연료레버를 돌려 광량을 조절한다.

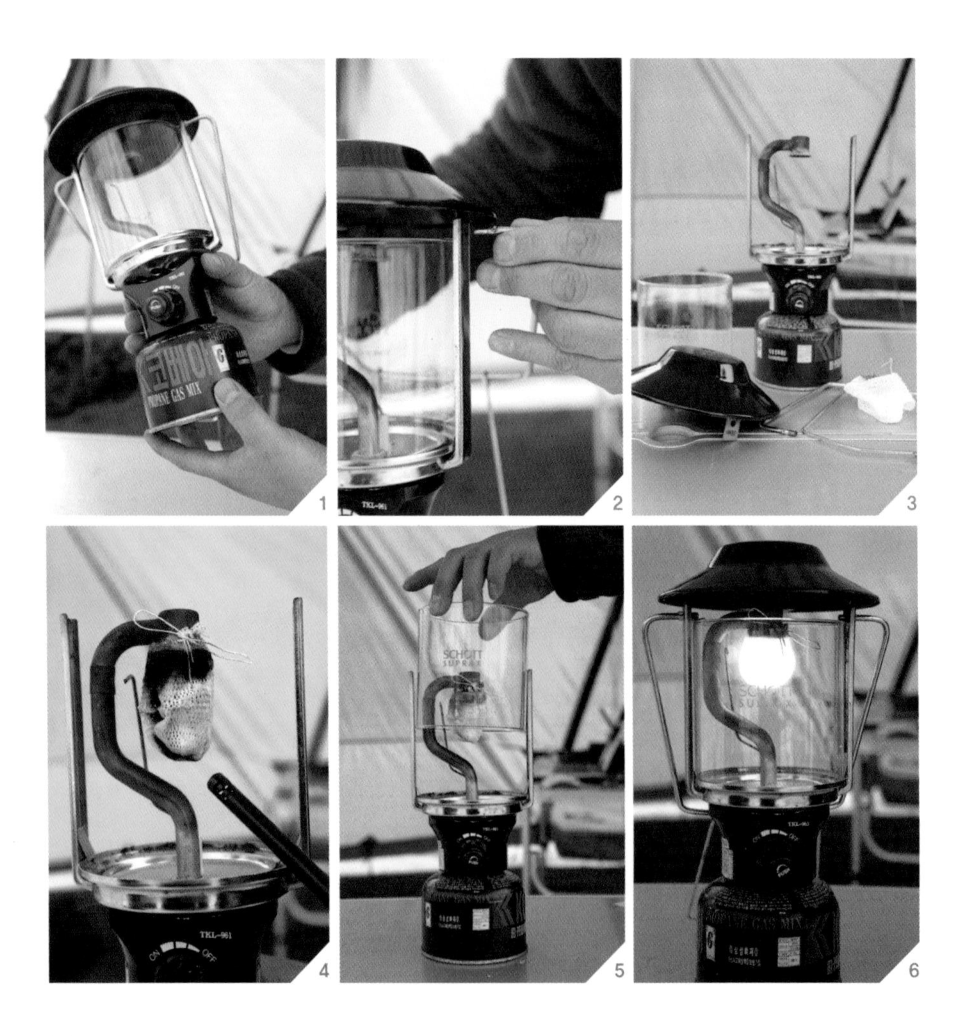

불 피우기

GO AUTOCAMPING

캠핑요리의 중심은 바비큐다.바비큐를 하기 위해서는 그릴에 불을 피워야 한다. 어두워지기 전에 모닥불도 지펴놓는다. 모닥불을 피우면 캠핑장은 집처럼 따뜻한 공간으로 변신한다. 또한 어둠 속에서 타닥타닥 소리 내며 타는 모닥불은 캠핑장의 낭만을 살려 준다.

그러나 불 피우기는 화기를 직접 다루는 일이라서 항시 주의를 요한다. 특히, 연료에 불을 붙일 때는 화상이나 화재 사고가 빈번하게 일어나므로 조심해야 한다. 따라서 연료에 안전하게 불을 붙여 바비큐 요리를 한 후 남은 불씨가 완전히 소화될 때까지 조심스럽게 불을 다뤄야 한다.

화로 설치하기

사각형 화로 설치

❶ 화로와 재받이, 방열판, 사이드 테이블 등 기본 구성품을 확인 한다.

❷ ❸ 화로를 펼친다.

❹ 펼친 화로 중앙에 있는 고리를 연결해 화로가 다시 접히지 않게 한 후 다리를 대각선 방향으로 펼쳐 고정시킨다.

❺ 재받이를 화로 안에 밀어넣는다.

❻ 방열판을 단다.

❼ ❽ 사이드 테이블을 부착한다.

역삼각형 화로 설치

❶ 화로의 구성품을 확인한다. 화로는 받침대, 화로, 숯받이로 구성된다. 여기에 석쇠와 그릴 받침대를 추가하면 그릴로도 활용할 수 있다.

❷ 받침대 위에 화로를 펴서 올린다. 그 위에 숯받이를 얹어 화로가 중심을 잡도록 한다.

❸ 화로에 그릴 스탠드를 걸쳐놓는다. 스탠드의 높이는 자유롭게 조절할 수 있다.

❹ 스탠드에 그릴을 올린다. 사용 시에는 달구어진 브리케트를 넣은 후 그릴을 올린다.

화로 테이블 설치하기

화로를 이용한 테이블 배치는 이제 캠핑장에서 쉽게 찾아볼 수 있다. 이 경우 모닥불을 피우는 효과도 있고, 그릴에서 요리를 하면서 식사나 음주를 할 수도 있다. 또 화로 테이블이 있으면 번거롭게 음식과 용기를 이동해야 하는 불편도 줄일 수 있다. 화로 테이블을 설치할 때는 우선 불을 피운 화로를 가운데 놓는다. 그리고 사각의 화로 테이블을 화로 주변에 설치한다. 테이블 곁에는 의자를 배치한다. 화로 테이블의 높이가 낮기 때문에 릴랙스 체어나 미니 의자를 이용하는 것이 편리하다. 화로 테이블과 함께 미니 테이블을 활용하면 더욱 편리하다. 미니 테이블에는 맥주나 와인 등 차가운 상태를 유지해야 하거나 불에 약한 용기를 올려놓는다.

화로 테이블은 리빙셸에서는 사용이 불가능하다. 타프 아래에 설치할 경우 타프를 오픈해놔야 열기와 연기가 잘 빠진다. 장작을 이용해 모닥불을 피울 때는 화로 테이블을 반드시 타프 밖에 설치해야 화재의 위험을 줄일 수 있다. 조명도 필요하다. 타프의 폴에 랜턴 걸이를 이용해 랜턴을 걸 수도 있다. 그러나 랜턴 걸이 삼각대를 설치하면 원하는 곳에 화로 테이블을 설치할 수 있는 장점이 있다.

가죽장갑

그릴이나 화로처럼 뜨거운 것을 다룰 때는 두꺼운 가죽장갑이 요긴하게 쓰인다. 가죽장갑은 달구어진 더치오븐을 들 때도 필요하다. 장작을 팰 때도 가시가 손에 박히는 것을 막아준다. 또 브리케트를 충원하거나 화로 속의 남은 불씨를 정리할 때도 아주 유용하게 쓰인다.

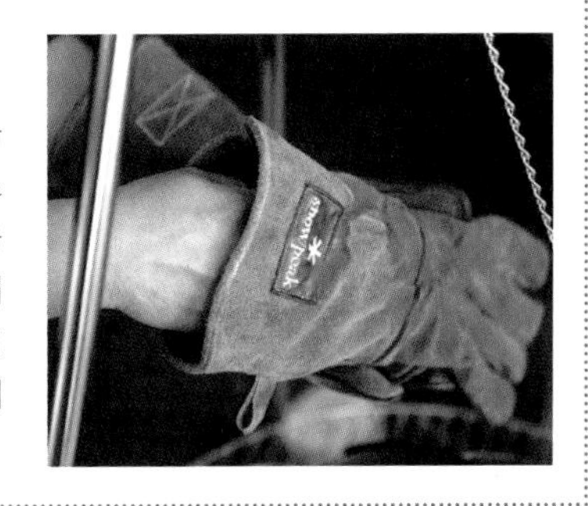

모닥불 피우기

화로에 불을 피우는 일은 생각만큼 쉽지 않다. 따라서 반복된 훈련을 통해 불을 피울 수 있는 가장 좋은 방법을 찾아내야 한다. 특히, 불쏘시개로 활용할 수 있는 잔가지를 구할 수 없을 때는 자체적으로 불쏘시개를 만들거나 신문지 등을 이용하는 지혜도 필요하다.

❶ **불쏘시개 모으기** 모닥불을 피우는 데 가장 중요한 것은 밑불을 만드는 일이다. 밑불을 만드는 불쏘시개로는 마른 관솔가지, 신문지, 우유팩 등을 이용한다. 기름 성분이 많은 자작나무 껍질은 불에 잘 타므로 불쏘시개로 유용하다. 모아온 잔가지는 10cm 내외로 잘라놓는다. 잔가지를 충분히 마련해야 실패를 줄일 수 있다. 마지막으로 지름 3~5cm 굵기의 나뭇가지를 20cm 크기로 잘라놓는다. 장작 가운데 마른 장작 2~3개 쯤을 골라 도끼나 칼을 이용해 비늘을 만들어둔다.

❷❸ **나무 쌓기** 관솔가지와 신문지 등 불쏘시개를 먼저 놓고, 그 위에 잔가지를 올린다. 마지막으로 손가락 굵기의 나뭇가지를 올린다. 나뭇가지를 쌓을 때는 달집 모양으로 쌓아야 불이 잘 붙는다.

❹❺ **불 붙이기** 맨 아래에 있는 불쏘시개에 불을 붙인다. 불이 잔가지에서 두툼한 나뭇가지로 옮겨 붙는지 확인한다. 불이 두툼한 나뭇가지로 옮겨 붙으면 밑불이 커진다.

❻❼❽ **장작 올리기** 밑불이 커지면 비늘을 만들어둔 장작을 조심스럽게 먼저 올린다. 이후 올리는 장작은 나무의 속살이 안쪽, 껍질이 위쪽으로 가게 쌓는다. 장작을 올릴 때는 밑불에 직접적으로 닿지 않게 해야 밑불이 무너지는 것을 막을 수 있다. 또 장작과 장작 사이에는 공간을 마련해주어 산소가 유입돼 불이 잘 붙도록 한다.

• 차콜 스타터로 모닥불 피우기

차콜 스타터가 있다면 불 피우기가 한결 쉽다. 차콜 스타터는 기름에 절은 톱밥을 응축해 만든 것으로 불이 붙으면 10분 정도 탄다. 따라서 잔가지를 잘 쌓아놓은 후 불 붙인 차콜 스타터를 밑에 두면 불이 붙는다. 이때 장작을 직접 차콜 스타터에 올려서는 안 된다. 차콜 스타터는 오래 타기는 하지만 화력이 강한 편은 아니다. 차콜 스타터 주변에 불이 잘 붙는 잔가지를 배치해 높은 화력을 얻은 후 장작을 올리는 것이 요령이다.

비늘장작 만들기

장작에 불을 붙이기는 쉽지 않다. 특히, 속까지 마르지 않은 장작이라면 불 붙이기는 더욱 어렵다. 이때 장작에 비늘을 만들어주면 한결 쉽게 불을 붙일 수 있다. 비늘은 절단된 나무 안쪽 모서리에 만든다. 비늘을 만들 때는 떨어지지 않도록, 또 너무 두껍지 않도록 만든다. 도끼가 없을 경우 아웃도어용 칼을 이용해 만들 수도 있다.

화로 불끄기

화로의 불을 끄는 가장 좋은 방법은 완전히 연소될 때까지 기다리는 것이다. 그러나 취침을 하거나 필요에 의해서 불을 끌 때는 물을 이용하는 게 가장 좋다. 이때 불붙은 화로에 물을 직접 붙는 것은 금물이다. 화로에 물을 부으면 갑자기 많은 수증기와 함께 소음이 발생한다. 또 갑작스런 온도변화로 화로의 이음새가 뒤틀리는 등 변형이 올 수 있고, 내구성도 약해진다. 필요에 의해서 불을 끌 때는 코펠이나 양동이에 물을 담아온 뒤 화목을 하나씩 꺼내서 물에 담근다. 이때 큰 화목뿐만 아니라 작은 불씨까지도 확실하게 소화시켜야 한다.

브리케트 불 피우기

❶ 침니 파이어 스타터에 브리케트를 넣는다. 연료의 양은 그릴의 규격에 맞춰 조절한다. 웨버 그릴 기준 지름 47cm는 브리케트가 40~50개, 37cm는 25~30개 정도 필요하다. 차콜 스타터에 불을 붙인다.

❷ ❸ 불이 붙은 차콜 스타터를 침니 파이어 스타터 아래에 놓는다. 차콜 스타터가 없으면 신문지를 이용해 불을 붙여도 된다. 이때 바닥에 불이 붙지 않게 주의한다. 가급적 그릴 위에 올려놓고 작업한다.

❹ ❺ ❻ 브리케트이 완전히 점화될 때까지 기다린다. 보통 10~15분 정도 소요된다.

❼ 침니 파이어 스타터의 손잡이를 잡고 그릴에 브리케트를 붓는다. 이때 브리케트가 밖으로 떨어지지 않도록 주의한다. 브리케트를 전체적으로 고르게 펴준 후 그 위에 석쇠를 올린다.

브리케트를 이용한 훈제 요리

비어치킨이나 베이컨 등의 훈제요리를 할 경우 차콜 분리대를 이용해 브리케트를 그릴의 양편으로 모아 놓는다. 브리케트가 재료를 직접 가열하면 금방 타버려 훈제가 되지 않는다. 차콜 분리대 사이에는 기름 받침대를 설치한다. 기름이 브리케트에 직접 떨어지면 연기가 많이 발생하고, 재료에 좋지 않은 향이 배기 때문에 이를 막기 위해서다. 기름 받침대가 없다면 포일을 접어서 이용한다. 훈제요리는 적정 온도와 시간을 맞춰서 요리를 하는 것이 중요하다. 보통 요리에 1시간 이상 소요되기 때문에 너무 늦지 않게 준비하는 것이 좋다. 요리에 앞서 스모크칩을 넣어주고, 필요에 따라서 브리케트를 보충해준다.

● 연료 착화 시 주의 사항

참숯이나 브리케트는 쉽게 점화되지 않는다. 또 일부만 점화되면 유해 가스가 발생할 수 있으므로 완전히 착화가 된 후에 요리를 해야 한다. 이때 착화가 더디다고 가솔린이나 다른 액체 연료를 붓는 경우가 있는데, 절대 그렇게 해서는 안 된다. 가연성 연료를 부으면 갑자기 큰 불꽃이 일어나 큰 사고가 발생할 수 있다. 따라서 브리케트나 숯에 불을 붙인 후에는 가급적 통풍이 잘 되는 곳에서 인내심을 갖고 기다려야 한다.

토치를 부탄가스와 연결해 사용할 경우에도 연료통과 침니 파이어 스타터의 거리를 최대한 벌려서 작업해야 안전하다. 착화 작업은 반드시 실외에서 진행해야 한다. 집이나 자동차 등에서는 절대 착화를 해서는 안 된다.

● 번개탄 착화

차콜 스타터와 침니 파이어 스타터가 없다면 번개탄을 이용해 불을 붙일 수 있다. 번개탄은 라이터로도 쉽게 불을 붙일 수 있다. 점화가 된 번개탄의 외부에 불이 붙어 화력이 강력해지면 번개탄 위와 주변에 브리케트를 놓는다.

번개탄에 의해 브리케트도 쉽게 불이 붙는다. 브리케트에 어느 정도 불이 붙으면 뒤집어서 반대편에도 불이 붙게 한다. 이때 화력이 세지기 때문에 가죽장갑을 끼고, 집게를 이용해야 한다.

석쇠와 번개탄은 이제 그만

아직도 바비큐를 그릴 없이 요리하는 사람들이 많다. 번개탄을 연료로 주변에 큰 돌을 놓고, 그 위에 석쇠를 얹어서 고기를 굽는 것이다. 이는 환경오염의 주범이며 화재의 원인이 되는 요리법이므로 가능하면 지양하는 것이 좋다. 바비큐 요리를 했던 자리에는 기름 범벅이 된 재가 나뒹굴고, 석쇠를 걸쳤던 돌도 흉물스럽게 변한다. 강가에서 이처럼 요리를 하면 강물이 오염된다. 또 숲에서는 화재의 위험이 높다. 따라서 안전하면서 환경 피해를 최소화할 수 있도록 바비큐 요리는 그릴을 사용해야 한다. 최근에는 크기와 모양이 다양한 스타일의 바비큐 그릴이 출시되고 있다. 따라서 자신의 취향과 캠핑 인원에 맞춰 꼭 그릴을 이용해 바비큐를 하자.

감성캠핑

GO AUTOCAMPING

차박캠핑과 함께 각광받는 캠핑 스타일이 감성캠핑이다. 흔히 '갬성캠핑'이라 발음하는데, 캠핑의 낭만과 감성을 극대화해 즐기는 캠핑 스타일을 뜻한다. 감성캠핑을 추구하는 캠퍼들은 텐트 사이트를 만국기를 연상케 하는 가랜드로 치장한다. 의자나 테이블 등 캠핑 가구는 따뜻한 느낌의 우드 제품을 쓴다. LED 랜턴 대신 가스나 빈티지 랜턴을 사용한다. 또 캔버스 원단의 텐트를 좋아한다. 예쁜 중절모와 앞치마도 빼놓지 않는 소품이다. 이처럼 감성캠핑은 감성을 자극하는 캠핑용품을 활용해 즐긴다. 감성캠핑은 20~30대 젊은 캠핑족의 절대적인 지지를 받고 있다. 특히, 아이가 없는 젊은 부부나 연인들의 캠핑 스타일은 거의 감성캠핑을 추구한다.

감성캠핑용 장비

감성캠핑을 하려면 스타일에 맞는 장비가 필요하다. 감성캠핑용 장비는 활용도나 실용성과는 조금 결이 다를 수 있다. 그러나 감성을 자극(?)할 수 있다면 부피나 무게, 활용도 등은 양보할 수 있다. 특히, 감성캠핑은 연인이나 아이가 없는 부부처럼 단둘이 즐기는 단출한 규모다. 인원이 많은 가족 캠핑에 비해 상대적으로 캠핑장비나 먹거리 등에 부담이 적어 자신의 취향에 맞는 장비에 집중할 수 있다. 다만, 감성캠핑용 장비는 가성비나 실용성 측면에서는 떨어질 수도 있다.

• 우드 가구

나무로 만든 캠핑 가구는 감성캠핑에서 아주 중요하다. 나무가 주는 따뜻한 느낌 때문이다. 우드는 스테인리스나 알루미늄 프레임 의자와는 느낌이 많이 다르다. 우드 프레임에 면 종류의 캔버스 원단을 사용해 의자를 완성한다. 의자는 물론 테이블과 보조 의자, 아이스박스 받침대까지 우드로 하는 캠퍼들도 있다.

• 휘발유 랜턴

랜턴은 감성캠핑을 빛내는 아주 훌륭한 소품이자 필수품이다. 최근 랜턴은 효율성을 중시하면서 충전식 LED나 콘센트에 꽂아 쓰는 전등을 이용하는 경우가 많다. 그러나 감성캠핑에서는 가스나 휘발유 연료 랜턴을 선호한다. 디자인도 빈티지한 것들이 인기다. 최근에는 가스 연료를 이용한 호롱불 조명도 큰 인기를 모으고 있다. 가스 호롱불은 가스통도 뜨개질로 만든 것이나 가죽 워머를 씌워 사용한다.

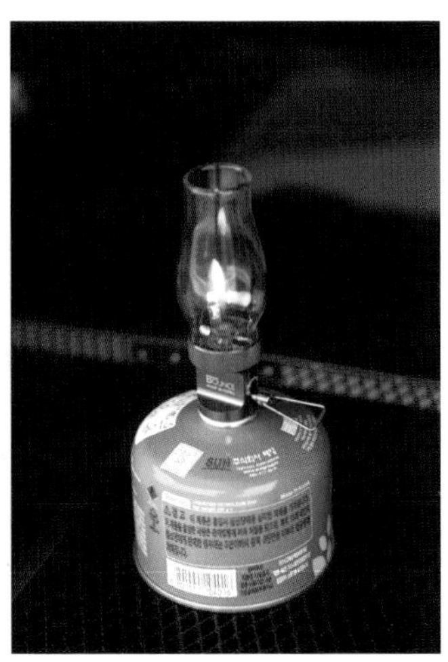

• 드립 커피&티타늄 머그잔

감성캠핑에서는 커피도 아주 유용한 소품이자 멋을 살려주는 장비다. 보통 드리퍼를 이용해 커피를 내리고, 이중으로 된 티타늄 머그잔에 마신다. 보온물병으로 유명한 스탠리는 드립 필터가 내장된 드리퍼와 머그잔 세트를 출시했는데, 빈티지한 멋을 추구하는 캠퍼들에게 인기다. 드립 커피 대신 모카 포트를 이용해 에스프레소 커피를 내려 마시는 캠퍼들도 있다.

• 테이블보&의류

감성캠핑 분위기를 살리려면 의류나 테이블보 등을 잘 활용하는 것이 중요하다. 캠핑 가구에서도 언급했지만, 의자는 캔버스 천으로 된 것이 좋다. 또 알루미늄 테이블도 테이블보만 잘 씌워도 근사해진다. 의자에 앉아 덮는 무릎담요도 의외로 분위기를 돋워 준다. 보온에도 큰 도움이 된다. 이 밖에 중절모나 캠핑장에서 입는 옷, 앞치마 등도 감성캠핑 분위기를 내주는 훌륭한 소품이다.

• 블루투스 스피커

요즘 캠퍼들은 대부분 블루투스 스피커 하나쯤은 있다. 스마트폰과 연동시키면 자신의 취향에 맞는 음악을 들을 수 있다. 감성캠핑에서도 블루투스 스피커는 빼놓을 수 없다. 재즈나 올드팝 등 레트로한 느낌의 음악을 미리 선곡해 담아가면 감성캠핑 분위기를 살릴 수 있다.

• 불멍 화롯대

캠핑에서 불멍은 거의 진리다. 그러나 감성캠핑 화롯대는 조금 다르다. 일반 캠퍼들은 모닥불을 피울 수 있고, 바비큐도 할 수 있는 정사각형 모양의 큰 화롯대를 선호한다. 그러나 감성캠핑 화롯대는 이보다 조금 작다. 바비큐도 할 수는 있지만, 대부분 모닥불을 피우는 용도로 활용된다. 캠핑용품점에는 불멍용 화롯대들이 많다. 가격대도 상대적으로 저렴해 부담 없이 구매할 수 있다.

• 가랜드

가랜드는 감성캠핑의 상징처럼 됐다. 가랜드는 만국기와 비슷하다. 각 나라의 국기 문양을 천에 프린트해 매단 만국기처럼, 가랜드는 여러 가지 색상이나 고유 문양을 프린트한 천을 텐트와 타프 등에 매달아둔다. 여기에 크리스마스트리를 장식하는 반짝이 전구도 함께 매달아주면 끝! 가랜드를 설치하면 분위기도 좋고, 불을 모두 끈 한밤중에도 캠핑장을 따뜻하게 밝혀준다.

캠핑장 에티켓

TIP

캠핑장은 그 자체가 하나의 마을이며 여럿이 함께 이용하는 공동체 생활공간이다. 집의 경우 주방이나 화장실 등이 독립되어 있지만 캠핑장은 다 함께 사용해야 한다. 따라서 어느 곳보다 공중도덕과 예절이 필요하다.

규칙을 지키자

캠핑장마다 지켜야 할 규칙이 다르다. 자연휴양림의 경우 화기나 캠핑사이트 등을 엄격하게 제한한다. 또 전기 사용 가능 여부, 쓰레기 버리는 요령 등이 각기 다르다. 따라서 캠핑장에 도착한 후나 사전에 미리 규칙을 숙지하고 철저하게 실천한다. 규칙을 지키지 않으면 캠핑장의 질서를 깨트리는 것뿐 아니라 본인이 직접적인 피해를 입을 수도 있다.

밤에는 조용하게 대화하자

밤늦은 시간까지 시끄럽게 떠드는 것은 좋지 않다. 아이들이 잠자리에 드는 오후 9시를 넘기면 목소리를 낮춰서 조용조용 대화를 나눠야 한다. 노래는 절대 금물이다. 또 차량의 운행도 가급적 자제해 취침에 들어간 이웃에게 피해를 주지 않도록 한다.

먼저 인사하자

캠핑장에서 사람들과 마주쳤을 때는 먼저 인사하자. 물론, 상대방은 캠핑장에 오기 전까지는 일면식도 없는 사람일 것이다. 그러나 하룻밤을 자도 같은 캠핑장을 이용한 이웃이다. 서로에게 친절하게 굴어서 나쁠 것은 없다. 특히, 상대방에게 친절하게 굴면 내가 도움이 필요할 때 흔쾌히 응해준다.

적극적으로 도와주자

만약, 캠핑장에서 누군가 어려움을 겪고 있다면 적극적으로 도와줄 필요가 있다. 특히, 텐트나 타프를 처음 치는 초보의 경우 경험 많은 캠퍼의 도움을 절실히 필요로 한다. 이때 설치법이나 요령을 충고해주면 상대방은 아주 고마워할 것이다. 또 비바람이 부는 악천후에는 혼자 캠핑사이트를 꾸리는 게 불가능할 수도 있다. 이때도 서로 나서서 도와주는 게 캠핑장을 훈훈하게 만들어준다.

음주 후 뒷정리는 필수

주변 정리는 언제나 필요하다. 텐트나 타프 주변이 어지럽혀져 있으면 다른 캠퍼에게 불쾌감을 준다. 특히, 밤늦도록 음주를 한 뒤에 주변 정리를 하지 않고 취침에 들어가는 경우가 많은데, 이렇게 어질러진 모습을 아침에 날이 밝을 때 보면 마치 쓰레기장과도 같다. 누구도 아침 산책을 하며 이런 풍경을 보고 싶지는 않을 것이다.

공동시설은 깨끗하게 사용하자

캠핑장에서는 공동으로 이용하는 시설이 많다. 취사장과 화장실이 그 좋은 예다. 이렇게 다른 캠퍼와 함께 사용하는 곳은 항상 청결하게 유지해야 한다. 취사장에서 설거지를 한 후에는 주변을 깨끗하게 정리해놔야 다른 사람도 쾌적하게 사용할 수 있다. 화장실도 마찬가지다. 일단 공동시설이 지저분해지면 다음에 이용하는 사람도 함부로 사용하게 된다.

캠핑 뒷정리

GO AUTOCAMPING

캠핑은 시작도 중요하지만 마무리도 중요하다. 자신이 사용했던 캠핑공간을 말끔히 정리하는 것은 기본이다. 다음 캠핑을 위해서는 캠핑공간뿐 아니라 장비도 깨끗하게 손질해 보관하는 것이 좋다.

정리가 잘 되어 있으면 다음 캠핑을 떠날 때 한결 부담이 줄어든다. 가장 좋은 정리는 다음 캠핑을 갈 때 음식을 제외하고 그대로 들고 갈 수 있게 손질해놓는 것이다. 특히, 마무리는 장비의 수명과 직결된다. 말리지 않은 코펠을 그대로 방치하거나 젖은 텐트를 그대로 가방에 담아두는 것은 장비를 일부러 망가트리는 것과 다를 바 없다. 따라서 귀찮고 피곤한 일이지만 마무리까지 완벽하게 끝내는 버릇을 들여야 한다.

마무리의 원칙

• 현장에서 끝내라

캠핑의 출발은 이전 캠핑의 마무리에서 시작된다. 이 마무리 작업은 가급적 캠핑장에서 마치는 게 원칙이다. 일단 짐을 싸서 집에 돌아오면 다시 풀어 정리하기가 여간 귀찮은 일이 아니다. 막상 풀었다 하더라도 장비들이 워낙 많고, 부피도 커 막막해진다. 따라서 마무리의 1차 원칙은 '현장에서 끝내라'다. 캠핑을 마치는 날 아침부터 텐트와 침낭, 조리도구를 말린다. 그러나 비가 오는 경우에는 방법이 없다. 이때는 귀찮아도 집에서 마무리를 해야 한다.

• 그때그때 정리하라

캠핑장 정리는 그때그때 하는 것이 바람직하다. 특히, 밤에 음주를 한 후 그냥 방치해 둔 모습은 다른 캠퍼들의 눈살을 찌푸리게 한다. 가급적 치워놓고 자는 게 좋다.

• 텐트를 걷기 전에 정리하라

캠핑장 정리는 텐트를 걷기 전에 하는 것이 좋다. 화로는 솔을 이용해 재를 곱게 털어내고 키친타월 등으로 나머지 먼지를 제거한다. 화로의 재는 재를 모으는 통에 버린다. 만약 화로가 기름 등에 오염되어 있다면 집에서 세재를 이용해 깨끗이 세척한다. 가스통은 반드시 구멍을 내서 분리수거를 한다. 주변에 버려진 꽁초나 비닐 등은 모아서 버리고, 음식물은 음식물 쓰레기통에 버린다.

가스 구멍내기 / 스토브 청소 / 팩 청소 / 화롯대 정리와 재 버리기

- 텐트 말리기

플라이와 본체의 경우 날씨가 좋으면 저절로 마른다. 그러나 텐트의 바닥은 마르지 않는다. 이때는 플라이를 걷어낸 후 텐트를 거꾸로 뒤집어 놓으면 금방 마른다. 폴이 없는 이너텐트는 먼저 떼어내 빨랫줄에 걸어서 바닥을 말린다. 만약 비가 내리거나 날이 흐려 텐트를 말리지 못할 수가 있다. 이때는 할 수 없이 집으로 가져와서 말려야 한다. 비에 젖은 텐트는 김장용 비닐 등에 담아서 가방에 넣으면 물기가 새지 않는다. 대형 텐트를 말릴 때는 집 밖으로 나가야 한다. 텐트를 말리는 가장 좋은 방법은 다시 텐트를 치는 것이다. 굵은 로프를 이용해 빨랫줄을 만든 후 그 위에 걸어서 말리는 것도 방법이다. 텐트는 바람과 햇볕만 있으면 금방 마른다. 그러나 봉재선이나 폴을 꽂는 벨크로 타입의 로프는 쉽게 마르지 않는다. 따라서 벨크로가 완전히 마를 때까지 충분한 시간을 갖는다.

- 코펠의 세척과 관리

코펠은 외부의 충격에 의한 찌그러짐과 부식이 가장 큰 위해요소다. 특히, 부식이 되면 코팅된 표면이 벗겨지고 심하면 구멍이 뚫릴 수가 있다. 따라서 세척과 보관에 세심한 주의가 필요하다.

코펠은 사용 후 음식물을 제거한 뒤 뜨거운 물에 담가둔다. 이때 코펠에 붙어 있던 찌꺼기가 불면서 자연스럽게 떨어진다. 코펠을 수세미로 깨끗하게 닦은 후 물기를 없애거나 햇볕에 말린다. 음식물이 달라붙은 경우 숟가락 등 금속성 도구로 억지로 떼어내려 해서는 안 된다. 또 금속성 수세미로 닦아서도 안 된다. 자칫 코팅이 벗겨질 수 있다. 코펠을 보관할 때는 물기를 완전히 제거해야 한다. 만약 물기가 남아 있다면 부식의 원인이 된다.

TIP

비 올 때 철수하기

비가 내릴 때 텐트를 걷는 일은 아주 불편하다. 그래도 요령을 알면 최대한 비를 덜 맞을 수 있다. 우선, 텐트와 타프를 제외하고 모든 캠핑장비를 수납한다. 수납한 장비는 우선 타프에 보관한다. 그 다음 텐트를 걷는다. 텐트 걷기를 마치면 차량에 캠핑 장비를 차곡차곡 수납한다. 타프는 가장 나중에 걷는다. 타프를 걷을 때는 타프 천이 바닥에 닿지 않게 한다. 우선, 사이드 폴과 스트링을 철거한 후 센터 폴은 가장 나중에 뺀다. 센터 폴을 빼면서 각을 잡아 접으면 타프천이 바닥에 닿지 않고도 수납이 가능하다. 우중 철수 후에는 꼭 장비를 말려준다.

• 텐트 수선

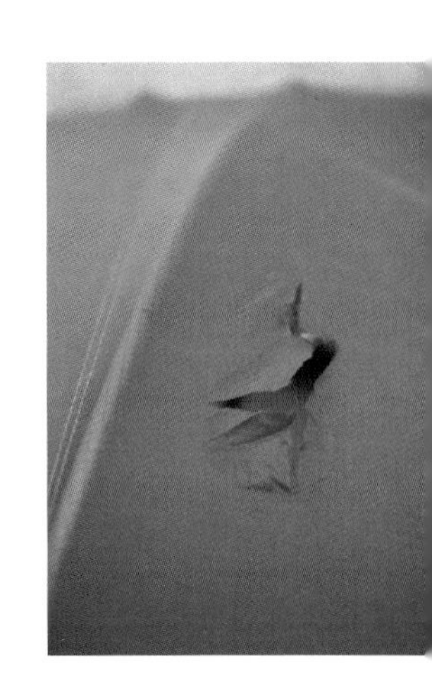

텐트나 플라이는 날카로운 것에 찔리면 쉽게 찢어진다. 만약 텐트를 찢어진 채로 방치하면 금방 못 쓰게 된다. 찢어진 공간으로 바람이나 비가 새는 것은 물론, 스트링을 강하게 당기면 아예 찢어져버리는 수가 있다. 따라서 수리를 해야 한다. 텐트의 찢어진 부분은 심실링 테이프로 부착해 간단하게 수리할 수 있다. 심실링 테이프는 텐트와 같은 폴리에스테르 소재로 만들어졌다. 한쪽 면에 본드가 발라져 있어 텐트 천에 쉽게 달라붙는다. 색깔별로 다양한 제품이 있으며 캠핑 전문점에서 쉽게 구할 수 있다. 심실링 테이프를 붙일 때는 일단 텐트나 플라이를 울지 않게 바르게 펴는 게 중요하다. 그런 다음 찢어진 부위보다 넉넉하게 심실링 테이프를 잘라 붙이면 된다. 심실링 테이프는 찢어진 양쪽 면 모두에 붙여야 접착효과가 뛰어나다. 만약, 본인이 수선하기 불편하다면 제조업체에 A/S를 맡긴다.

• 침낭 보관 및 세탁

텐트에 결로현상이 생기듯 침낭도 습기를 머금는다. 이는 침낭 내외부의 기온 차이에 의해서 발생하기도 하고, 체내에 있는 땀을 미처 발산하지 못해서 생기기도 한다. 침낭을 이런 상태로 꽁꽁 말아 주머니에 넣어두면 침낭의 기능이 저하될 뿐 아니라, 시큼한 곰팡이 냄새가 나 불쾌하다.

침낭은 캠핑장에서 말리는 것이 가장 좋다. 아침 햇살이 좋을 때 빨랫줄이나 플라이의 스트링 위에 펴서 넌다. 만약, 날씨가 나빠 말리지 못했다면 집에서라도 말려야 한다. 말릴 때는 침낭의 지퍼를 모두 열어 넓게 펴서 말린다. 침낭은 꽁꽁 말아서 보관하면 복원력이 떨어진다. 특히, 오리털 침낭은 복원력이 크게 떨어지므로, 보관할 때는 침낭을 펼친 채로 옷걸이에 걸어둔다. 침낭은 가급적 세탁을 하지 않는 게 좋다. 특히, 오리털 침낭의 경우 세탁을 잘못하면 침낭을 영 못 쓰게 만들 수도 있다. 세탁기로 돌리거나 드라이클리닝 하는 것도 좋지 않다. 손빨래로 하는 게 가장 좋다.

손빨래를 할 때는 침낭을 욕조에 넣고 세재를 뿌린 후 발로 밟아가면서 빤다. 절대로 손으로 강하게 비비거나 비틀어 짜서는 안 된다. 얼룩이 있을 경우 중성세재를 이용해 스펀지로 부드럽게 문질러서 닦아낸다. 말릴 때는 소쿠리에 담아서 자연스럽게 물을 뺀다. 수분이 빠지면 그늘이 지고 통풍이 잘 되는 곳에 널어 말린다. 어느 정도 마르면 손바닥으로 탁탁 쳐가면서 뭉쳐진 오리털을 풀어주고, 깃털이 복원될 수 있도록 한다. 화학섬유를 이용한 침낭 역시 오리털 침낭과 같은 방법으로 세탁해주는 게 가장 좋다. 만약 세탁기를 이용한다면 세탁용 그물망에 넣어서 울세탁 코스를 이용하여 빨면 된다. 말리는 방법은 오리털 침낭과 동일하다.

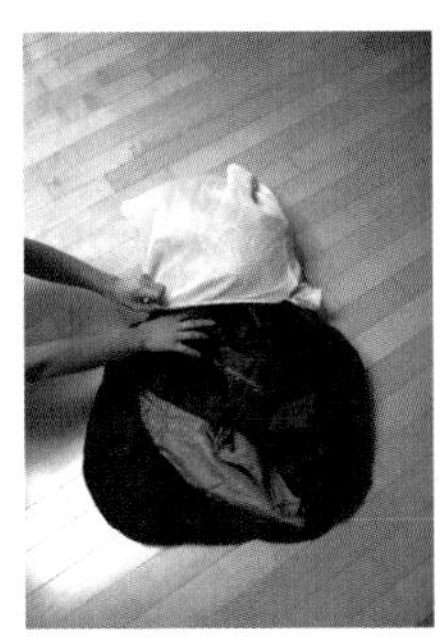

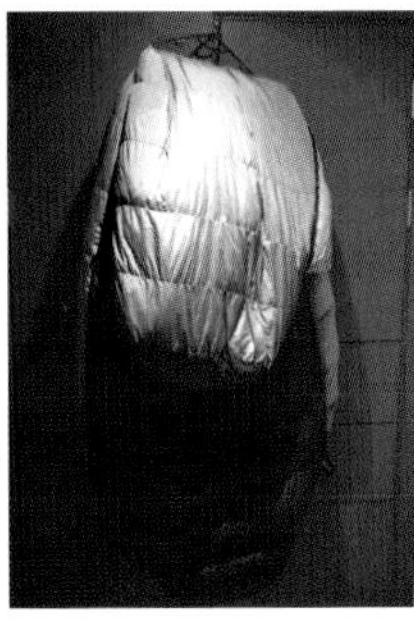

4

겨울 캠핑

 WINTER CAMPING

캠핑의 고수들에게 가장 낭만적인 캠핑을 꼽으라면 단연 겨울 캠핑을 꼽는다. 눈밭을 다져 텐트를 치고, 눈 녹인 물로 밥을 지어 먹으며, 화목난롯가에 둘러앉아 얼큰한 탕에 술잔을 나누다 보면 겨울밤은 깊어간다. 침낭 속에 얼굴을 묻고 잠들면 밤새 내린 함박눈이 이불처럼 세상과 텐트를 덮어준다.

누가 봐도 그림처럼 아름다운 캠핑 이야기다. 이런 이유로 캠퍼들은 겨울 캠핑을 캠핑의 최종 목적지라고 말한다. 그러나 겨울 캠핑에는 추위라는 강적이 기다리고 있다. 따라서 겨울 캠핑을 즐기기 위해서는 추위를 이길 수 있는 장비와 캠핑 노하우를 기본적으로 갖추는

게 급선무다. 준비가 부족한 상태로 떠났다가는 정말 혹독한 경험을 할 수도 있다.

특히, 겨울 캠핑은 여러가지 위험요소를 동반한다. 추위는 기본이다. 폭설이 내려 캠핑장에 발이 묶일 수도 있다. 캠핑 장비로 한껏 무거워진 차를 타고 빙판길을 달려야 할 수도 있다. 추위를 피하기 위해 불을 가까이하는 일이 많다 보니 화상 사고도 많이 발생한다. 이처럼 다양한 위험요소를 극복하려면 철저한 준비와 탄탄한 노하우를 다져야 한다.

설사 캠핑 노하우가 조금 부족하더라도 준비만 완벽하다면 낭만적인 겨울 캠핑을 즐길 수 있다. 진정한 캠핑의 고수로 거듭나는 순간이 기다리고 있는 것이다.

● 텐트

텐트는 겨울 캠핑장비 가운데 가장 중요하다. 겨울 캠핑은 야외활동을 제외한 대부분의 시간을 텐트 안에서 보낸다. 따라서 텐트 안에 조리와 휴식할 수 있는 리빙 공간(전실)과 잠을 잘 수 있는 침실 공간이 함께 있어야 한다. 따라서 동계용 텐트는 침실 공간과 리빙 공간이 함께 있는 일체형이 가장 좋다. 일체형 텐트는 전실과 침실이 함께 있으면서, 여럿이 움직여도 불편이 없도록 충분히 큰 것이 좋다. 물론 텐트가 크면 열 손실이 많아 연료비도 그만큼 많이 든다. 그러나 대부분의 시간을 텐트 내에서 보내야 한다면 연료비 보다는 쾌적한 조건이 더 아쉽다.

텐트는 전실과 침실이 분리된 것이 가장 좋다. 그러나 텐트 스타일에 따라 전실과 침실이 분리되지 않은 것도 있다. 대형 티피 텐트가 이에 해당한다. 만약 침실과 거실이 분리되지 않는다면 요리를 하거나 난로를 켰을 때 불편한 부분이 있을 수 있다. 또, 취침 시간 이후의 활동에도 조명 등으로 인한 불편이 있을 수 있다. 다만, 화목난로처럼 연통을 세워야 하는 경우 티피 텐트 스타일이 유용할 수도 있다. 특히, 동계용 티피 텐트는 보온성이 좋은 캔버스 천으로 된 것도 많아 인기가 많다.

거실과 침실이 분리된 리빙셸 텐트가 없는 캠퍼들은 겨울철 캠핑이 불편할 수 있다. 하지만 불편하다고 해서 못할 것까지는 없다. 최근 출시된 돔형 텐트는 크지는 않아도 전실이 대부분 있다. 이 공간에서 조리를 할 수 있다. 그러나 그 밖의 활동은 실내에서 할 수 없다. 따라서 아이가 없는 가족이나 연인에게 적합하다. 다만, 전실 공간이 부족하다고 침실 공간에서 스토브를 이용해 요리하는 경우가 있는데, 이는 아주 위험하다. 절대로 침실 공간에서는 스토브나 화기를 사용하면 안 된다.

● 침낭

텐트와 함께 가장 중요한 겨울 캠핑장비다. 침낭이 좋으면 웬만한 날씨에는 별도로 난방을 하지 않고도 잘 수 있다. 우리나라는 겨울 캠핑에서 텐트 내에 난로를 피우는 게 거의 대세처럼 되어버렸지만, 외국의 경우 난로를 사용하는 일은 거의 없다. 대부분 좋은 침낭을 이용한다. 세계적인 캠핑용품업체 콜맨의 경우 겨울에도 침낭과 따뜻한 물을 넣은 수낭으로 보온할 것을 권장한다.

동계용 침낭은 기본적으로 영하 20도 이상에서 견딜 수 있어야 한다. 그러기 위해서는 오리털을 이용한 충전재를 써야 한다. 동계용 침낭은 보통 필파워 700 이상에 무게가 1,200g 이상 나가는 것을 쓴다. 문제는 비용이다. 제대로 된 동계용 침낭은 가격이 만만치 않다. 이름난 브랜드의 동계용 침낭은 최소 50만원 이상 줘야 한다. 이름 없는 제품들도 30만원 내외는 줘야 한다. 만약 4인 가족이 캠핑을 간다고 하면 침낭 구입하는 비용이 큰 부담이 될 수 있다.

그러나 난로와 전기담요 같은 난방기구를 사용하면 동계용 침낭의 조건이 조금 달라질 수 있다. 난방만 잘 된다면 봄가을에 사용하는 삼계절용 침낭을 이용해도 충분하다. 또 난로가 있는 경우 여름 침낭 2개를 포개서 사용하면 견딜 수 있다. 삼계절용 침낭에 모포를 덮으면 보온력이 훨씬 좋아진다. 따라서 비싼 동계용 침낭을 고집할 게 아니라 난방 스타일에 맞춰 침낭을 선택하는 게 합리적이다.

침낭 스타일은 머리까지 넣을 수 있는 머미Mummy형이 좋다. 우리 몸 가운데 열 손실이 가장 많이 발생하는 곳이 머리다. 따라서 머리까지 따뜻하게 감싸주는 머미형이 필요하다. 겨울에는 침낭 안에서 눈만 내놓고 자야 열 손실을 최소화할 수 있다. 어깨나 머리가 밖으로 나오는 사각침낭은 보온력이 현저히 떨어진다.

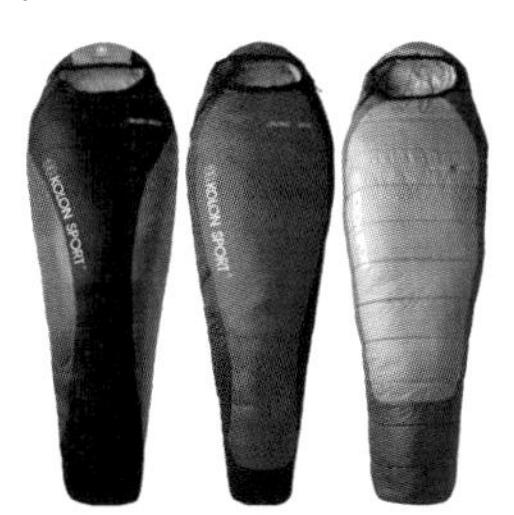

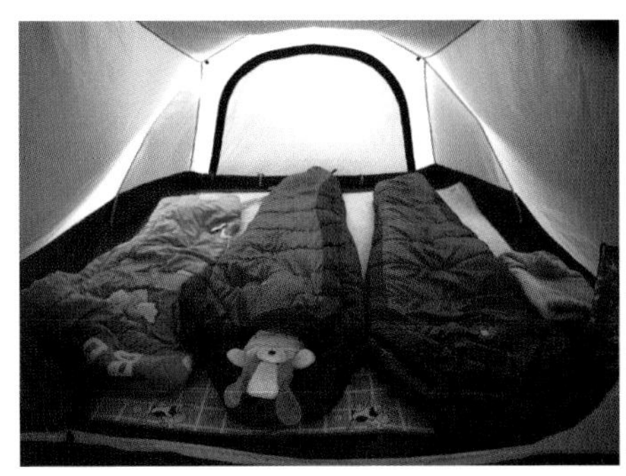

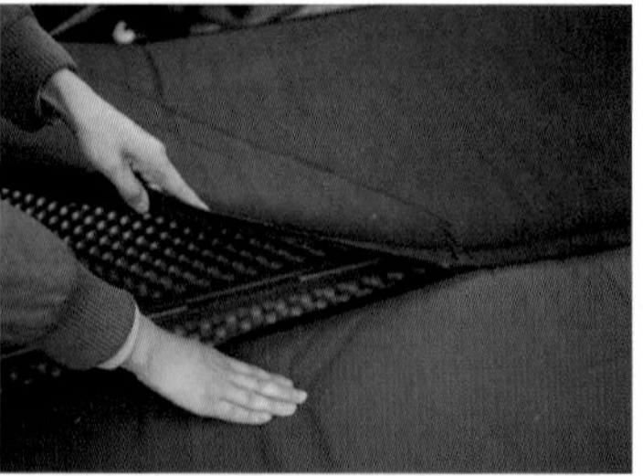

• 이너매트

겨울철에는 바닥을 얼마나 잘 다지는가가 보온의 성패를 좌우한다. 일반적으로 텐트를 치기 전 그라운드시트(풋프린트)를 깐다. 그리고 텐트의 침실 공간에 매트리스를 펴서 난방한다. 이때 매트리스 아래에 이너매트를 한 번 더 깔아주면 보온효과가 높다. 이너매트는 보온효과까지 고려해서 조금 두툼한 편이다. 두께가 있다 보니 보온성은 좋지만 그만큼 부피가 커서 차량에 수납할 때 부담이 된다. 그렇다 해도 따뜻한 잠자리를 원한다면 이너매트가 필수다.

• 야전침대+에어박스

겨울철에는 바닥에서 자는 것보다 야전침대+에어박스로 침실을 만드는 것이 유리하다. 보통 차가운 공기는 아래로, 뜨거운 공기는 위로 간다. 따라서 바닥에서 자면 땅에서 올라오는 냉기에 대류하는 차가운 기운까지 더해져 잠자리가 춥게 느껴질 수 있다. 그래서 많이 선택하는 것이 야전침대+에어박스 조합이다. 야전침대 2개를 적당한 간격을 벌려서 설치한 후 그 위에 에어박스를 올리면 2~4인용까지 침대를 만들 수 있다. 여기서 중요한 것이 에어박스다. 에어박스는 공기를 주입하면 아이들이 위에서 뛰어도 문제가 없을 만큼 튼튼하다. 사이즈도 2인용부터 4인용까지 다양하다. 최근에는 에어박스 자체에 다리가 달린 제품도 출시되고 있다. 다만, 에어박스는 가격이 비싸다는 단점이 있다. 2인용 기준 20만~30만원 선이다. 그래도 텐트에서 난로로 난방할 때는 이 조합이 가장 확실하다.

• 캠핑카&트레일러

어쩌면 겨울 캠핑을 떠나는 캠퍼들이 가장 부러워하는 게 캠핑카 또는 트레일러일 것이다. 캠핑카와 트레일러 모두 난방장치가 되어 있어 겨울 날씨와 무관하게 따뜻하게 지낼 수 있다. 문제는 캠핑카와 트레일러가 아주 고가라는 것이다. 일반 캠퍼들은 그림의 떡에 불과할 수 있다. 하지만, 추위가 걱정이라면 고정식 카라반(트레일러)이 설치된 캠핑장을 이용하는 것도 방법이다. 겨울 캠핑을 자주 가는 게 아니라면 조금 부지런 떨어서 예약하자. 비싼 이용료를 지불하더라도 그게 현명할 수 있다. 캠핑카 대여도 생각해볼 수 있다. 겨울 캠핑은 낭만도 있지만, 실전은 아주 냉혹할 수 있다. 특히, 초보 캠퍼들은 카라반 시설을 이용해 겨울 캠핑을 경험하고 난 뒤 자신이 생겼을 때 본격적으로 겨울캠핑을 시작하는 것도 방법이다.

• 난로

난로의 존재 여부는 겨울 캠핑의 성패를 좌우한다. 텐트는 보온력이 0에 가깝다. 불을 끄는 순간 급격히 식는다. 따라서 잠자리에 들기까지는 난방해야 움츠러들지 않고 활동할 수 있다. 요즘은 잠 자는 시간에도 난로를 켜놓는 캠퍼들이 많다. 일산화가스 중독이나 화재 같은 위험이 도사리고 있지만, 겨울 밤이 춥기 때문에 어쩔 수 없이 난로를 이용한다. 다행히 최근 판매되는 석유난로는 일산화탄소 발생시 자동 소화가 되거나 경보음이 울리도록 되어 있다. 그렇다해도 난로 사용은 항상 주의가 필요하다. 캠핑장에서 사용하는 난로는 연료에 따라 석유, 가스, 화목, 세 가지로 나눌 수 있다.

❶ 석유난로

석유난로는 캠퍼들이 가장 많이 사용하는 난로다. 10여 년 전부터 꾸준히 인기를 끌고 있는 석유난로는 화력이 안정적이고, 상대적으로 덜 위험하다. 특히, 잠 잘 때도 난로 관리가 안정적이다. 난로에 고구마나 감자를 구워 먹을 수 있고, 주전자도 올려 따뜻한 물을 만들 수도 있다. 또 연료통만 있으면 주유소에서 쉽게 연료를 구할 수 있다. 캠핑용 석유난로는 안전펜스와 보관용 파우치 등의 편의장치도 잘 갖춰져 있다. 가격은 10만원 대부터 70만원 대까지 다양하다. 석유난로는 일산화탄소 중독이 가장 위험하다. 특히, 잠잘 때는 환기창을 확실히 열어둔다. 만약을 대비해 경보기가 설치된 제품을 쓰자.

❷ 가스난로

가스난로도 많이 사용한다. 예전에는 '부엉이 1구', '부엉이 2구'처럼 캠퍼들이 즐겨 쓰던 가스난로가 있었다. 가스난로 모양이 커다란 원형으로 생겨서 붙여진 이름이다. 그러나 부엉이 난로는 안전사고 위험이 있어 최근에는 사용하지 않는 추세다. 요즘에는 석유난로와 모양이 비슷한 제품도 많이 출시된다. 다만, 석유 대신 가스를 사용하는 게 다르다. 가스난로는 난로 만큼 연료통도 비싸다. 보통 10kg 가스통이 캠핑용으로 적합하다. 가스용량이 너무 작으면 사용시간이 짧고, 너무 크면 수납에 어려움이 있다.

❸ 화목난로

동계캠핑 경험이 많은 노련한 캠퍼들은 화목난로도 많이 사용한다. 화목난로는 장작을 연료로 사용한다. 화목난로는 다른 난로에 비해 화력이 가장 세다. 또 난로를 이용해 요리도 할 수 있다. 무엇보다 화목난로는 장작을 연료로 해서 캠핑의 낭만과 잘 어울린다. 그러나 단점도 있다. 일단 난로가 무겁다. 연통을 차곡차곡 넣어 난로 안에 수납하면 부피는 크게 줄일 수 있다. 그러나 무게가 상당하다. 설치하기도 까다롭다. 특히, 연통을 세우고, 바람에도 끄떡없도록 고정하는 작업이 만만치 않다. 장작도 많이 든다. 잠을 자다가도 불이 꺼지지 않도록 장작을 넣어 줘야 한다. 이처럼 여러 가지 불편함이 있어 초보들은 꺼린다. 하지만 화목난로가 주는 낭만은 다른 난로와는 차원이 다르다.

❹ 펠렛난로

화목난로의 한 종류다. 화목난로가 장작을 이용한다면 펠렛난로는 톱밥을 잘게 뭉쳐 알갱이로 만든 것을 사용한다. 펠렛은 톱밥을 이용해 만들기 때문에 불이 쉽게 붙고, 연기도 거의 안 난다. 또 연료 자동주입기를 이용하면 화목난로처럼 계속 장작을 넣지 않아도 된다. 난로가 알아서 자동으로 펠렛을 공급한다. 펠렛난로는 모양이 다양하다. 단순히 난방을 목적으로 만든 것도 있지만 조리를 할 수 있도록 디자인된 제품도 많다. 냄비에 국을 끓이거나 프라이팬을 이용해 굽거나 볶음 요리를 할 수 있다. 펠렛난로는 화목난로에 비해 관리나 사용이 편리하다. 그러나 펠렛만 연료로 사용해야 하는 것이 단점이다. 또 펠렛은 캠핑장에서 쉽게 구할 수 없다. 따라서 연료량을 잘 계산해 가져 가야 한다. 보통 20kg 한 포대면 10시간 내외로 사용할 수 있다. 가격대는 10만~80만원까지 다양하다.

난로 사용시 주의점

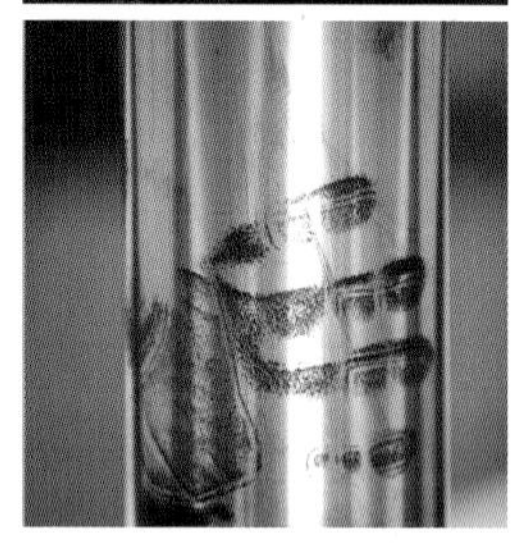

난로를 사용할 때는 항상 안전에 대해 생각해야 한다. 특히, 좁은 텐트 안에서 여럿이 함께 지내다 보면 화상 같은 안전사고가 일어날 확률이 높다. 우선, 아이들이 있다면 항상 안전펜스를 설치해 사용해야 한다. 아이들의 손길이 난로에 직접 닿는 것을 예방하고, 아이들이 실수로 난로를 향해 가도 1차적으로 막아준다.

텐트는 항상 환기창(벤틸레이션)을 열어놔야 한다. 춥다고 모든 창을 닫아버리면 일산화탄소가 발생해도 밖으로 빠져나갈 수가 없다. 해마다 캠핑장에서 질식사고가 발생하는 것도 환기창을 개방하지 않아서다. 따라서 난로를 켤 때는 벤틸레이션 몇 개는 항상 열어놔야 한다. 이는 잠 잘 때도 마찬가지다. 사실, 잠 잘 때는 난로를 끄고 전기장판이나 핫팩 등을 이용하고, 다운 침낭을 사용하는 게 가장 좋다. 그러나 어쩔 수 없이 난로를 사용해야 한다면 잠들기 전에 충분히 안전점검을 하고 사용한다.

연료는 항상 난로와 충분한 거리를 둔 곳에 둬야 한다. 난로가 넘어져 연료에 불이 붙으면 큰 사고로 이어질 수 있다. 화목난로의 연통은 아주 뜨겁다. 무심코 손으로 잡았다가는 화상을 입을 수 있다. 난로에 불이 있으면 절대 만지지 말아야 한다. 나중에 철수할 때도 충분히 식은 다음에 한다. 또 연통이 텐트와 직접 닿지 않도록 한다.

간혹 전기난로를 사용하는 캠퍼도 있는데, 이는 현명치 못하다. 전기난로는 전력소모량이 엄청나다. 반면 난방 효과는 석유나 가스난로에 비하면 많이 부족하다. 특히, 전력 소모가 커 몇 대만 사용해도 캠핑장 전체 전원이 나갈 수도 있다. 이 때문에 대부분의 캠핑장은 전기난로 사용을 불허한다.

• 서큘레이터

난로와 함께 사용하는 게 서큘레이터다. 서큘레이터는 난로의 열기를 텐트 내 멀리 보내주는 역할을 한다. 난로에서 발생한 열은 대류현상에 의해 위로 올라가는 성질이 있다. 그래서 대형 텐트는 난로 열기를 구석까지 전달하려면 서큘레이터가 거의 필수다. 하지만, 텐트가 크지 않으면 서큘레이터가 필요치 않다.

• 스토브

날이 추운 겨울은 연료에 따라 스토브의 화력이 큰 차이를 보인다. 겨울에는 가솔린 스토브가 안정적으로 열을 공급해준다. 압력만 충분히 유지해주면 다른 계절과 큰 차이가 없다. 그러나 가스 스토브는 사정이 다르다. 가스가 기화되면서 얼기 때문에 화력 손실이 많다. 심지어 가스통에 연료가 충분한대도 화력이 약할 때가 있다. 이런 이유로 가스 스토브는 가스통에 지속적으로 열을 가해주는 도구를 이용하기도 한다. 또 가스통을 손으로 감싸거나 뜨거운 물을 부어 화력을 끌어올리기도 한다. 이런 단점에도 불구하고 대부분의 캠퍼들은 겨울에도 가스 스토브를 사용한다. 가장 편리하고 실용적이기 때문이다. 겨울은 스토브 대신 난로를 이용해 조리할 수도 있다. 특히, 펠렛 난로나 화목난로는 화력이 좋아 요리할 때 활용하기 편리하다.

• 핫팩

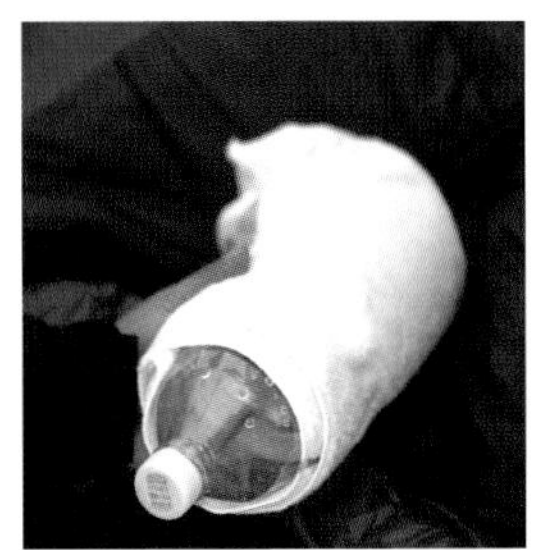

핫팩은 겨울철 몸을 데우는 데 요긴하게 사용한다. 야외활동할 때도, 잠을 잘 때도 사용할 수 있다. 특히, 취침 시 난로를 사용하지 않는다면 핫팩만큼 요긴한 게 없다. 특히, 심장에서 가장 먼 발이 추위를 많이 타는데, 발 밑에 핫팩을 두고 자면 좋다. 핫팩은 1회용을 사용해도 되고, 탕파나 의료용 핫팩을 사용해도 된다. 1.5리터 페트병에 70~80도의 뜨거운 물을 넣은 뒤 수건으로 감싸서 사용하는 것도 방법이다.

● 눈

눈은 낭만적인 겨울 캠핑을 즐길 수 있게 해주기도 하지만 가장 큰 위험요인이기도 하다. 캠핑장에서는 거의 없지만, 눈이 많이 오는 산의 비좁은 협곡에 텐트를 쳤다가 눈사태를 맞는 경우가 종종 발생한다. 따라서 캠핑 사이트는 주변에 가파른 비탈이 없는 너른 터에 잡아야 한다.

폭설도 위험요소다. 20~30cm 이상 눈이 내리면 텐트 바닥이 눈에 잠긴다. 이 때 텐트의 통풍구를 개방해 놓지 않으면 산소 부족으로 질식사고의 원인이 되기도 한다. 따라서 밤에 큰눈이 내린다는 예보가 있다면 수시로 환기 상태를 체크한다.

캠핑장 진입로를 비롯한 도로에 눈이 쌓여 있으면 운전을 조심해야 한다. 눈이 없을 때는 아무 문제가 없던 곳도 눈이 쌓이면 오갈 수 없는 길이 되기도 한다. 가급적 4륜 구동 차량을 이용하는 게 좋고, 체인도 필수로 준비한다.

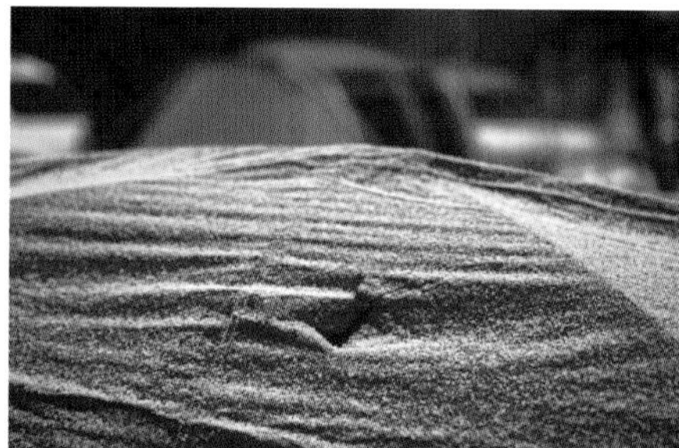

● 불

겨울은 추운 날씨 탓에 불을 많이 사용한다. 또 실내에서 조리를 하거나 불을 다루는 일이 많다. 이처럼 불 사용빈도가 높고, 실내를 활용하기 때문에 화상 사고가 발생할 가능성이 높다. 따라서 겨울은 캠핑을 마치는 순간까지 신경 써서 불을 관리해야 한다.
실내에서 모닥불을 피우는 일은 절대 금물이다. 추운 날에는 그런 유혹을 뿌리치기 어렵지만, 그래도 참아야 한다. 모닥불을 피우려면 텐트 밖에서 한다. 만약 장작이 다 타서 알불이 되었다면 그 때 조심스럽게 들일 수는 있다. 음식을 조리할 때도 화상을 입지 않도록 주의한다. 코펠이나 바비큐 그릴 등 뜨거운 것을 만질 때는 꼭 장갑을 낀다. 특히, 추위에 손이 곱으면 마음대로 움직여지지 않는다. 이럴 때 음식물이 든 코펠이나 난로 등을 잘못 다루다 화상을 입을 수 있다. 난로와 랜턴 등 화재와 관련된 제품은 잠들기 전에 완벽하게 소등한다. 특히, 장작불은 꺼진 듯하다가도 바람의 영향으로 다시 살아나는 경우가 있어 완벽하게 꺼야 한다. 텐트 안에 난로를 켜놓고 자면 산소가 부족해 질식사의 원인이 되기도 한다. 항상 통풍구를 열고, 가스 누출 경보기를 켜놓는다.

● 바람

바람은 겨울 캠핑의 강력한 적이다. 특히, 텐트가 대형화되면서 바람의 영향을 더 많이 받는다. 텐트 체고가 높고 면적이 넓기 때문이다. 강풍의 영향은 상상이상이다. 텐트는 강풍이 불 때는 부서질 듯 흔들린다. 심하면 폴이 부러지거나 팩이 뽑히면서 텐트가 무너질 수 있다. 생각하기조차 싫은 끔찍한 상황이 발생하는 것이다.
바람이 많이 부는 날 텐트를 칠 때는 숲이나 취사장 등 바람막이를 해줄 수 있는 곳에 친다. 또 대형 팩을 이용해 텐트와 플라이를 단단하게 박아준다. 플라이와 텐트에 달린 스트링도 최대한 팽팽하게 당겨줘 바람의 공격을 막아낼 수 있도록 한다. 만약 주변에 눈이 있다면 바닥과 만나는 부분의 플라이를 눈으로 빙 둘러가면서 덮어준다.

겨울철 캠핑장 선택 요령

겨울은 캠핑장 선택이 신의 한수가 된다. 어떤 캠핑장으로 갔는가에 따라 캠핑의 만족도가 확 달라진다. 물론, 캠핑 스타일에 따라 캠핑장 선택 기준은 달라질 수 있다. 그러나 일반적으로는 편의시설이 잘 갖춰진 곳을 선호한다. 완벽한 장비와 경험으로 무장한 캠퍼들은 편의시설이 없더라도 눈 맞을 확률이 높은 곳을 선택하기도 한다.

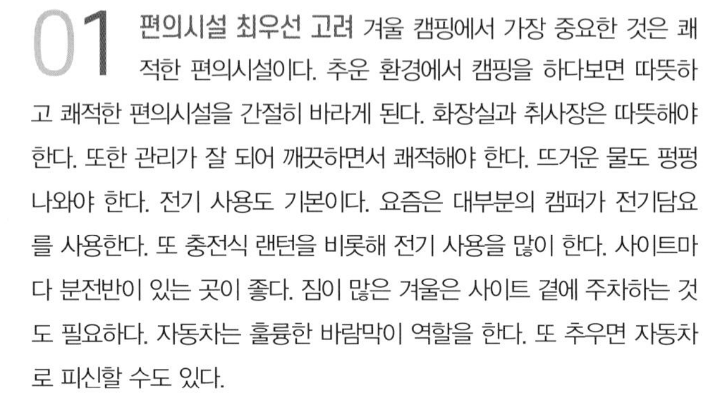

01 편의시설 최우선 고려 겨울 캠핑에서 가장 중요한 것은 쾌적한 편의시설이다. 추운 환경에서 캠핑을 하다보면 따뜻하고 쾌적한 편의시설을 간절히 바라게 된다. 화장실과 취사장은 따뜻해야 한다. 또한 관리가 잘 되어 깨끗하면서 쾌적해야 한다. 뜨거운 물도 펑펑 나와야 한다. 전기 사용도 기본이다. 요즘은 대부분의 캠퍼가 전기담요를 사용한다. 또 충전식 랜턴을 비롯해 전기 사용을 많이 한다. 사이트마다 분전반이 있는 곳이 좋다. 짐이 많은 겨울은 사이트 곁에 주차하는 것도 필요하다. 자동차는 훌륭한 바람막이 역할을 한다. 또 추우면 자동차로 피신할 수도 있다.

02 집에서 가까운 캠핑장이 최고 겨울철 캠핑은 집에서 가까운 곳일수록 좋다. 해가 짧은 겨울에는 먼 거리의 캠핑장을 이용하면 불편한 게 많다. 겨울은 여름철에 비해 캠핑장비도 많고, 사이트를 구축하거나 철수하는 데도 시간이 더 오래 걸린다. 이런 점을 고려하면 집에서 2시간 이내 거리의 캠핑장이 적당하다. 또 겨울 캠핑은 준비가 많은 만큼 2박 이상 하는 게 본전 생각이 들지 않는다. 1박만 하고 오면 정말 바쁘다. 캠핑장 진출입로도 험하지 않은 곳이어야 한다. 눈이 오거나 빙판이 되어 차량 통행이 어려운 곳은 일단 피한다.

03 캠퍼가 많은 곳이 좋다! 여름에는 조용한 캠핑장을 선호한다. 캠퍼가 적으면 적을수록 좋다! 그러나 겨울은 다르다. 캠퍼가 많아야 캠핑하는 분위기가 난다. 캠핑장에 텐트가 없으면 썰렁하고 을씨년스럽다. 겨울에는 대부분 텐트 내에서 생활하기 때문에 타 캠퍼들과 부딪힐 일이 거의 없다. 오히려 겨울에 캠핑을 함께 한다는 동지감(?) 같은 게 생겨 더 친밀감을 느낀다. 또 캠퍼가 많은 곳은 대부분 편의시설도 잘 갖춰져 있다.

04 가급적 바닷가 캠핑장은 피하라

겨울 캠핑에서 가장 무서운 것은 바람이다. 겨울은 기본적으로 바람이 많이 불지만, 예고 없는 돌풍도 많이 분다. 바람이 얼마나 무서운지는 경험해본 캠퍼들은 안다. 특히, 바닷가는 특성상 바람이 많다. 솔밭에 텐트를 쳐도 바람의 영향을 받을 수 있다. 따라서 겨울에는 바닷가에서 캠핑하는 것은 피하는 게 좋다. 내륙이라 하더라도 너무 탁 트인 곳보다는 바람을 막아줄 지형지물이 있는 아늑한 공간이 있는 캠핑장이 좋다.

05 사이트 선택은 여름과 반대로!

겨울철은 사이트 선택도 중요하다. 여름철은 그늘이 많고, 계곡에 가깝고, 나무가 있는 곳을 선호한다. 겨울철은 오히려 반대다. 햇볕이 잘 드는 곳이 좋다. 무엇보다 바람이 없거나 바람막이가 있는 곳이 좋다. 화장실과 취사장은 가까울수록 좋다. 무엇보다 바닥 선택이 중요하다. 맨땅은 절대 피해야 한다. 텐트를 친 곳은 얼었던 땅이 녹으면서 질퍽거린다. 텐트 바닥에 달라 붙은 흙이 얼어버리면 최악이다. 겨울에 가장 좋은 곳은 데크다. 그 다음 파쇄석, 잔디 순으로 고려한다.

06 겨울에는 남쪽으로 남쪽으로!

우리나라는 작다. 그래도 지역에 따라 기온이 많이 차이 난다. 강원도 내륙이 영하 10도를 오르내릴 때도 남쪽은 기온이 영상에 머무는 경우가 많다. 특히, 남해안권은 특별한 경우가 아니면 한겨울에도 기온이 영상권에 머문다. 따라서 2박 이상 캠핑을 가려면 남쪽 멀리 내려가는 것도 좋은 선택이다. 극한체험을 할 게 아니라면 일부러 추운 곳으로 갈 필요는 없다.

3대가 덕을 쌓아야 한다는 눈 맞이 캠핑

캠퍼라면 누구나 눈이 오는 날 캠핑하기를 소망한다. 텐트 위로 사그락사그락 떨어지는 눈은 감동 그 자체다. 그러나 일기예보에 맞춰 떠나지 않는 이상 눈 맞이 캠핑하기가 쉽지 않다. 오죽하면 3대가 덕을 쌓아야 한다고 할까! 그래도 눈을 맞기 위한 노력은 해봐야 한다.

우리나라는 눈이 내리는 시기가 지역에 따라 조금씩 다르다. 12월부터 1월 말까지는 서해안에 폭설이 자주 내린다. 이때는 서쪽에서 남동풍이 불어 서해의 습한 기운이 눈이 되어 내린다. 반면, 동해안은 2월 중순을 넘겨야 큰 눈이 내린다. 이때는 북동풍을 타고 온 동해의 습한 기운이 백두대간에 부딪혀 눈으로 내린다. 따라서 눈 맞이 캠핑을 하고 싶다면 우선 시기를 고려해 캠핑 대상지를 선택하자.

따뜻한 잠자리 만들기

겨울 캠핑에서 가장 신경 써야 할 것이 잠자리다. 불을 피우고 활동하는 낮에는 추위를 이겨낼 다양한 방법이 있다. 그러나 잠을 자는 밤에는 다르다. 따뜻한 잠자리를 만들지 못하면 고생한다. 일단, 바닥에서 냉기 올라오는 게 느껴진다면 고통스러운 밤이 예정된 것이다. 따라서 따뜻한 잠자리를 만드는 게 중요하다. 매트와 담요, 전기장판을 활용해 보온효과를 극대화 시켜야 한다. 잠자리 형태는 바닥형과 에어매트를 이용한 침대형 두 가지가 있다.

• 바닥형 잠자리

가장 일반적인 잠자리다. 그러나 다른 계절 보다 바닥 공사를 아주 잘해야 한다. 밑에서 올라오는 냉기를 최대한 차단해야 고생하지 않는다. 또한, 쿠션도 적당히 있어 뒤척거려도 불편하지 않아야 한다.
먼저 텐트를 설치하기 전에 그라운드시트를 깔아준다. 넓은 비닐이나 방수포를 깔아도 된다. 그런 다음 그 위에 텐트를 친다. 다음으로 은박매트나 이너 매트를 깔아준다. 이렇게 하면 실내외 기온 차이로 발생하는 결로현상으로 인해 침낭이나 담요가 젖는 것을 막아준다. 이너매트를 깔고 난 뒤 다시 매트리스를 깐다. 이 정도만 돼도 바닥의 냉기는 웬만큼 차단된다. 만약 전기를 사용할 수 있다면 전기장판을 깔아주는 게 최고다. 전기장판은 그 자체로 냉기를 차단하는 역할도 하고 열을 발생시켜 따뜻하게 해준다. 전기장판을 사용할 때는 그 위에 모포를 덮어주어야 보온효과를 극대화시킬 수 있다.
마무리는 침낭으로 한다. 바닥 공사를 마치고 나면 침낭을 고르게 펴놓는다. 잠 잘 때 몸만 쏙 들어갈 수 있게 한다. 핫팩은 잠들기 전에 준비해야 밤새도록 지속된다.

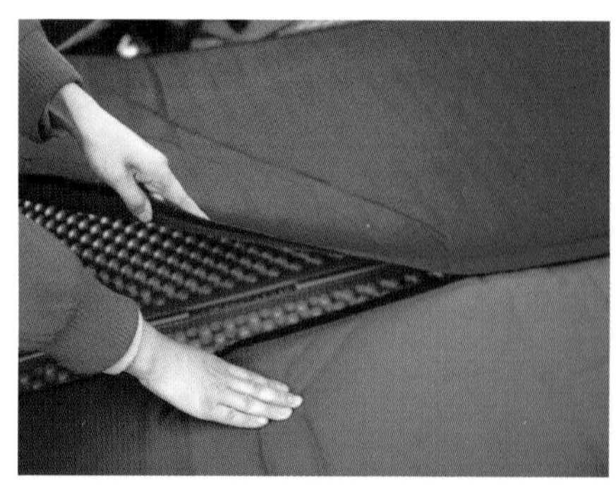

• 침대형 잠자리

침대형 잠자리는 바닥에 잠자리를 만드는 것보다 훨씬 쾌적하다. 차가운 공기는 아래로, 더운 공기는 위로 순환한다. 따라서 바닥에 잠자리를 만들면 잠자는 내내 텐트 어딘가에서 들어온 차가운 공기의 영향을 받는다. 반면 야전침대를 이용해 침대형으로 잠자리를 만들면 상대적으로 차가운 공기의 영향을 덜 받는다. 특히, 잠을 잘 때 난로를 이용한 난방을 하면 침대형 잠자리는 가장 아늑한 침실이 된다. 침대형 잠자리는 이너 텐트를 치지 않거나 리빙셸만 이용해 만드는 게 공간활용에 유리하다.

침대형 잠자리는 야전침대만 활용하는 방법과 야전침대를 받침대 삼아 그 위에 에어박스라 부르는 단단한 매트를 까는 두 가지 방법이 있다. 야전침대를 이용하는 것은 간단하다. 야전침대 위에 매트리스와 1인용 전기장판을 깔면 끝이다. 하지만 간단한 만큼 불편하다. 또 캠핑 인원이 3인 이상이면 일일이 야전침대를 마련하는 것도 부담이다. 그래서 아이가 있는 캠퍼들은 에어박스를 활용해 침대를 만든다.

에어박스는 공기를 주입하면 나무처럼 단단해진다. 야전침대 두 대를 설치하고, 그 위에 에어박스를 올린다. 에어박스는 2인용부터 4인용까지 다양한 사이즈가 있다. 가족 수에 맞춰 구매하면 된다. 에어박스 위에 전기장판을 깔아주면 가장 확실하면서 아늑한 잠자리가 된다. 그러나 에어박스는 가격이 비싸다. 크기와 두께에 따라 다르며 보통 25만~35만원쯤 한다. 또 부피가 크기 때문에 수납에 대한 부담도 따른다.

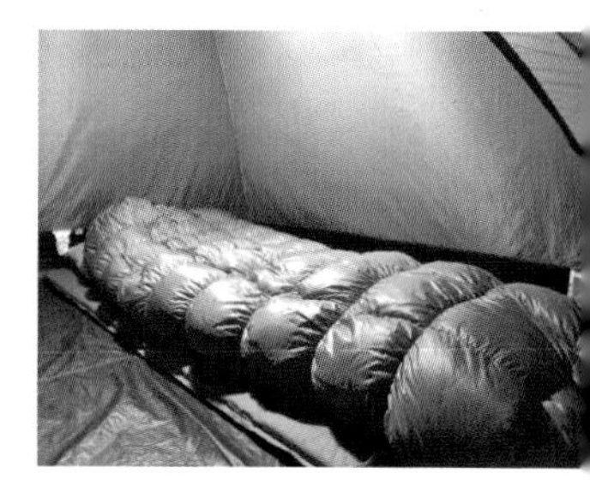

겨울 캠핑요리

겨울 캠핑의 가장 큰 즐거움은 먹는 것이다. 겨울은 텐트 안에서 지내는 시간이 많아 자연스럽게 먹는 것이 가장 중요한 하루 일과가 된다. 그래서 다양한 먹을거리를 준비해 가야 한다. 몸을 따뜻하게 해주는 국이나 탕과 함께, 다양한 종류의 바비큐도 준비한다. 또 심심할 때마다 먹을 수 있는 간식거리도 충분히 가져간다. 겨울은 캠핑장에서 음식 재료 손질이나 설거지 등이 만만치 않다. 출발 전부터 깔끔하게 준비해 가는 게 좋다.

• 탕&국

겨울 캠핑요리에서 가장 중요한 것은 탕이나 국이다. 추운 날씨에 대비해 몸을 뜨겁게 덥혀줄 수 있는 국물 요리를 넉넉하게 준비한다. 국이나 탕은 한 번에 넉넉하게 만들어서 저녁과 아침에 먹을 수 있도록 하는 게 손이 덜 간다. 점심은 칼국수나 라면, 우동처럼 면 요리를 해 먹으면 좋다. 시간을 보내며 만드는 재미를 느끼려면 수제비도 강추다. 조개나 홍합탕 같은 것은 항상 옳다. 단, 너무 기름진 것은 피한다. 식기와 코펠을 닦는 게 불편하다. 깔끔하게 마무리할 수 있는 재료가 좋다.

• 바비큐

바비큐는 캠핑요리의 꽃이다. 당연히 겨울 캠핑에도 빼놓지 말아야 할 필수 요리다. 특히, 겨울철은 난방을 위해 온종일 난로를 가동하기 때문에 기본적으로 열원이 준비되어 있다. 여기서 고려할 것은 난로의 종류다. 석유난로는 바비큐가 제한적이다. 국이나 탕을 데우거나 고구마나 가래떡 같은 간식을 구워 먹는 정도다. 반면 화목난로나 펠렛난로는 스킬렛이나 그리들을 이용한 다양한 요리를 시도해볼 수 있다. 그러나 훈제나 직화 같은 본격적인 바비큐는 화로나 그릴을 이용해야 한다. 겨울철에는 석화, 조개 같은 해산물 바비큐도 좋다. 또 샤슬릭 같은 꼬치 요리나 시간이 오래 걸리는 훈제요리도 좋다. 겨울 캠핑은 요리하며 이야기 나누고 시간 보내는 재미가 있다.

• 간식

간식은 겨울 캠핑의 꽃이다. 난로가 있어 간단하게 구워 먹을 수 있는 간식을 다양하게 준비하면 좋다. 고구마나 감자는 가장 무난한 간식이다. 난로에 올려 구워놓으면 생각날 때마다 하나씩 까먹는 재미가 있다. 가래떡도 아주 훌륭한 간식이다. 난로나 화로 모두에서 간단하게 구워 먹을 수 있다. 밤이나 은행도 좋다. 단, 밤을 구울 때는 미리 칼자국을 내야 터지지 않는다. 은행도 마찬가지다. 아이들과 재미있게 놀고 싶다면 마시멜로를 구워 보자. 소시지나 어묵도 심심풀이로 즐길 수 있는 군것질 거리다.

• 요리재료 준비

겨울 캠핑은 요리재료를 집에서 다 손질해가는 게 좋다. 캠핑장에서 요리재료를 따로 씻지 않고 바로 조리할 수 있는 상태로 가지고 가야 고생을 덜 한다. 따뜻한 물이 나온다고 해도 캠핑장에서 설거지하는 것은 아주 피곤하고 성가시다. 양파, 마늘, 고추, 파 등 조리에 필요한 양념은 깔끔하게 손질해 담아간다. 바비큐와 탕&국은 한 번에 탁 털어서 조리할 수 있게 포장해 가면 금상첨화다. 최근에는 품질 좋은 즉석식품도 많아 적절히 활용하는 것도 방법이다. 훈제는 미리 집에서 양념에 재워 숙성시켜간다. 어쨌든 겨울은 손이 덜 가도록 집에서 재료를 준비해 간다.

• 설거지

겨울은 따뜻한 물이 나오는 취사장이 꼭 필요하다. 그렇지 않으면 설거지가 아주 힘들다. 설거지도 고되지만, 설거지통을 들고 오가는 것도 여간 귀찮은 것이 아니다. 그래서 되도록 설거지가 안 나오게 하는 지혜가 필요하다. 겨울에는 텐트 안에서 설거지통을 이용해 간단하게 설거지를 하는 것도 좋은 방법이다. 코펠에 데운 물을 설거지통에 담아 식기나 수저 등을 씻는다. 이때 식기나 수저 같은 설거지 거리는 키친타월로 먼저 깨끗하게 닦은 다음 설거지를 하는 게 요령! 그러면 적은 물로 많은 설거지를 할 수 있다. 기름진 요리를 하지 않는 것도 설거지를 쉽게 한다. 음식을 깔끔하게 비우는 것은 설거지를 줄이는 가장 좋은 방법이다.

• 눈이나 얼음으로 식수 만들기

일반 캠핑장에서는 그럴 일이 거의 없지만, 오지나 노지 캠핑을 하면 식수를 구할 수 없을 때가 있다. 이때 주변에 눈이나 얼음이 있다면 응급처치로 활용할 수 있다. 바위나 맑은 계곡에서 구한 고드름이나 얼음을 코펠에 담아 녹이면 식수대용이 된다. 또, 위스키나 독한 술은 고드름을 넣어 차갑게 마시면 별미다. 백패킹을 할 때 부족한 식수는 눈으로 만들 수 있다. 코펠에 눈을 담아 스토브로 가열하면 물을 만들 수 있다. 그러나 눈을 녹여도 생각만큼 많은 물이 만들어지지 않는다. 코펠 절반쯤의 물을 얻으려면 적어도 3~4회는 가득 눈을 퍼담아야 한다. 또 눈은 깨끗해 보여도 불순물이 많다. 눈이 다 녹으면 거름망을 이용해 불순물을 걸러낸 후 식수로 활용한다.

• 음식물의 보관

겨울 캠핑은 음식물과 물의 보관도 신경 써야 한다. 물이나 음식 재료를 무심코 텐트 밖에 두면 꽁꽁 얼어버린다. 물이 얼어버리면 당장 마실 물이 없다. 또 물을 녹이려면 많은 수고가 따른다. 음식 재료도 마찬가지다. 항상 텐트 안에 갈무리를 잘해야 얼지 않는다. 가장 좋은 방법은 물과 음식 재료를 아이스박스에 넣어 두는 것이다. 아이스박스가 꽉 찼다면 텐트 안에 얼지 않는 공간에 둔다.

겨울 캠핑 ABC

• 경험을 축적하라

경험만큼 확실한 도움을 주는 것은 없다. 만약 첫 캠핑을 겨울에 떠났다고 가정해보자. 초보 캠퍼이니 20분이면 칠 수 있는 텐트를 1시간 넘게 주무르고 있을 것이다. 그런 사이 아빠가 텐트 치기를 기다리는 가족들은 손발이 꽁꽁 언 채 추위에 시달리고 있을 것이다. 그때부터 캠핑은 고난의 연속이 된다. 따라서 겨울에 캠핑을 시작하는 것은 처음부터 잘못된 것이다. 겨울 캠핑을 하려면 봄가을로 캠핑을 다니면서 캠핑에 대한 풍부한 경험을 축적해야 한다. 또한 캠핑 사이트 꾸미기에서 난방에 이르기까지 고수들의 경험을 습득해 체화시켜야 한다.

• 장비가 반이다

추위를 이기는 것은 장비의 몫이다. 어떤 장비를 가지고 있는가에 따라 추위를 이길 수 있는지, 혹은 덜덜 떨며 지내야 하는지가 결정되므로 장비는 완벽하게 준비해야 한다. 이를테면 잠자리는 전기장판은 물론 침낭도 충분히 준비해야 한다. 혹시 전기를 사용할 수 없을 지도 모르기 때문이다. 화로나 난로를 이용한 난방도 충분히 준비를 해야 한다.

• 함께 도전하라

겨울 캠핑은 사이트 구축에서 철수까지의 과정이 여름에 비교해 곱절로 힘이 든다. 따라서 모든 것을 혼자 해결하려는 자세는 바람직하지 않다. 주변의 캠퍼와 함께 캠핑을 가는 게 힘을 덜 수 있는 좋은 방법이다. 특히, 겨울은 타 계절에 비해 준비물이 많은 만큼 서로 나눠서 준비하는 지혜도 필요하다. 함께 캠핑을 하는 사람이 있으면 비상 상황이 벌어졌을 때 서로 의지가 된다.

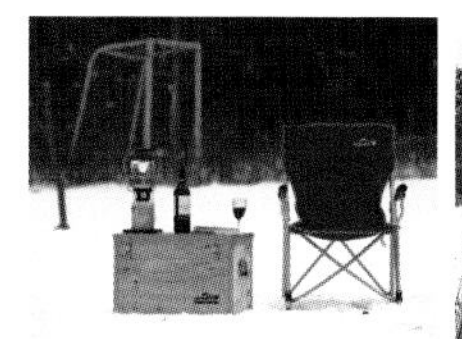

• 짐을 최소화시켜라

겨울 캠핑 시 아무리 많이 준비해도 부족하지 않은 것이 난방장비다. 그러나 다른 장비는 과감히 부피를 줄이는 게 좋다. 이를테면 사각타프나 여분의 테이블 등은 빼도 좋다. 불필요한 장비는 수납도 어렵고, 캠핑장에서의 활용도도 떨어진다.

• 과음은 금물이다

날이 추울수록 텐트 안에서 생활하는 시간이 많아진다. 활동성이 떨어지는 대신 음주에 대한 관심이 높아진다. 그러나 겨울 캠핑 시 적당량 이상의 음주는 금물이다. 술에 취하면 안전사고로 이어질 수 있다. 실내에 있는 난로나 스토브 등을 잘못 다뤄 화상을 입을 수 있다. 또 겨울은 잠들기 전에 해야할 일이 많다. 불 정리나 난로 관리, 환기, 텐트 점검 등을 해야 하지만, 과음을 하게 되면 이런 일에 소홀하게 된다. 또, 알코올은 체내의 열을 빼앗아가기 때문에 동사의 원인이 될 수 있다. 적당량 이상의 음주는 금물이다.

• 야외활동에 대한 계획을 세워라

춥다고 리빙셸 안에서만 지내면 답답하다. 움직이지 않으면 더 추워진다. 따라서 적극적인 야외활동을 통해 추위를 극복하려는 마음이 필요하다. 이를 테면 걷기, 썰매타기, 눈사람 만들기, 장작 패기, 재기차기 등 다양한 놀이를 통해 몸을 지속적으로 움직일 수 있게 한다.

CHAPTER 5

투어링 캠핑

 TOURING CAMPING

우리나라 오토캠핑 문화는 캠핑장에 머물며 쉬는 스타일이다. 그러나 캠핑장 한 곳을 정해 그곳에만 머물면서 캠핑하라는 법은 없다. 캠핑하면서 여행하는 것도 얼마든지 가능하다. 캠핑장비를 간소화하거나 여행 스타일에 맞춰 최적화시키면 전혀 다른 캠핑의 세계를 경험할 수 있다. 이것을 투어링 캠핑이라 부른다.

최근 큰 인기를 끌고 있는 차박 캠핑도 투어링 캠핑 가운데 하나다. 해외여행 경험이 많은 이들은 렌터카를 빌려 캠핑하면서 여행을 하기도 한다. 또 배낭 하나에 모든 캠핑장비를 넣고 다니는 백패킹, 자전거에 캠핑장비를 싣고 미지의 세계로 떠나는 자전거여행도 투어링 캠핑의 새로운 장르다. 특히, 한국의 캠퍼들은 제주도 캠핑 여행에 대한 로망이 있다. 목포나 완도에서 카페리에 차를 싣고 가 제주의 속살을 누비며 하는 캠핑은 낭만 그 자체다. 이처럼 투어링 캠핑과 좀 더 쾌적한 여행에 대한 욕망이 높아지면서 캠핑카나 캠핑 트레일러에 대한 관심도 뜨겁다. 투어링 캠핑의 세계를 알아보자.

차박 캠핑

TOURING CAMPING

코로나 19 이후 가장 뜨거운 아웃도어 이슈 가운데 하나가 차박 캠핑이다. 차박 캠핑은 차에서 잠을 자면서 하는 캠핑을 말한다. 이전까지 차는 캠핑장비를 실어나르는 역할만 했다. 잠은 텐트에서 자는 것이 기본이었다. 그러나 차박 캠핑은 잠도 텐트가 아니라 차에서 잔다. 차에서 잠을 자기 때문에 캠핑장비도 최소화되고, 한 자리에 머물지 않고 자유롭게 이동하면서 캠핑할 수 있다. 특히, 차박 캠핑은 코로나 19 여파로 비대면 여행을 선호하면서 타 캠퍼들과의 접촉을 최소화할 수 있는 캠핑의 방식으로 각광 받고 있다. 이처럼 차박 캠핑이 인기를 끌자 상대적으로 실내공간이 넓은 대형 SUV 차량이 인기를 끌고, 차박 캠핑에 필요한 전용 장비도 불티나게 팔리고 있다.

차박 캠핑이 국내에 소개된 것은 얼마 되지 않는다. 그러나 북미나 유럽의 경우 차박 캠핑의 역사가 깊다. 캠핑카나 캠핑 트레일러를 이용하지 않더라도 자차를 이용한 캠핑의 방식이 일상적이다. 따라서 차박 캠핑 노하우를 익히면 렌터카를 이용한 해외여행도 캠핑으로 즐길 수 있다.

순수 차박 VS 텐트 차박

차박 캠핑은 어떻게 하느냐에 따라 순수 차박과 텐트 차박으로 나눌 수 있다. 순수 차박은 말 그대로 차량만을 이용해 캠핑하는 것이다. 차량의 시트를 정리한 후 그 위에 매트리스를 깔고 침대를 만든다. 잠도 차에서 자고, 먹는 것도 차에서 한다. 음식은 조리하기 보다 즉석식품으로 간단하게 해결한다. 보통 1~2인의 단출한 규모로 즐긴다.

텐트 차박은 차와 연결용 텐트를 결합시켜 만든다. 차에서 잠을 자고, 먹고 노는 것은 텐트에서 한다. 보통 아이가 있는 가족이 즐겨 이용한다. 또 음식을 조리해 먹으면서 일반 오토캠핑과 같은 규모의 장비와 스타일로 즐긴다. 순수 차박은 차에서 모든 것을 해결하기 때문에 장비가 간단하다. 또한, 차량 시동만 걸면 어디든 갈 수 있다. 반면, 텐트 차박은 일반 오토캠핑과 큰 차이가 없다. 보통 돌아올 때까지 한 자리에 머무는 경향이 있다.

TIP

차박 캠핑용 차량

어떤 차량을 이용할 수 있을까? 우선 승용차는 어렵다. 트렁크가 분리되어 있어 잠자리를 만들 수가 없다. 억지로 구겨서 잠을 잘 수 있지만, 너무 불편하다. 경차라 하더라도 시트를 완전히 눕힐 수 있는 풀 플랫(Full Flat)이 가능한 차량이어야 한다. 승용차 가운데 해치백 스타일까지는 차박 캠핑을 할 수 있다. SUV는 가장 인기가 높다. 최근에 출시된 SUV는 소형부터 대형까지 대부분 풀 플랫이 가능하다. 그래도 거주성이 가장 좋은 대형 SUV 수요가 높다. 스타렉스나 카니발 같은 승합차는 금상첨화다. 대형 SUV 차량보다도 거주성이 더 좋다. 자녀가 있는 경우도 사용할 수 있다. 다만, 승합차는 데일리카로 쓰기에는 조금 부담스러운 부분이 있다. 따라서 차박 캠핑과 일상용, 두 마리 토끼를 다 잡는 것은 SUV라 할 수 있다.

차박 캠핑 장비

차박 캠핑이 큰 인기를 끌면서 차박 캠핑용 장비들도 다양해지고 있다. 인터넷에는 전용 쇼핑몰도 많다. 차박 전용 모기장부터 차량과 결합해 사용할 수 있는 텐트, 한겨울에도 전기장판을 사용할 수 있게 안정적으로 전기를 공급하는 파워뱅크까지 다양한 제품들이 있다. 차박 캠핑 장비는 자신의 차박 캠핑 스타일에 맞춰 필요한 장비를 구매하면 된다. 그러나 침낭이나 스토브, LED 랜턴 등 기존에 사용하던 캠핑장비도 활용할 수 있어 중복투자가 되지 않도록 한다. 특히, 침낭의 경우 이불이나 담요를 써도 좋으니 일부러 사지는 말자.

• 모기장

여름철 차박 캠핑을 할 때 필요하다. 여름에는 창문을 열어놓고 잠을 자는 경우가 많은데, 모기를 예방하려면 차박용 모기장이 필수다. 차박용 모기장은 창문에 씌우는 것과 썬루프에 장착하는 두 가지 버전이 있다. 어떤 버전이든 간단하게 장착할 수 있으며, 가격도 저렴하다. 항시 구비해서 사용한다.

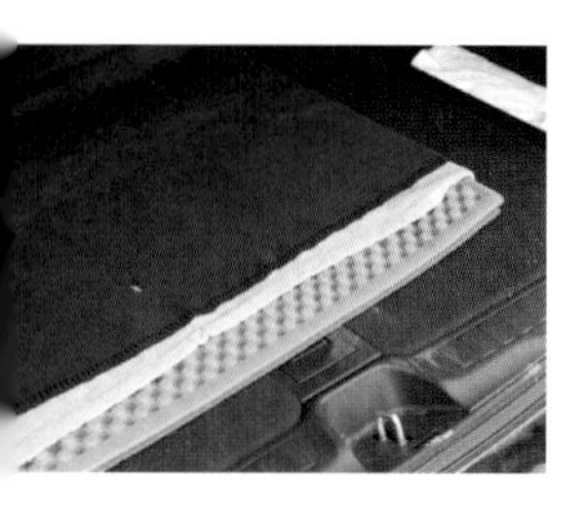

• 매트

풀 플랫으로 시트 평탄화 작업을 했다면 그 위에 매트리스를 깔아야 한다. 그래야 쾌적하고 적당한 쿠션 효과가 있다. 매트리스는 오토캠핑에서 쓰는 자충식 매트나 1인, 혹은 2~3인용 매트를 사용해도 된다. 최근에는 차량에 따라 풀 플랫을 했을 때 딱 맞게 만들어진 매트가 출시되기도 한다. 특히, 차량용 놀이방 매트는 차량 2열의 레그룸까지 확실하게 덮어주기 때문에 공간을 최대한 활용할 수 있어 인기가 높다. 그러나 캠핑용 매트가 있다면 별도로 구매할 필요는 없다.

• 침낭

차 안은 텐트보다 보온이 잘 된다. 또 자다가 추우면 시동 켜고 히터를 틀면 된다. 따라서 고가의 침낭이 필요치 않는다. 만약, 기존에 쓰던 침낭이 있으면 그걸 활용하면 된다. 일반 캠핑과 달리 타인의 시선을 의식할 필요도 없다. 침낭 대신 담요나 이불을 활용해도 된다. 침낭보다 오히려 담요나 이불이 더 쾌적할 수 있다.

• 텐트

아이가 있거나 3인 이상이라면 순수 차박 캠핑은 불가능하다. 차량과 연결해 사용할 수 있는 텐트가 필요하다. 차량 연결용 텐트는 보통 차량 트렁크와 결합 되게 설치하는 스타일이 많다. 차량 지붕에 설치하는 루프탑 텐트를 이용하기도 한다. 텐트 대신 차량과 결합해 거주공간을 확보하는 타프형 스타일도 다양하게 출시되어 있다. 따라서 자신이 원하는 스타일과 필요한 공간에 맞는 것을 선택하면 된다. 기존에 있던 텐트도 방법만 잘 연구하면 차와 연결해서 사용할 수 있다. 또 사각이나 헥사타프도 칠 수 있는 공간이 충분하고 지혜를 짜내면 활용할 수 있다. 즉, 무조건 차박 캠핑용 텐트를 사려고 하지 말고, 기존의 장비를 최대한 활용할 수 있는 방법을 모색해 보는 게 좋다.

• 테이블

차박 캠핑을 한다고 해도 테이블은 필요하다. 간단하게 식사를 하거나 커피를 마실 때도 테이블은 필요하다. 차 내에서 사용하는 테이블은 적은 게 좋다. 보조 테이블로 사용하는 정도면 충분하다. 여기에 테이블보를 씌우면 근사해진다. 테이블은 차 밖에서 지낼 때도 필요하다.

• 의자

차박 캠핑이라고 해서 의자가 필요 없는 것은 아니다. 잠 잘 때를 제외하면 대부분의 시간은 차 밖에서 보낸다. 이때 편하게 쉴 수 있는 의자는 절대적으로 필요하다. 의자는 최대한 편하게 쉴 수 있는 릴랙스 스타일이 좋다. 차가 아무리 커도 성인이 생활하는 데는 불편이 따른다. 따라서 의자는 최대한 편하게 쉴 수 있는 게 좋다. 다만, 순수 차박이라면 수납에 대한 고민도 해야 한다.

• 실내등

차박 캠핑에서는 전기 충전식 랜턴이 꼭 필요하다. 오토캠핑은 가솔린이나 가스 랜턴을 사용해도 무방하다. 하지만 차량 내부에서 이런 랜턴을 사용하면 화재나 화상 위험이 높다. 따라서 차 내에서는 건전지나 전기 충전식 랜턴을 사용해야 한다. 충전식 랜턴은 밝기와 모양이 아주 다양한 제품이 있다.

• 파워뱅크

봄부터 가을까지는 특별한 보온 장비 없이 차박 캠핑을 할 수 있다. 그러나 겨울은 다르다. 텐트나 차 안이나 춥기는 매한가지다. 그러나 차에 시동을 켜 놓고 자는 것은 너무 위험하다. 전기장판이나 히터를 사용해 실내를 덥혀야 한다. 이때 필요한 것이 파워뱅크다. 파워뱅크는 대용량 배터리라고 생각하면 쉽다. 이게 있어야 전기장판이나 무시동 히터 같은 전원을 필요로 하는 가전제품을 쓸 수 있다. 여름철에는 냉장고 에어컨을 가동해 시원한 차박 캠핑을 하게 해준다. 문제는 가격! 성능 좋은 제품은 100만원을 호가한다. 따라서 충분한 차박 캠핑 경험과 필요성 등을 따져서 접근해야 한다. 특히, 자신이 사용하는 전력 총소모량보다 넉넉한 것을 사야 후회가 없다. 또 비싼 만큼 신뢰할 수 있고 A/S도 보장하는 믿을 수 있는 제품을 구입한다.

차박 캠핑 장소

캠퍼들이 차박 캠핑을 선호하는 가장 큰 이유는 캠핑장에 국한하지 않고 자유롭게 캠핑을 할 수 있어서다. 화장실이나 취사장 등 편의시설을 이용할 수 없더라도 경치가 좋거나 주차를 하고 편히 쉴 수 있는 공간이 있다면 차박 캠핑의 대상지가 된다. 특히, 차에서 잠을 자는지도 모르게 조용히 머물다 가는 스텔스 캠핑을 하는 캠퍼들은 차량을 세울 수 있는 공간만 있으면 그곳이 차박 캠핑장이 된다. 그러나 차박 캠핑을 처음 시작한다면 화장실을 비롯한 최소한의 요건을 갖추고 있고, 합법적으로 허락된 곳에서 하는 것이 좋다.

차박 캠핑장을 찾아보면 정식 캠핑장은 아니지만 캠핑 환경이 좋고, 캠핑을 허락하는 곳들이 의외로 많다. 또 여름 한철에만 운영하고 다른 계절에는 차박 캠핑을 허락하는 해수욕장들도 많다. 이런 곳들은 차박 대상지로 훌륭하다. 그렇다해도 차박 캠핑은 최소한의 편의시설을 갖추고 합법적으로 할 수 있는 곳을 우선해서 시작하자. 캠퍼들로부터 검증받은 곳이라면 더욱 좋다.

● 차박 성지

보통 차박 캠핑 성지라 불리는 곳이 있다. 차박 캠핑하기 좋은 곳을 말한다. 어류정항(인천 석모도), 행주산성 역사공원(경기 고양), 섬강(경기도 여주시), 마곡유원지(강원도 홍천), 평창바위공원(강원도 평창), 진남교(경북 문경), 수주팔봉(충북 충주), 모항(전북 부안), 다락금유원지(전남 보성), 백바위해수욕장(전남 영광), 한우산(경남 의령), 주전해수욕장(울산), 상주해수욕장(경남 남해), 광치기 해변, 금능해수욕장, 이호테우해수욕장(이상 제주도) 등이 차박 성지로 불리는 곳들이다. 인터넷에서 지역 이름+차박성지를 치면 네티즌들이 추천하는 차박 성지가 주르르 나온다. 이곳들은 이미 많은 캠퍼들이 거쳐간 검증된 차박 캠핑지다. 이런 곳을 찾아가면 실패할 확률이 거의 없다. 단, 차박 성지라 불리는 곳도 캠핑할 수 없게 된 곳도 있다. 최근의 정보를 기준으로 추가로 검색해 봐야 낭패를 보지 않는다.

● 캠핑장 차박 캠핑

차박 캠핑이라고 해서 꼭 캠핑장이 아닌 곳을 이용하라는 법은 없다. 오히려 캠핑장을 이용할 때 장점이 더 많다. 따뜻한 물로 샤워도 하고, 깨끗한 취사장에서 음식도 할 수 있다. 전기도 마음껏 사용할 수 있고, 화롯불도 피울 수 있다. 정해진 곳에 쓰레기도 버릴 수 있다. 하지만 캠핑장이 아닌 곳에서는 이런 쾌적한 편의시설을 누릴 수 없다. 따라서 약간의 불편을 감소하며 자유를 누릴 것인지, 조금 제약이 있어도 편의시설을 충분히 활용하면서 차박 캠핑을 할 것인지는 선택해야 한다.

차박 캠핑 시 주의점

차박 캠핑이 큰 인기를 끌면서 잡음도 많다. 차박 캠핑 장소가 정식 캠핑장이 아닌 곳이 많다 보니 지자체나 현지인들과 마찰을 빚기도 한다. 차박 성지로 알려졌던 곳 가운데 이런 마찰로 폐쇄된 곳도 많다. 이처럼 차박 캠핑에 대한 차가운 시선은 대부분 캠퍼들의 부주의에서 비롯된 경우가 많다. 차박 캠핑을 할 때는 더 엄격한 기준을 정해 캠핑을 하는 게 필요하다.

우선 차박 캠핑을 허락하지 않은 곳에서는 하지 않는다. 하지 말라는 곳에서 억지로 캠핑을 하면 현지인과 마찰을 빚을 확률이 높다. 쓰레기도 문제다. 자기가 가져온 쓰레기는 반드시 되가져 간다. 차박 캠핑에 대한 가장 많은 불만 사항이 바로 쓰레기라는 것을 명심하자. 공공시설인 화장실은 깨끗하게 사용한다. 화장실에서 취사를 하거나 샤워를 하는 등 일체의 불미스러운 일을 하지 말아야 한다. 취사는 설거지가 필요 없는 비화식이나 간단한 즉석식, 또는 현지에서 사 먹는 게 좋다. 모닥불을 피우거나 난로를 설치해서도 안 된다. 최대한 가볍게 머물다 가고, 흔적을 남기지 말아야 한다.

마을 가까운 곳이나 해변 등에서 차박 캠핑을 할 때는 우선 현지인들에게 양해를 구한다. 공손하게 의사를 물으면 의외로 흔쾌히 허락하는 경우가 많다. 이렇게 차박 캠핑을 하게 된 경우 주변의 상가나 식당을 이용하면 서로 도움이 된다.

백패킹

TOURING CAMPING

백패킹은 캠핑에 필요한 장비를 배낭에 담아 산이나 숲에서 1박을 하며 즐기는 아웃도어다. 가장 원시적인 형태의 캠핑이자 캠핑의 원조라고 해도 무방하다. 우리나라는 2000년대 들어 오토캠핑 문화가 확산되었지만, 그 이전에는 배낭 메고 캠핑 가는 야영이 주를 이뤘다. 그때와 비교하면 지금의 백패킹은 장비면에서 놀라울 만큼 발전을 이뤘다. 그래도 모든 짐을 스스로 짊어지고 가는 백패킹 정신은 같다.

백패킹은 오토캠핑 문화의 확산과 국립공원 내 야영금지 등의 조치로 잊힌 캠핑 장르처럼 보였다. 그러나 최근 들어 캠핑의 한 줄기로 분명하게 자리 잡았다. 특히, 오토캠핑 스타일에 지친 캠퍼들이나 가족 없이 혼자 캠핑을 가는 캠퍼들이 대안으로 백패킹을 나서고 있다. 자신의 키보다 큰 배낭을 메고 호젓한 곳을 찾아가 하룻밤을 보내는 일은 의외로 근사하다. 특히, 백패킹에 최적화시켜 만든 캠핑장비들은 보물 1호가 되기에 충분하다. 다만, 마음 놓고 백패킹 할 수 있는 곳이 많지 않은 현실이 안타깝다.

백패킹 VS 오토캠핑

백패킹과 오토캠핑은 사용하는 장비가 다를까? 물론 다르다. 캠핑 시 필요한 장비는 오토캠핑과 백패킹이 크게 다르지 않다. 야외에서 먹고 자고 생활할 때 필요한 것들을 다 필요로 한다. 백패커들도 의자, 테이블, 화롯대 같은 캠핑 가구를 가지고 다닌다. 여기에 백패킹은 배낭, 등산화, 스틱, 그리고 의류 등의 장비가 추가될 뿐이다.

그럼 오토캠핑 장비와 백패킹 장비의 차이점은 무엇일까? 규모나 크기, 무게, 소재 등 스펙에서 큰 차이가 난다. 오토캠핑은 기본적으로 차에 캠핑장비를 싣고 간다. 차라는 훌륭한 짐꾼(?)이 있으니 장비가 무겁거나 부피가 커도 크게 구애받지 않는다. 반면 백패킹은 모든 장비를 배낭 하나에 수납해야 한다. 그리고 캠퍼가 그 배낭을 메고 가야 한다. 캠핑장비의 부피와 무게를 최대한 줄여야 한다. 따라서 같은 용도의 장비이지만 스펙은 전혀 다르다.

같은 장비를 부피는 작게 하고, 무게를 줄이면 어떻게 될까? 가격이 비싸진다. 차에 싣고 다니는 캠핑장비 가격이나 배낭에 들어간 백패킹 장비의 값은 거의 같다고 보면 된다. 그만큼 백패킹 장비는 가격이 상당하다.

백패킹 주요 장비

백패킹 장비는 오토캠핑과 같은 용도라 하더라도 무게나 부피, 소재 등에서 많은 차이를 보인다. 물론 일부 장비는 공용으로 사용할 수 있다. 하지만 백패킹에 최적화된 장비는 대부분 추가로 구매를 하게 된다. 또한, 백패킹은 캠핑장비를 수납한 배낭을 메고 두 발로 걸어서 산이나 숲으로 가야 해서 백패킹에만 필요한 장비가 별도로 있다.

배낭 배낭은 백패킹 장비 가운데 가장 중요하다. 모든 짐을 배낭에 넣어가야 하기 때문이다. 아무리 가벼운 백패킹 장비를 가져간다고 해도 식량과 물을 같이 수납하면 배낭 무게가 20kg이 훌쩍 넘는다. 이렇게 많은 장비를 수납하려면 배낭도 커야 하고, 배낭 자체도 좋은 제품을 써야 한다. 보통 백패킹용 배낭은 60리터 이상은 되어야 한다. 동계용은 80리터 배낭을 쓰기도 한다. 큰 배낭은 키에 따라 사이즈가 정해져 있다. 따라서 자신의 키와 등판 등을 고려해서 맞춤한 배낭을 선택해야 한다. 조금 비싸더라도 자신의 체형에 맞고, 제값 하는 배낭을 구매하는 게 좋다.

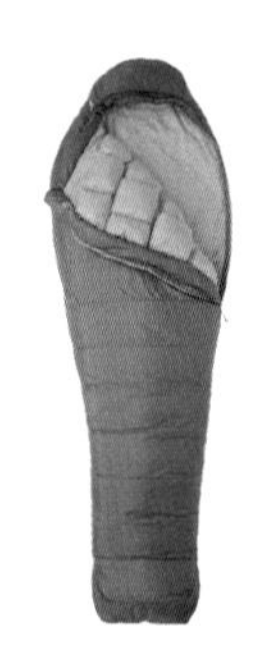

침낭 침낭은 백패킹 잠자리에서 가장 중요한 보온 장비다. 백패킹에서는 전기장판이나 난로 등의 도움을 얻을 수 없다. 탕파나 핫팩의 도움을 받을 수 있지만 대부분 침낭으로 보온한다. 따라서 침낭의 성능이 아주 중요하다. 특히, 기온이 영하로 떨어지는 겨울은 침낭의 역할이 절대적이다. 백패킹용 침낭은 가볍고, 패킹했을 때 부피가 작아야 한다. 이런 요구에 적합한 것은 다운 소재의 침낭이다. 보통 봄가을용과 동계용 침낭 두 가지로 나눌 수 있다. 봄가을용 침낭은 700g 내외면 된다. 동계용 침낭은 최소 1,200g 이상은 되어야 한다. 또한 가슴털과 날개털의 비율이 80:20 정도로 복원력(필파워)이 우수한 제품을 써야 한다. 겨울에는 침낭과 함께 핫팩도 함께 사용해야 보온력을 높일 수 있다. 좋은 침낭은 가격이 상당히 비싸다. 유명 브랜드 제품은 100만원이 넘는 것도 있다. 그렇지 않은 제품도 최소 30~40만원은 줘야 한다. 그러나 침낭은 한 번 사면 평생 사용하는 장비다. 가급적 좋은 제품을 쓰는 게 좋다.

텐트 백패킹용 텐트는 기능성과 무게가 중요하다. 보통 1~2인용을 사용한다. 텐트 내부는 겨우 앉아 있을 정도의 공간만 필요로 한다. 텐트가 커질수록 그만큼 무게도 증가하기 때문이다. 보통 백패킹용 침낭은 2kg 내외다. 폴대는 두랄루민을 사용해야 무게를 줄이면서 강도를 높여준다. 텐트 바닥에 풋프린트도 같이 사용해야 냉기 차단과 함께 텐트의 오염을 막을 수 있다. 브랜드 제품은 30만~50만원, 카피 제품은 20만~30만원 선이다.

매트 침낭과 더불어 보온을 책임지는 게 매트다. 백패킹용 매트는 수납성이 좋은 것을 우선한다. 에어매트는 부피와 무게를 최소화 할 수 있어 인기가 많다. 다만, 공기를 충분히 넣지 못하면 잠자리가 불편할 수 있다. 또 몸을 뒤척이면 소리가 나 신경을 거스를 수 있다. 가격도 비싸다. 저렴한 것은 5만~8만원, 브랜드 제품은 10만~15만원 선이다. 에어매트 대신 발포 매트도 많이 사용한다. 부피가 조금 큰 단점이 있지만, 단열효과가 좋고, 내구성도 좋다. 가격도 저렴하다.

타프 텐트와 함께 구성하면 좋다. 1~2인용 텐트는 거주공간이 작다. 이 때 타프를 활용하면 넓은 공간을 확보할 수 있다. 백패킹용 타프는 폴까지 합쳐도 1kg 이내로 아주 가볍다. 부피도 적다. 그러나 필수 장비라 볼 수는 없다. 즉, 없어도 무방하다. 캠퍼 가운데는 무게와 부피를 최소화하기 위해 텐트 대신 타프와 침낭을 이용해 잠자리를 만들기도 한다.

테이블 백패킹을 제대로 즐기려면 의자와 함께 테이블도 필요하다. 식사할 때 식기를 바닥에 두고 먹는 것과는 품격(?)이 크게 차이가 난다. 다만, 부피와 무게에 대한 부담이 있다. 가벼운 알루미늄으로 된 1인용 테이블은 가격이 저렴하다. 그러나 너무 아담하다는 느낌이 들 수 있다. 프레임과 테이블이 되는 천, 두 가지로 구성된 초경량 테이블도 있다. 다만, 이런 제품은 가격이 비싼 게 흠이다.

의자 백패킹에서 의자는 아주 중요하다. 텐트의 거주공간이 작아 대부분 밖에서 머문다. 이때 의자는 편안한 휴식을 준다. 예전에는 등받이가 없는 작은 의자를 많이 이용했다. 그러나 최근에는 헬리녹스에서 출시한 릴랙스 개념의 초경량 의자가 큰 인기를 끌면서 백패킹 의자의 대세가 됐다. 헬리녹스 체어원 미니는 무게가 겨우 450g에 불과하다. 이처럼 가볍지만 내구성도 상당히 좋고, 심지어 편하기까지 하다. 다만, 헬리녹스 제품은 가격이 비싸다. 좀 더 저렴한 것들도 있지만, 조금 무겁다.

스토브 백패킹용 스토브는 수납을 고려해 최대한 작은 것을 사용한다. 접어서 케이스에 넣으면 한 주먹 정도밖에 안 된다. 가격도 크게 부담되지 않는다. 최근에는 스토브와 코펠이 결합된 MSR 리액터 같은 제품도 많이 출시되고 있다. 이런 제품은 화력이 좋고 수납도 좋다. 하지만, 가격이 비싸다.

코펠 백패킹용 코펠은 보통 1~2용으로 출시된다. 코펠은 2조나 아니면 1조로 되어 있다. 여기에 시에라컵이나 이중 머그컵을 함께 사용하면 부족함이 없다. 코펠은 조금 비싸더라도 내구성과 무게를 고려해 티타늄 소재로 만든 것을 많이 쓴다. 시에라컵이나 머그컵도 티타늄 소재가 대세다.

등산화 백패킹은 무거운 배낭을 메고 걸어서 야영지까지 가야 한다. 따라서 등산화도 좋은 걸 신어야 한다. 발이 편해야 몸이 편하다. 등산화는 봄가을용과 겨울용 두 가지가 있다. 봄가을용은 방수기능이 있는 고어텍스 원단의 가벼운 제품도 괜찮다. 다만, 발목까지 오는 등산화를 신는 게 좋다. 그래야 발목을 잡아주어 부상을 예방해준다. 겨울철 등산화는 방수는 기본이고, 방한 기능이 있는 것을 신어야 한다.

등산의류 등산의류도 신경을 많이 써야 한다. 산에서는 여름에도 기온이 크게 떨어질 수 있다. 또 비가 오면 급격히 체온을 빼앗긴다. 이런 상황에 대비해 아웃터를 항상 휴대해야 한다. 아웃터는 방수방풍 기능이 있는 재킷과 보온기능이 있는 패딩 두 가지를 갖춘다. 패딩은 다운이나 폴라텍 같은 기능성 소재로 만든 것을 준비한다. 특히, 여름과 겨울은 기온 차가 많이 나 계절에 따라 두 가지 버전으로 준비한다. 여름철이라 하더라도 반팔 티셔츠는 빨리 건조되는 기능성 소재로 된 제품을 입어야 한다.

트레킹 폴 무거운 배낭을 메고 걸어가려면 트레킹 폴(스틱)의 도움을 많이 받게 된다. 보통 2단에서 3단으로 접을 수 있는 제품을 많이 사용한다. 트레킹 폴은 사용법을 제대로 익혀야 짐이 되지 않는다. 트레킹 폴을 이용한 워킹법을 익혀두면 20~30%의 힘을 절약할 수 있다고 한다. 또한, 미끄럽거나 울퉁불퉁한 지면에서 균형을 잡는 데 유용하다.

모자 햇볕을 가리거나 땀이 흐르는 것을 막아준다. 보통 고어텍스 소재의 모자를 많이 사용한다. 야구모자처럼 챙이 앞으로 된 것도 있고, 라운드로 된 제품도 있다. 자신의 취향에 따라 선택하면 된다. 겨울철에는 보온이 극대화된 모자나 얼굴을 가릴 수 있는 바라클라바 같은 것도 필요하다.

멀티 툴 멀티 툴은 백패킹에서 유용하다. 칼, 가위, 드라이버, 오프너 등 여러 가지 도구가 하나의 장비에 포함되어 있어 필요시 사용할 수 있다. 수납에 최적화되어 있어 그만큼 부피를 줄일 수 있다. 멀티 툴은 부피와 무게가 작은 것도 있지만, 제법 큰 것도 있다. 특히, 칼을 어떤 용도로 사용할 것인지에 따라 사이즈를 결정한다. 칼을 이용해 여러 가지 작업을 한다면 조금 큰 걸 구매하는 게 능률적이다.

랜턴 백패킹용 랜턴은 최소 두 가지는 있어야 한다. 하나는 숙영지를 밝혀주는 메인 랜턴이다. 메인 랜턴은 가스나 충전식 랜턴 모두 사용할 수 있다. 다른 하나는 헤드 랜턴이다. 두 손을 이용해 작업하거나 야간 산행을 할 때는 헤드 랜턴이 필수다. 또 텐트 내에서 활용도가 높다.

고글 고글도 백패킹의 중요한 장비다. 강렬한 햇살로부터 눈을 보호한다. 또 산행 시 나뭇가지가 눈을 찌르는 것을 막아준다. 겨울철 눈이 많이 내렸을 때는 설맹을 예방해준다.

보냉백 음식물이나 차가운 음료 등을 가지고 갈 때 유용하다. 보냉백을 이용하면 내용물이 흘러 다른 장비를 오염시키는 것도 막을 수 있다. 또 음식물 대신 카메라 같은 충격에 예민한 귀중품을 보관할 때도 사용할 수 있다. 보냉백 크기는 다양하다. 배낭 크기에 맞춰 구입한다.

백팩 잘 꾸리는 법

60리터 이상 큰 배낭은 잘 꾸리는 게 중요하다. 무게 중심을 잘못 잡으면 배낭이 기울어질 수 있고, 한쪽 어깨로만 무게가 전달될 수 있다. 이렇게 되면 에너지를 많이 소비하게 되고, 금방 피로하게 된다. 또 많은 짐을 다 패킹하지 못할 수도 있다.

우선 배낭에 짐을 꾸릴 때 가벼운 것은 아래로 가고 무거운 것은 위로 가게 한다. 아래가 무거우면 배낭이 처지는 느낌이 든다. 반면, 무거운 것을 위로 넣으면 어깨와 허리 등의 골격을 이용해 배낭의 무게를 고르게 분산시킬 수 있다. 따라서 침낭처럼 가볍고 부피가 큰 것은 배낭 가장 밑에 둔다. 보통 대형 배낭은 가장 아랫부분에 침낭을 넣을 수 있게 만든다. 여벌 옷이나 텐트 본체도 배낭 아래에 둔다. 그 위에 보냉백을 넣어 배낭의 자세가 잘 잡히도록 한다. 그런 다음 에어매트나 스토브, 코펠 등의 장비를 수납한다. 사각 매트는 배낭 밖에 묶는 게 좋다. 텐트 폴은 배낭 옆 주머니에 꽂는다. 만약 캠핑 후 텐트가 젖었다면 폴과 함께 수납해 배낭 밖에 묶어야 다른 장비가 젖지 않는다. 또 배낭 안에는 튼튼한 김장용 대형 비닐봉투를 이용해 완벽한 방수가 되게 한다.

자주 사용하는 것은 배낭 헤드에 둔다. 대형 배낭은 배낭 헤드에 두 개 이상의 수납공간이 있다. 휴지나 헤드 랜턴, 아미나이프, 지도, 고글, 간식 등은 이곳에 두고 필요할 때마다 꺼내 쓴다. 운행 중 마실 물은 물병에 담아 배낭 옆 주머니에 넣어 둔다. 스마트폰이나 모자, 스카프 등은 허리벨트에 달린 주머니나 어깨끈에 별도의 주머니를 달아 넣어둔다. 또 카라비너 몇 개를 배낭에 걸어두면 필요할 때 요긴하게 활용할 수 있다.

어깨끈과 허리 벨트를 단단하게 조이는 것도 배낭 꾸리는 법만큼 중요하다. 걸을 때 배낭이 흔들리면 그만큼 몸이 피곤하다. 따라서 허리 벨트와 가슴 벨트를 이용해 배낭이 몸에 착 달라붙게 한다. 어깨끈도 최대한 조여준다. 침낭이 들어있는 배낭의 가장 밑부분이 엉덩이 위 허리에 달라붙게 한다. 이렇게 해야 배낭의 무게를 골고루 분산시켜 피로도를 줄일 수 있다. 또, 배낭 헤드도 머리에 닿을 정도로 앞으로 당겨준다. 배낭 헤드가 뒤로 빠지면 배낭의 무게 중심이 뒤로 처져 힘들다.

백패킹 식량

배낭에 모든 장비를 넣어가야 하는 백패킹은 식량에 대한 고민을 많이 하게 된다. 모든 것이 무게와의 싸움이기 때문이다. 백패킹은 보통 1박을 하고 마치는 방식으로 진행한다. 2박 이상은 식량에 대한 부담이 아주 높아진다.

따라서 백패킹 식량은 고열량 위주로 간단하게 먹을 수 있는 것으로 짜는 게 좋다. 최근에는 비화식을 많이 선호하는 추세다. 비화식은 스토브로 조리하지 않고, 미리 조리된 음식을 먹는 것을 말한다. 비화식을 하게 되면 화재에 대한 염려가 없다. 설거지 등이 불필요하고 쓰레기도 적게 나온다.

특히, 산에서 취사하는 것에 대한 여론이 좋지 않기 때문에 앞으로도 비화식에 대한 선호는 점점 높아질 것으로 보인다. 요즘은 조리하지 않고 먹을 수 있는 품질 좋은 인스턴트 식품도 많다. 자신의 취향에 맞는 비화식 음식을 찾아보자.

백패킹은 또 산이나 숲으로 가기 때문에 주식 외에 간식도 필요하다. 간식은 보통 열량이 높은 초콜릿이나 육포, 초코파이 등을 가져간다. 간식은 백패킹 강도 등을 고려해서 준비한다. 또 만일에 대비해 조금 넉넉하게 준비하는 게 좋다.

백패킹 대상지

좋은 백패킹 장소는 혼자만 안다! 많은 백패커들이 자신이 머문 장소를 공개하지 않는다. 이유는 두 가지다. 좋은 곳은 혼자만 누리고 싶은 마음이 하나다. 다른 하나는 대부분 야영이 금지된 곳에서 몰래 했을 가능성이 크다. 우리나라는 백패킹 환경이 아주 열악하다. 대부분의 산과 계곡, 강이 이런 저런 규제로 야영이 금지되어 있다. 이런 이유로 많은 백패커들이 '도둑캠핑'을 하고 있다. 등산객이 모두 내려간 저녁에 올라가 텐트를 치고, 등산객이 올라오기 전 이른 아침에 텐트를 걷어 철수하는 식이다. 사정이 이렇다 보니 백패킹 대상지를 찾는 게 큰일이다. 그렇다 해도 합법적으로 백패킹을 할 수 있는 곳이 아주 없는 것은 아니다. 우선, 이런 곳들부터 섭렵하면서 법에 저촉이 되지 않는 자신만의 아지트 야영지를 찾아가자.

• 섬

섬은 백패킹 대상지 가운데 가장 관대하다. 대부분 섬에는 해변이 있거나 마을에서 떨어진 곳에 한적한 공간이 있다. 이런 곳은 백패킹을 즐기기에 최적이다. 일단, 섬으로 가는 것 자체가 쉬운 일이 아니다. 또 섬에서 내려 백패킹 장소까지 도보로 이동하는 과정도 백패킹의 느낌을 준다.

수도권에서는 인천광역시에 속한 섬들이 백패킹 대상지로 인기가 높다. 굴업도, 이작도, 백적도, 장봉도, 승봉도, 무의도 등이 백패킹 여행지로 이름이 높다. 특히, 굴업도는 백패커라면 누구나 한 번쯤 가보고 싶어 하는 곳이다. 전남에서는 신안군이 백패킹의 명소로 떠오른다. 도초도 시목해변, 자은도 분계해변, 추포도 추포해변 등이 있다. 울릉도도 백패킹 하며 여행하기 좋다. 섬으로 백패킹을 가려고 한다면 사전에 해당 지자체에 문의해 백패킹이 가능한지 확인하자.

• 강과 계곡

강과 계곡도 백패킹 대상지로 훌륭하다. 보전지역으로 지정되어 야영이 금지된 곳을 제외하면 강을 따라 가며 캠핑할 수 있는 곳이 의외로 많다. 특히, 강가의 백패킹 대상지는 마을이나 현지인들의 생활터전과 밀접한 곳이 많다. 이런 곳에서 백패킹할 때는 항상 현지인과의 조화에 신경 써야 한다. 설령 허가된 곳이라도 예의를 갖추고 캠핑 여부를 물어본 뒤에 허락을 받고 하는 게 좋다. 가평 남이섬은 국내 최고의 백패킹 대상지로 인기가 높다. 우선 이런 곳에서 백패킹을 하면서 점점 영역을 넓혀 나간다.

● 산

백패커들이 가장 원하는 백패킹 장소는 산이다. 조망이 탁월한 곳에서 별을 헤며 잠들고 싶어한다. 그래서 많은 백패커들이 백패킹이 가능한 산을 찾아 헤맨다. 특히, 정상부에 데크가 있거나 정자 같은 시설물이 있는 수도권의 작은 산들은 항상 백패킹 1순위로 인기가 높다. 또 정상부가 초원으로 되어 있고, 주차장에서 멀지 않은 곳에 야영을 할 수 있는 공간이 있는 곳들도 사랑 받는다. 지금은 백패킹이 금지된 강원도 평창군 선자령, 울산 영남알프스 간월재 등이 이런 조건을 갖춘 곳이다. 그러나 엄밀히 따지면 산에 백패킹이 허락된 곳은 의외로 많지 않다. 대부분 단속의 눈을 피해 몰래 백패킹을 하는 실정이다. 또 해가 질 무렵에 올라가 해 뜨기 전에 철수해 등산객과의 마찰을 최소화하는 정도다. 또, 관리의 손길이 미치지 않고, 등산객 발길도 뜸한 그런 은밀한 곳을 찾아가기도 한다. 그러나 엄연히 불법이라면 하지 않는 게 좋다.

● 자연휴양림

야영이 허가된 곳이 많지 않은 현실에서 가장 합리적인 공간을 찾자면 자연휴양림이다. 자연휴양림에 있는 야영장은 사설 캠핑장과 달리 자연친화적인 조건을 갖추고 있다. 데크도 1~2인용 텐트를 치기 적당한 크기로 된 것도 있다. 청옥산자연휴양림(경북 봉화)은 제5야영장을 '불편한 야영장'으로 이름 붙였다. 차량도 접근할 수 없고, 데크는 물론 편의시설도 없다. 이곳에서는 순수한 자연 속에서 합법적으로 캠핑을 할 수 있다. 이밖에 방장산자연휴양림(전북 고창), 서귀포자연휴양림(제주), 두타산자연휴양림(강원도 동해), 방태산자연휴양림(강원도 인제), 신불산자연휴양림(울산) 등이 백패커들이 즐겨 찾는 곳들이다. 따라서 자연휴양림만 잘 이용해도 자연 속에서 휴식 같은 하룻밤을 보낼 수 있다. 다만, 자연휴양림은 예약하기가 쉽지 않은 것이 단점이다.

LNT와 백패킹 수칙

● 백패킹에 대한 일반인의 시선은 상당히 안 좋다. 백패커들이 불법 야영과 취사 등으로 자연을 훼손한다는 인식이 강하다. 또 타인의 여가활동에도 불편을 준다는 지적이 많다. 백패킹을 바라보는 일반인의 부정적인 시선은 무분별한 백패킹 후과가 크다. 그동안 백패킹을 하면서 쓰레기를 함부로 버리고, 불을 피우는 등 자연을 훼손하는 일들이 많았기 때문이다. 따라서 백패킹에 대한 사회적 인식 재고와 정당한 여가활동으로 인정받기 위해서는 백패커 스스로 자정 노력을 기울여야 한다.

● 백패킹할 때 우선 지켜야 할 것이 엘엔티LNT다. 미국 자연보호 교육단체 이름이기도 한 엘엔티는 '흔적을 남기지 말자Leave No Trace'는 뜻이다. 백패킹에서 쓰레기를 버리지 않는 것은 기본이다. 가능한 화기 사용을 최소화하고, 비화식을 실천하자. 또 국물 같은 음식물 쓰레기가 나오지 않게 한다. 머물던 자리도 이전과 같은 상태가 되게 해야 한다. 그럴려면 야영지를 선택할 때 자연에 피해가 가지 않는 곳을 택한다. 또 허가된 곳이 아니면 절대 불을 피워서도 안 된다.

● 엘엔티와 더불어 타인과의 조화도 함께 추구하자. 우선 숙영지가 타인의 야외활동을 방해하는 곳이 되어서는 안 된다. 설령 그런 자리에서 하더라도 해가 떨어진 뒤에 텐트를 치고, 해 뜨기 전에 걷는다. 현지인들에게는 겸손하고, 타인의 취향도 존중한다. 텐트를 칠 때 주변에 현지인이 있다면 야영해도 되는지 공손하게 물어본 뒤 그들의 의견에 따른다. 겸손한 여행자의 청을 거절하는 이들은 많지 않다. 또 안 된다고 하면 정중하게 다른 대안을 물어본다. 지나친 음주와 고성방가는 백패킹에 대한 인식을 나쁘게 하는 요인이다. 먹고 마시는 백패킹을 하려면 사설 캠핑장으로 가는 게 좋다.

자전거 캠핑

TOURING CAMPING

자전거 캠핑은 자전거에 캠핑장비를 싣고 다니며 하는 캠핑을 말한다. 장거리 자전거 여행을 하는 이들이 이런 방식의 캠핑을 한다. 특히, 자전거를 타고 세계를 여행하거나 장기간 국내를 여행할 때 자전거 캠핑은 거의 필수다. 텐트와 침낭 등 캠핑에 필요한 장비를 특별히 제작된 가방에 수납해 자전거에 매달고 다닌다. 자전거 캠핑에 필요한 장비는 백패킹 장비와 거의 비슷하다. 따라서 백패킹을 하고 있다면 자전거 캠핑을 할 때 그대로 사용하면 된다. 다만, 캠핑장비를 수납해 자전거에 매다는 가방이나 이 가방을 자전거에 장착하는 데 필요한 장비 등은 새롭게 구매해야 한다.

자전거 캠핑은 자전거를 이용하는 만큼 자동차만큼은 아니지만 이동의 자유가 있다. 보통 하루에 80~100km, 많게는 120km를 갈 수 있다. 또 걷는 것보다 자전거를 타는 것이 덜 피곤하다. 따라서 장기여행을 한다면 자전거 캠핑에 도전하는 것도 나쁘지 않다. 비슷한 컨셉으로 모터바이크 캠핑도 있다.

일반 자전거 VS 여행용 자전거

자전거에 캠핑장비를 수납하는 방식은 두 가지가 있다. 하나는 자전거 프레임에 가방을 매다는 방식이고, 다른 하나는 여행용 자전거를 이용해 패킹하는 방식이다. 자전거 프레임에 여러 종류의 가방을 붙여 캠핑장비를 수납하는 것을 바이크 패킹Bike Packing이라 부른다. 바이크 패킹은 일상적으로 이용하는 MTB나 알루미늄 재질의 로드 자전거를 활용할 수 있다. 바이크 패킹용 가방을 구매해 안장이나 프레임, 핸들바 등에 장착하면 되기 때문에 상대적으로 편리하다. 자전거 캠핑을 하지 않을 때는 모두 분리한 뒤 자전거를 타면 된다. 여행용 자전거의 패킹에 비하면 상대적으로 비용도 적게 든다. 단, 바이크 패킹은 가능한 짐을 최소화해 사용하는 방식으로 짧은 기간의 여행에 적합하다. 일주일, 혹은 그 이상의 장기여행은 어렵다.

2주일 이상, 혹은 그보다 더 길게 장기여행을 하는 이들은 여행용 자전거가 필요하다. 여행용 자전거는 페니어라 불리는 자전거 여행 전용 가방을 장착할 수 있게 제작되어 있다. 또한, 여행용 자전거는 내구성이 강하고, 부품 구하기가 쉽고, 오랜 시간 타도 편한 구조로 설계되어 있다. 여행용 자전거에 페니어를 부착하려면 랙이라는 장비도 필요하다. 여행용 자전거는 이처럼 특화된 구조로 되어 있어 일반 자전거숍에서는 구할 수 없다. 여행용 전문 자전거숍에서 상담 후 구매하는 것이 좋다. 용산에 있는 바이클리(www.bikely.co.kr)는 국내 유일의 여행용 자전거숍이다.

자전거 캠핑용 수납 가방

자전거 캠핑에 필요한 장비는 백팩 장비와 거의 흡사하다. 아무리 자전거를 이용한다고 해도 짐이 무거우면 그만큼 힘이 든다. 또한, 자전거에 수납할 수 있는 부피와 무게도 한계가 있다. 따라서 백패킹처럼 부피를 최소화하고, 가벼운 캠핑장비를 사용한다. 보통 백패킹용 장비를 그대로 사용해도 무방하다. 여기에 캠핑장비를 수납할 수 있는 수납 가방만 추가하면 된다.

• **새들백** Sadllebag

안장 가방이라고도 부른다. 자전거 안장 뒤에 장착해 사용한다. 크기가 아주 다양하다. 작은 것은 응급처치용 도구만 넣을 수 있다. 캠핑 대신 숙박업소를 이용하면서 여행하는 경우 5리터 내외의 가방을 이용하면 된다. 그러나 캠핑을 하려면 최소 12리터 이상 대용량을 사용해야 한다. 보통 캠핑용은 16~18리터 가방을 많이 쓴다. 새들백에는 옷이나 침낭 등 가벼우면서 부피가 있는 장비를 수납한다.

• **프레임백** Framebag

자전거 프레임에 장착해 사용하는 가방이다. 프레임의 모양과 크기에 맞는 것을 사용해야 한다. 프레임백은 가로로 긴 직사각형과 프레임을 꽉 채우는 삼각형 모양, 두 가지가 있다. 프레임백은 생각만큼 수납공간이 넓지 않다. 다만, 자전거의 무게중심에 장착하기 때문에 무거운 장비를 수납할 수 있다. 스토브, 가스, 식량 등 부피는 적으면서 무거운 장비는 프레임백에 수납한다.

오르트립 핸들바백

• **핸들바백** Handlebarbag

핸들에 설치하는 가방이다. 일자형으로 된 MTB용과 로드형 두 가지 스타일에 맞춰 가방이 있다. 핸들바백은 핸들링의 방해를 주지 않게 무겁지 않은 것을 수납한다. 주로 의류나 침낭 등 부피가 있으면서 가벼운 것을 넣는다. 이 외에 자전거 수납 가방의 대명사라 할 수 있는 오르트립Ortlieb에서 만든 핸들바백은 쉽게 탈착할 수 있고 내구성이 좋아 귀중품이나 스마트폰 등을 넣고 다닐 때 유용하다. 장기 자전거 여행자들의 필수품이다. 다만, 가격이 조금 비싸다.

• **페니어** Pannier

장거리 자전거 여행을 떠날 때 짐을 수납하는 가방이다. 페니어는 앞바퀴와 뒷바퀴 양쪽에 모두 4개까지 부착할 수 있다. 뒷바퀴 페니어가 앞바퀴 페니어보다 조금 크다. 오르트립의 경우 뒷바퀴 페니어는 1개당 20리터, 앞바퀴 페니어는 16리터다. 4개 모두 합치면 70리터 이상 수납할 수 있다. 이 정도면 장기여행을 떠나도 무리가 없다. 페니어는 제조사에 따라 가격이 다르다. 가장 인기 있는 독일 오르트립 페니어는 한 조에 20만~25만원쯤 한다. 앞과 뒤 2조를 구매하면 40만~50만원 정도 한다. 페니어를 자전거에 장착하려면 랙Rack이 필요하다. 랙은 자전거 프레임이나 앞바퀴를 고정하는 포크에 장착해 페니어를 장착할 수 있게 해주는 장치다. 페니어를 쉽게 탈장착할 수 있게 만들어졌다. 랙은 오랜 자전거 여행에도 망가지지 않고 페니어를 지탱해야 해서 내구성이 좋아야 한다. 가격은 6만~15만원 선이다.

자전거 수리 도구

자전거 여행을 하려면 캠핑장비만으로는 부족하다. 자전거에 문제가 생겼을 때 수리 할 수 있는 도구가 필요하다. 자전거 여행자들은 아주 심한 고장이 아닌 이상 소소한 정비는 스스로 한다. 기본적으로 가지고 다녀야 할 수리 도구는 펑크 관련된 것이다. 펑크는 가장 빈번하게 발생하는 자전거 트러블이다. 펑크 수리에 필요한 장비는 예비용 튜브 2개, 펌프, 펑크 패치, 타이어 레버 정도다. 체인 트러블도 스스로 해결한다. 체인이 끊어질 것에 대비해 체인 링크 2개를 가지고 다닌다. 여기에 체인을 부드럽게 작동시키는 체인 오일도 꼭 필요하다. 자전거를 고정시키는 볼트는 99% 육각형으로 되어 있다. 따라서 육각 렌치 세트도 필수다. 일주일 이내의 짧은 여행은 이 정도만 준비해도 된다. 수리 도구는 '연장통'이라 부르는 공구함에 넣어서 수납하면 된다.

자전거 여행 대상지

● 국내 자전거 여행

우리나라는 자전거 여행하기 좋은 환경을 가지고 있다. 특히, 국토종주를 비롯한 우리강 자전거길은 누구라도 캠핑하며 자전거 여행을 할 수 있게 해준다. 자전거길이라 안전에 대한 부담 없이 여행 할 수 있다. 또 적당한 거리에 캠핑장이 있어 자신의 능력에 맞게 일정을 짜며 캠핑을 할 수 있다. 우선 국토종주 자전거 여행을 하면서 적응력을 키운 후 공도(일반도로)로 나간다.

자전거길이 아니라도 자전거 여행을 할 수 있는 곳은 많다. 특히, 강원도를 비롯한 지방은 최근 국도가 새롭게 개통되면서 옛길은 거의 자전거 전용도로가 되다시피 한 곳들이 많다. 이런 곳들은 오히려 자전거 전용도로보다 주행하기가 편하다. 지방도로 가운데는 차량 통행이 적은 곳도 많다. 도시를 벗어나면 캠핑장도 곳곳에 있다. 출발 전에 계획만 충실히 세우면 캠핑을 하면서 자전거 여행도 얼마든지 가능하다.

TIP

스텔스 캠핑

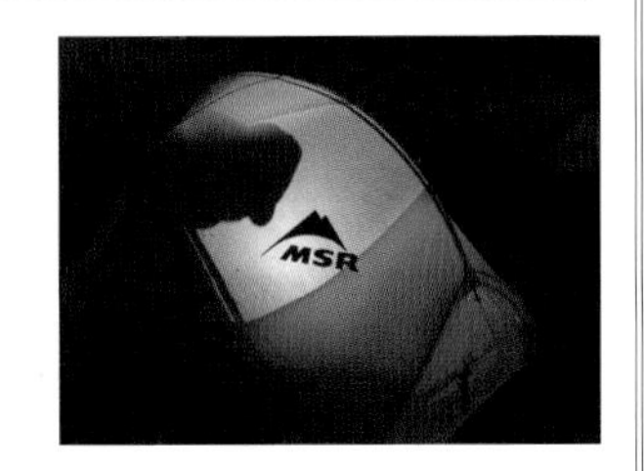

자전거 여행 고수들은 스텔스 캠핑을 많이 시도한다. 스텔스 캠핑은 '은둔형 캠핑'이라 할 수 있다. 캠핑장 대신 타인에게 방해가 되지 않는 곳에서 조용히 머물다 떠난다. 우리나라는 마을의 정자나 외진 숲, 강변, 계곡 등이 스텔스 캠핑에 적당하다. 하룻밤 잠시 머물다 갈 수 있는 조건이 되는 곳이라면 어디라도 환영이다. 스텔스 캠핑은 자전거 여행을 하다보면 캠핑장이나 야영지를 구하지 못하는, 어쩔 수 없는 상황에서 캠핑을 하는 것에서 시작됐다. 그러나 최근에는 스텔스 캠핑 자체를 즐기는 자전거 여행자도 늘고 있다. 단, 스텔스 캠핑을 하더라도 현지인에게 피해를 주는 일이 없어야 한다. 또 현지인이 거주하거나 마을 인근에서 할 때는 꼭 허락을 얻는다.

• 해외 자전거 여행

자전거를 타고 해외를 여행하는 것은 자전거 여행자들의 로망이다. 많은 자전거 여행자들이 실크로드 횡단, 유럽 일주, 미국 대륙횡단 같은 장거리 여행을 하고 있다. 짧게는 3개월, 길면 1년씩 걸리는 해외 자전거 여행은 최고의 성취감을 준다. 그러나 그만큼 많은 준비와 노하우가 필요하다. 여행에 필요한 정보는 물론, 어떤 상황에서도 여행을 지속할 수 있는 만반의 준비가 필요하다. 또 웬만한 자전거 트러블은 스스로 해결할 수 있을 만큼 정비 능력도 갖춰야 한다. 해외 자전거 여행은 기본적으로 여행용 자전거를 비롯한 특화된 장비도 필요하다. 그러나 일단 한 번 해외 자전거 여행을 하고 나면 어떤 여행도 할 수 있는 전문가가 된다.

해외 자전거 여행이라고 해서 반드시 한 달 이상 장기간으로 가는 것은 아니다. 자전거 여행 환경이 잘 갖춰진 타이완이나 일본 등 동아시아권을 일주일 내외로 짧게 여행하는 것도 방법이다. 캠핑장비를 가져가도 되고, 현지의 숙소를 이용해도 있다. 특히, 긴 시간 휴가를 낼 수 없는 경우 이런 방식의 자전거 여행을 선호한다. 현지에서 캠핑을 하게 되면 여행 경비도 크게 줄일 수 있다.

해외 캠핑

TOURING CAMPING

캠퍼라면 누구나 해외 캠핑을 꿈꾼다. 캠핑카를 타고 대자연을 누비며 여행하는 상상을 한다. 캠핑카를 타고 끝없는 지평선을 달려 경이로운 자연을 찾아간다. 캠핑장에서 모닥불을 피워 바비큐도 하고, 텐트 옆에서 한가로이 거니는 진짜 야생동물을 만나고 싶어 한다.

이런 상상은 꿈이 아니다. 해외여행 경험이 늘고, 캠핑 노하우가 축적되면서 해외로 캠핑 여행을 가는 캠퍼들도 점차 많아지고 있다. 특히, 캐나다와 미국, 호주, 뉴질랜드 같은 대자연이 펼쳐진 곳은 캠핑 여행을 위한 최상의 조건을 갖추고 있다. 유럽 역시 코스를 어떻게 잡는가에 따라 캠핑 여행을 할 수 있다. 가까운 곳으로는 일본도 좋은 캠핑 여행지다. 캠핑카까지는 아니더라도 렌터카만 있으면 어디라도 특별한 캠핑 여행을 할 수 있다.

해외 캠핑 여행의 즐거움

해외여행은 그 자체로 즐겁다. 비행기에서 기내식을 먹는 재미도 좋고, 다른 나라를 여행하는 것은 더욱 재미있다. 여기에 캠핑까지 한다면? 사람에 따라 다르겠지만, 캠퍼라면 여행의 재미가 두 배는 좋아질 것이다.

해외 캠핑 여행의 즐거움은 우선 대자연을 찾아가는 데 있다. 캠핑 여행 대상지는 우선 자연적인 공간이다. 어느 나라나 국립공원으로 지정된 곳은 대부분 캠핑장이 있다. 이런 캠핑장을 베이스 삼아 자연을 돌아본다. 도시와 문화적 공간을 좋아하는 여행자에게는 내키지 않을 수도 있지만, 자연 속에서 휴식하기 좋아하는 캠퍼에게는 이보다 더 좋을 수 없다. 특히, 선진국이라 불리는 나라들의 캠핑환경은 아주 훌륭하다. 자연미가 넘치는 쾌적한 캠핑장은 호텔 부럽지 않다.

두번째는 여행의 자유로움이다. 이전까지 한국인의 해외여행은 패키지가 대세였다. 2030세대는 배낭여행이나 자유여행을 많이 하지만, 40대 이상은 거의 패키지 여행을 갔다. 그러나 최근에는 자유여행이 대세가 되고 있다. 해외여행 경험이 늘면서 스스로 여행을 계획해 떠나는 것이 쉬워졌다. 항공이나 호텔 등을 일일이 예약하는 게 조금 번거롭고, 안전에 대한 불안감이 있지만 자유로운 여행에 대한 욕망을 막을 수는 없다. 캠핑 여행은 100% 자유여행이다. 가고 싶은 곳으로 가고, 머물고 싶은 곳에서 머문다. 자유로운 여행의 가장 정점에 캠핑 여행이 있다.

해외 캠핑 여행의 또 다른 즐거움은 색다름이다. 해외 캠핑 여행은 대부분 렌터카를 이용한다. 외국에서 자동차를 운전하는 재미는 상상 이상이다. 물론, 우리와 다른 교통법규를 지켜야 하고, 낯선 길을 찾아가는 일이 피곤하다. 하지만 이 정도의 피곤함은 자동차 여행의 즐거움을 생각하면 아무것도 아니다.

해외 캠핑 대상지

해외 캠핑 대상지 1순위는 캠핑 환경이 좋은 곳이다. 운전하기도 편하고, 캠핑장도 쾌적해야 한다. 흔히 선진국이라 불리는 나라들이 이런 조건을 잘 갖추고 있다. 또 캠핑 여행은 대부분 도시를 벗어나 대자연을 찾아간다. 자연의 경이가 있는 그런 곳이어야 한다. 다만, 유럽의 경우 자연과 더불어 도시여행을 하는 특별한 경우다.

• 북미

캐나다와 미국이 있는 북미는 최고의 캠핑 여행지 가운데 하나다. 자동차의 나라답게 자동차 여행에 최적화되어 있다. 특히, 도시를 벗어나는 순간 네비게이션이 필요없을 만큼 단순하면서 쭉쭉 뻗은 길은 자동차 여행의 묘미가 있다. 국립공원은 물론 마을이나 도시 근교에도 다양한 조건의 캠핑장이 있다. 북미의 대표적인 캠핑 여행지는 그랜드 캐니언을 비롯해 국립공원이 몰려 있는 미국 서부, 세계 최고의 국립공원으로 알려진 캐나다 캐내디언 로키 등을 들 수 있다. 물론, 이곳 말고도 캠핑 여행지는 무궁무진하다. 일반 승용차에서 캠핑카까지 다양한 클래스의 렌터카도 갖추고 있어 원하는 대로 캠핑 여행을 할 수 있다. 몇몇 운전 법규를 제외하면 우리나라와 운전방식도 거의 같다.

• 오세아니아

호주와 뉴질랜드가 있는 오세아니아도 캠핑 여행지로 최적이다. 이곳 역시 북미와 마찬가지로 도시를 벗어나는 순간 길과 여행지가 단순해진다. 특히, 뉴질랜드 같은 곳은 도시도 규모가 작아 도심 구간을 통과할 때도 크게 부담이 없다. 오히려 도시와 마을이 좀 더 자주 나타나기를 바랄 만큼 한적하다. 캠핑 환경도 아주 훌륭하다. 국립공원 캠핑장은 물론 사설 캠핑장도 시설이 쾌적하고 좋다. 뉴질랜드 남섬 캠핑카 여행이나 호주 남부 해안 자동차 여행은 일생의 여행으로 도전해볼 만하다. 나만, 섬 나라가 대부분 그렇듯이 호주와 뉴질랜드는 운전석이 우리나라와 반대다. 처음 운전을 하게 되면 불편을 느끼고, 적응하는 데 약간의 시간이 필요하다.

• 일본

가깝고도 먼 나라 일본도 해외 캠핑 여행지로 훌륭하다. 일본 역시 북미나 유럽에 비교해도 손색이 없을 만큼 캠핑환경이 좋다. 특히, 홋카이도의 경우 캐나다를 연상케 할만큼 광활한 자연이 펼쳐져 있다. 차량에 한국어 안내 네비게이션도 설치되어 있는 등 한국 여행자를 위한 배려도 잘 되어 있다. 삿포로와 아사히카와 같은 일부 도시를 제외하면 여행지에서 만나는 대부분의 도시가 아담하다. 반면, 국립공원이나 마을 인근에 캠핑장이 있어 캠핑 여행지로 최적이다.

이밖에 일본 본섬의 규슈나 오키나와, 대마도 등도 즐겨찾는 캠핑 여행지다. 일본 캠핑여행은 대부분 소형 차량을 이용한 렌터카 여행이 대부분이다. 도로 폭이 좁아 큰 차량은 불편할 수 있다. 또 일본 역시 운전석이 우리나라와는 반대다. 언어적인 부분도 약간 불편할 수 있다.

• 유럽

유럽 역시 캠핑 여행지로 우선 손꼽는 곳이다. 그러나 유럽의 캠핑 여행지는 관광 중심의 일반 여행과는 조금 다르다. 오랜 역사를 간직한 유럽은 여행지가 도시 중심이 많다. 또 이런 도시들은 비좁은 골목이 많아 운전하기가 상당히 불편하다. 따라서 유럽 캠핑 여행을 한다면 도시가 중심이 아닌 자연을 중심으로 코스를 잡아야 한다. 지중해와 접한 남프랑스, 알프스와 접해 있는 스위스, 독일, 오스트리아, 이탈리아, 그리고 피오르와 침엽수림이 기다리는 스칸디나비아 3국 등이 좋은 캠핑 여행지다. 유럽은 많은 나라가 맞닿아 있어 캠핑환경이나 여행의 조건 등이 저마다 다르다. 주로 도시에서 발생하지만, 좀도둑도 많고 치안도 좋지 않다. 여행자 스스로 조심하지 않으면 엉뚱한 피해를 볼 수 있다. 또한, 렌터카가 아직도 수동 기어 변속 차량이 주를 이뤄 오토 차량을 빌리지 못할 수도 있다.

해외 캠핑장비

해외 캠핑은 일반적인 오토캠핑과는 성격이 다르다. 오토캠핑용 장비는 대부분 대형화되어 있다. 그러나 해외 캠핑은 무게와 부피의 제약을 받는다. 미주나 유럽 노선의 일반석 기준 1인당 허용된 수화물은 2개다. 일본은 1개에 불과하다. 따라서 짐을 많이 가지고 가고 싶어도 갈 수가 없다. 또 많은 짐은 현지에서도 부담이 된다. 짐이 많으면 그만큼 많은 수납공간을 필요로 한다. 또 해외 캠핑은 캠핑 그 자체가 목적이 아니다. 여행이 중심이다. 캠핑 사이트를 꾸리거나 철수하는 시간을 줄여야 더 많은 시간을 여행에 할애할 수 있다. 따라서 해외 캠핑 장비는 간소화해서 가는 게 좋다. 백패킹용 장비가 있다면 금상첨화다.

• 야영 도구

야영 장비는 텐트, 침낭, 매트리스, 귀마개, 수면안대 등이 있다. 텐트는 인원수에 맞춰 부피가 적고 가벼운 등산용 텐트를 가져간다. 침낭은 계절을 고려해 준비한다. 매트리스는 부피를 줄이려면 에어매트리스가 좋다. 그러나 대형 카고백에 짐을 담아 간다면 발포성 매트리스를 빙 둘러주면 짐을 보호해준다. 잠자리가 예민하다면 귀마개와 수면안내노 유용하다. 랜턴은 헤드랜턴과 충전식 랜턴, 최소 2종은 가져간다. 가스나 가솔린 랜턴은 유리가 깨질 수 있어 바람직하지 않다. 의자는 헬리녹스 같은 백패킹용으로 출시된 가벼운 것을 가져가면 좋다. 다만, 북미의 경우 대부분의 캠핑장에 의자가 붙어 있는 테이블이 설치되어 있다.

• 취사 도구

취사 도구는 최대한 간소화한다. 외국의 캠핑문화는 우리와 많이 다르다. 캠핑장에서는 간단하게 조리해 먹는다. 바비큐도 아주 간소한 편이다. 빵을 주식으로 하는 문화라 더욱 그렇다. 따라서 우리도 간편하게 먹을 수 있는 식단과 그에 필요한 취사 도구가 필요하다. 스토브는 1인용 하나면 충분하다. 코펠은 작은 것을 구입하거나 코펠 세트 가운데 작은 것 한 두 개만 가져간다. 다용도로 활용할 수 있는 시에라컵은 필수다. 폴더형 아이스박스를 가져가면 활용도가 높다. 짐을 쌀 때 아이스박스 안에 장비를 넣으면 수화물로 이동 시 안전하다. 또 현지에서 음료나 장을 봤을 때 담아서 사용할 수 있다.

• 현지 구매 장비

기내 반입 금지 품목인 가스나 가솔린 같은 연료는 현지에서 구매한다. 그러나 외국의 경우 가스나 가솔린 연료를 파는 곳이 의외로 많지 않다. 캠핑용품 전문매장에 가야 구매할 수 있다. 가스의 경우 가져간 스토브와 규격이 맞지 않을 수 있다. 특히, 미국이나 캐나다 같은 경우 어답터가 필요하다. 사전에 충분히 알아본 후 맞는 것을 구매하거나 아답터를 이용한다. 라이터 역시 현지에서 구매한다. 장기간 여행 시 아이스박스나 의자 같은 것은 저렴한 것을 구매해 사용하다가 버리고 와도 된다. 현지에서 구매하는 아이스박스는 접을 수 있는 폴더형 스타일이 좋다. 여행을 마친 후 부피를 줄여 가져올 수 있다. 또 부피가 작고 가벼운 것은 국내에서 출발할 때 음식이나 장비 등을 수납해서 가져가도 된다.

어답터

캠핑장비 패킹 및 주의사항

해외로 캠핑을 갈 때 캠핑장비는 의류 등을 제외하면 대부분 수화물로 부치는 게 좋다. 일부 장비는 기내 반입이 금지되어 있고, 혹시나 발생할 불필요한 마찰을 줄이기 위해서다.

캠핑장비를 패킹해서 수화물로 보낼 때는 카고백을 이용하면 편리하다. 카고백은 용량이 80~120리터까지 돼 침낭이나 매트리스 등 부피가 큰 용품도 어렵지 않게 수납할 수 있다. 다만, 수화물은 1개당 무게 제한(20~23kg)이 있다. 정해진 허용 범위를 지켜 패킹한다. 카고백은 접으면 부피가 크지 않기 때문에 렌터카 등을 이용할 때 편리하다. 반면 하드 캐리어는 부피 큰 짐을 담기도 어렵고, 렌터카에서도 많은 공간을 차지한다.

캠핑 투어의 꽃 캠핑카

해외 캠핑 여행을 한다면 누구나 캠핑카를 빌려 여행하는 것을 상상한다. 그러나 실재 캠핑카를 빌려 여행하기란 쉽지 않다. 일반 랜터카를 빌려 여행하는 것에 비해 여러 가지 제약이 많다. 그래도 어려움을 뚫고 캠핑카 여행을 하면 그 즐거움은 하늘을 찌른다. 시간과 돈과 능력이 된다면 캠핑카를 대여해 여행보자. 캠핑 여행의 백미를 느끼게 될 것이다.

● 캠핑카 여행의 몇 가지 제약

캠핑카를 이용한 여행은 일반 렌터카와는 여러 가지 면에서 차이가 있다. 우선 대여 기간이 길다. 캠핑카는 특성상 단기 대여를 안해준다. 최소 일주일 이상 대여해야 한다. 가격은 당연히 비싸다. 일반 렌터카에 비해 3~4배 이상 비싸다. 특히, 성수기에는 사전에 예약하지 않으면 빌리는 것 자체가 어렵다. 또 일반 랜터카는 공항에서 픽업 및 반납이 이뤄져 편리하다. 반면 캠핑카는 대여업체에서 제공한 교통편을 이용해 캠핑카 대여 장소로 가야 한다. 반납도 마찬가지다. 캠핑카를 대여한 곳에 반납한 뒤 다시 공항으로 이동해야 한다. 대여와 반납 장소를 달릴 할 수도 있지만, 비용이 많이 추가된다. 운전도 주의해야 한다. 북미의 경우 1종과 2종 구분없이 캠핑카를 운전할 수 있다. 그러나 3.5톤 규모의 캠핑카를 운전하는 일은 생각보다 쉽지 않다. 특히, 도심 주행이나 코너가 심한 곳은 운전이 상당히 어렵다. 코너링이나 제동 등도 주의하지 않으면 접시가 쏟아지는 일이 발생하기도 한다. 이처럼 캠핑카 대여는 여러 가지 제약이 있다.

• 캠핑카 여행의 조건

위에 언급한 것처럼 캠핑카를 대여해서 여행하는 것은 쉽지 않다. 그러나 조건이 조금 까다롭다는 것이지 못할 정도는 아니다. 시간과 돈이 있다면 차근차근 도전해 인생여행을 만들 수 있다. 캠핑카 여행은 우선 여행기간이 최소 2주일 이상은 잡는 게 좋다. 그래야 캠핑카를 타고 투어도 하고, 현지에 제대로 적응한다. 또 캠핑카로 여행하는 시간 외에도 도심을 여행하거나 하는 등 여유 시간도 넉넉하게 갖는다. 여행지도 잘 골라야 한다. 유럽처럼 도심 중심이거나 도로 폭이 좁은 곳은 캠핑카 여행지로 비추다. 미국이나 캐나다, 호주, 뉴질랜드처럼 운전하기 편리한 곳으로 가야 한다. 공항에 오가는 것을 제외하고 도심으로 들어가지 않아도 되는 그런 곳에서 캠핑카 여행을 하는 것이 좋다.

캠핑카는 운전요령, 캠핑장 내 편의시설과 연결과 시설 사용 등 여러 가지 면에서 알아야할 것이 많다. 따라서 이런 지식을 잘 알고 있어야 당황하지 않고 실수하지 않는다. 캠핑카 사이즈도 잘 선택해야 한다. 부부가 여행한다면 컴팩트한 B클래스가 좋다. 3~4인 가족이라면 넉넉한 C클래스가 좋다. 럭셔리함의 끝판왕을 경험하고 싶다면 A클래스의 모터홈을 대여해보자. 단, 모터험은 버스를 개조해 만든 것이라 운전의 제약이 따른다.

• 캠핑카 VS 트레일러

캠핑카는 차량을 움직이는 엔진이 함께 붙어 있는 것을 말한다. 트레일러는 엔진이 없어 다른 차량으로 끌고 가는 것을 말한다. 해외 캠핑 사례를 보면 캠핑카와 캠핑 트레일러를 이용하는 방식, 둘 다 캠퍼들의 인기가 높다. 그러나 캠핑 트레일러는 자기 차량이 있는 현지인들이 이용하는 것이지, 여행자가 이용하기에는 부적합하다. 따라서 해외 캠핑 여행은 캠핑카를 이용한 여행이라고 단정하는 게 좋다.

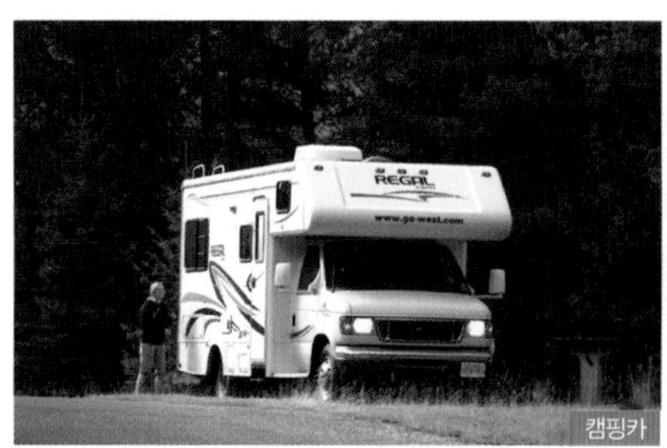

캠핑카

트레일러

캠핑카 종류

캠핑카는 침실과 주방 등 생활할 수 있는 시설을 갖춘 자동차를 말한다. 우리나라에서는 일반적으로 캠핑카라 부른다. 미국이나 캐나다의 경우 캠핑을 위해 만들어진 차량이나 트레일러를 통칭해서 RVRecreational Vehicle라 부른다. 이 가운데 엔진이 달려 있어 스스로 움직일 수 있는 캠핑카는 보통 모터홈이라 부른다. 유럽에서는 모터 카라반Motor Caravan이라 부른다. 모터홈은 크기에 따라 A, B, C로 클래스가 나뉜다.

• A클래스 캠핑카

대형 버스 차체를 기본으로 꾸민 캠핑카다. 일반적으로 모터홈은 A클래스 캠핑카를 뜻하기도 한다. 캠핑카 가운데 가장 크다. 북미에서도 부의 상징이라 불릴 만큼 가격이 비싸다. 대당 가격이 3~4억, 비싼 것은 10억원을 호가한다. 모터홈은 캠핑 시 벽면이 자동으로 돌출되어 거실 공간을 확장하는 슬라이드 아웃Slide Out으로 설계됐다. 슬라이드 아웃을 하면 캠핑카 실내가 집처럼 넓어진다. A클래스는 캠핑카 여행에서 논외다. 대여료도 비싸지만 대형버스를 운전해 본 경험이 없으면 무리다. 북미에서도 장기간 캠핑하며 여행하는 노부부들이 주로 이용한다.

• B클래스 캠핑카

B클래스는 대형 밴을 개조해 만든 콤팩트한 캠핑카다. 밴 컨버젼Van Conversion이라고도 부른다. 겉모습도 일반 밴과 크게 차이가 없다. 국내의 경우 그랜드 카니발이나 스타렉스를 개조해 이런 캠핑카를 만든다. B클래스 캠핑카는 실내가 좁은 만큼 캠핑카로서의 기능도 떨어진다. 반면 대여료는 결코 싸지 않다. 장점도 많다. B클래스 캠핑카는 기동성이나 주차, 캠핑 사이트, 운전 등 여러 가지 면에서 편리하다. 경제적으로 여유 있는 1~2인이 여행할 때 최적이다.

• C클래스 캠핑카

'미니 모터홈Mini Motor Home'이라 부른다. C클래스 캠핑카는 대형 밴이나 스포츠 트럭에 커다란 박스를 얹어 놓은 모양을 하고 있다. 편리성과 쾌적성, 가성비에서 앞서 캠핑카 가운데 가장 인기가 높다. 캠핑카를 대여한다면 대부분 C클래스를 말한다. C클래스 캠핑카의 적정인원은 4~6인이다. 최근에는 점점 대형화되는 추세다. 최근에는 A클래스 캠핑카와 마찬가지로 벽면을 확장할 수 있는 슬라이드 아웃으로 제작된 것이 많다.

C클래스 캠핑카 구조와 편의장치

렌터카에서 대여해 주는 모터홈 가운데 인기가 많은 것은 C클래스다. A클래스의 편의성과 B클래스의 기동력을 합쳐 놓았다. 그러나 같은 C클래스 캠핑카라 하더라도 편의장치와 구조는 제각각이다. 자동차 트랜드가 변하는 것처럼 캠핑카의 설계와 시설도 계속 진화한다. 그러나 가장 일반적인 구조의 C클래스 캠핑카만 제대로 파악하고 있으면 대부분 응용이 가능하다.

실외

왼쪽면

출입문
실내를 드나드는 문이다. 문 밑에 발판이 있다. 발판은 첫 번째 계단을 접은 뒤 밀면 들어간다. 빼낼 때는 넣을 때와 반대로 한다.

대형 사물함
차량 후미에 있다. 여행가방 등 큰 물건을 보관한다. 접이식 의자와 도끼 같은 캠핑장에서 사용하는 물품이 들어 있다.

콘센트
외부에서 전원을 연결할 때 사용한다.

뒷쪽면

보조 타이어
타이어가 펑크 났을 때 교체해 사용한다.

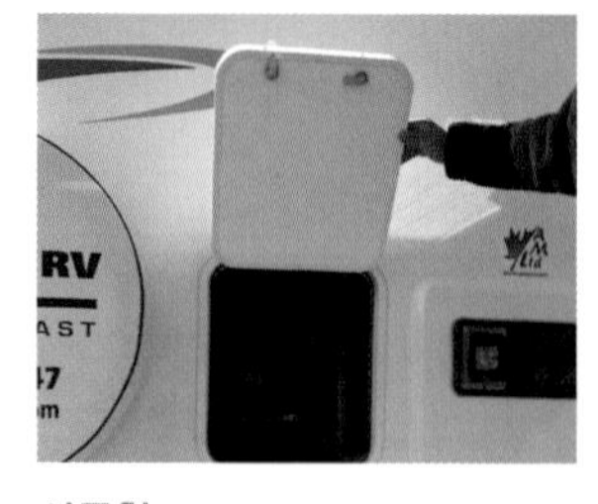

사물함
차량 왼쪽 면에 있는 대형 사물함과 연결되어 있다.

● **물탱크**

상수도와 연결할 수 없는 캠핑장에서 사용한다. 덤프 스테이션Dump Station에서 필요한 만큼의 물을 채운다. 물탱크는 마실 수 있는 정수된 물을 받아야 한다.

● **전선함**

외부에서 전기를 끌어올 때 사용하는 전선이 들어 있다.

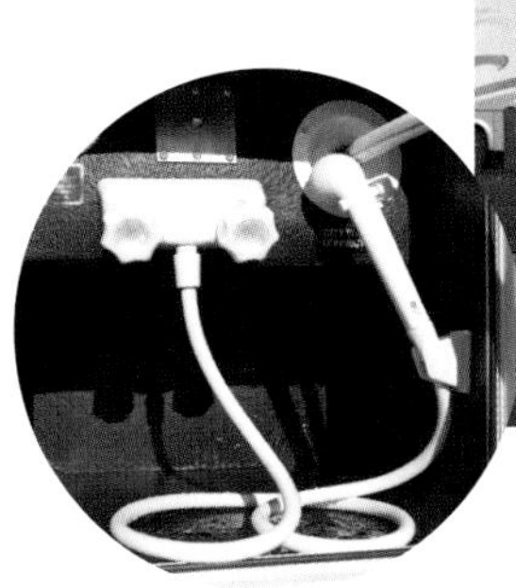

● **상수도**

오른쪽 면에 있는 가장 큰 함이다. 시티워터 커넥션Citywater Connection이라 적힌 구멍과 캠핑장의 수도꼭지를 호스로 연결해 사용한다.

● **하수도 배출구**

싱크대와 화장실에서 사용한 오수를 배출할 때 사용한다. 오수는 캠핑장의 덤프 스테이션이나 풀 훅업Full Hook Up이 되는 캠핑장에서 사용한다. 오수를 빼내는 관은 오른쪽 사물함에 보관되어 있다. 오수탱크를 작동시킬 때는 순서를 지켜 작동한다. 화장실 오수가 싱크대 보다 더러워 먼저 화장실 오수를 뺀 다음 싱크대 오수를 빼는 게 정석이다.

오수탱크 연결 및 작동

❶ 보관함에서 하수도관을 꺼낸다. ❷ 오수탱크 마개를 연 후 하수도관을 연결한다. ❸ 왼쪽 손잡이(화장실 오수)를 잡아당긴다. ❹ 화장실 오수가 비워지면 오른쪽 손잡이를 잡아 당겨 싱크대 오수를 배출한다. ❺ 오수 배출이 마무리 되면 오수 배출 손잡이를 모두 밀어 넣고 관은 분리해서 제자리로 돌려놓는다.

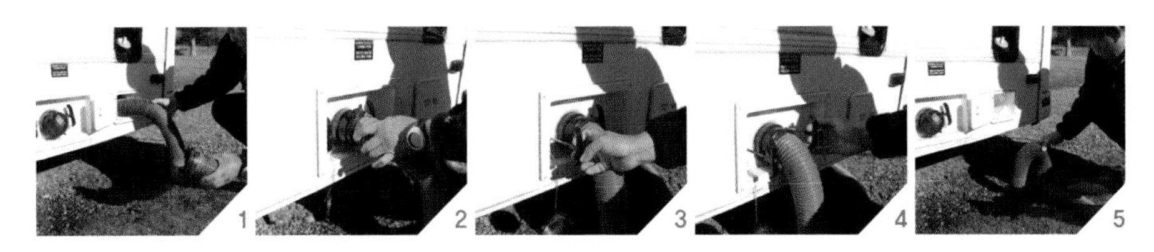

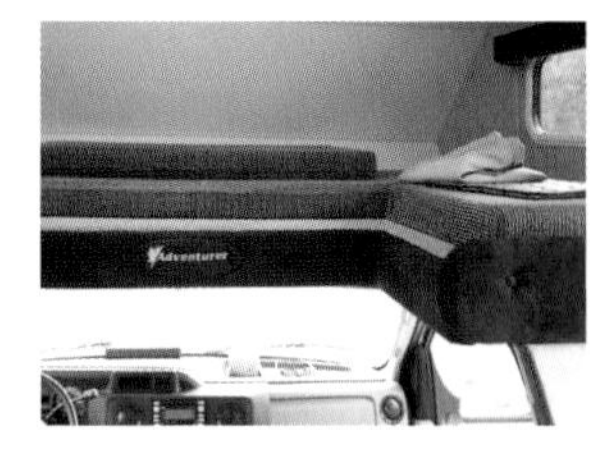

● 운전석 위 침대

운전석 위에는 2인용 침실이 있다. 침대 입구 매트리스 일부는 분리할 수 있어 운전석을 오갈 때 머리를 숙이지 않아도 된다. 침대 양 끝과 지붕에 환기창이 있다. 침대는 운전석과 테이블 사이에 있는 의자를 밟고 오르내린다. 아이들이 추락하지 않도록 조심한다.

● 출입문

캠핑카를 드나드는 문이다. 출입문은 모기장이 있어 분리해서 열 수 있다. 수동 잠금장치가 있어 안에서 잠글 수 있다. 출입문 왼편에 소화기가 있다.

● 침실

캠핑카 가장 안쪽에 있다. 커튼을 치면 주방과 분리된다. 침실에 사물함이 여럿 있어 옷가지 등을 보관한다. 침대 머리 양쪽에 전등이 있다. 지붕에는 모터 달린 팬이 있다. 실내를 환기시킬 때 활용한다.

● 화장실

침실 곁에 붙어 있다. 화장실 문에 대형 거울이 달려 있다. 내부는 변기와 세면대, 샤워부스로 되어 있다. 샤워기는 세면대와 연결되어 있다. 세면대 아래 사물함에 수건을 보관할 수 있다.

● 냉장고

화장실과 식탁 사이에 있다. 냉장고는 냉동실과 냉장실, 2단으로 나뉘어져 있다. 냉장고와 화장실 사이에는 외투를 걸 수 있는 대형 사물함이 있다.

• 운전석

대부분의 북미 C클래스 캠핑카는 F350 포드 트럭을 기반으로 만들어졌다. 보통 기어는 핸들 오른쪽에 달려 있고, 풋 브레이크를 쓴다. 운전석 구조와 작동법은 미리 숙지하고 가는 게 좋다. 운전석에서 거실로 자유롭게 오갈 수 있다.

• 주방

출입문에서 침대까지 주방이 이어져 있다. 오븐, 싱크대, 조리도구가 있는 사물함이 있다. 싱크대 위에는 창문과 함께 접시 등을 넣을 수 있는 사물함, 전자레인지가 있다.

• 식탁

왼쪽 큰 창 곁에 4인용 테이블이 있다. 테이블 다리를 조작하면 침대로 만들 수 있다. 테이블이 있는 창 위에는 사물함이 있다.

식탁을 침대로 만들기

❶ 식탁 아래에 있는 레버를 왼쪽으로 돌리면서 누른다. ❷ 양쪽 소파 바닥과 등받이를 들어낸 다음 식탁과 높이를 맞춰 깐다. ❸ 식탁 위로 등받이 두 개를 밀어 넣는다. ❹ 완성된 모습.

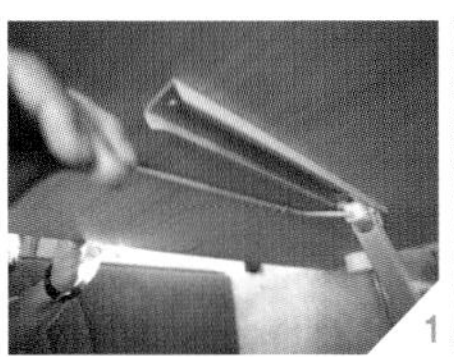
1

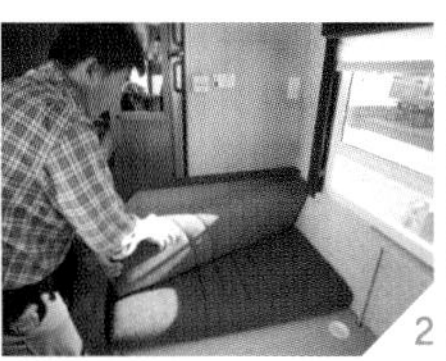
2

3

4

캠핑카 출발 전 점검 십계명

1 물과 전기를 사용하는 모든 기계는 껐는가? **2** 온수 히터는 껐는가? **3** 출입문 계단은 올렸는가? **4** 천장 환기구는 모두 닫았는가? **5** 확장했던 실내(Slide-Out)는 원위치 시켰는가? **6** 외부에 설치했던 모든 물건은 제자리에 갔다 놨는가? **7** 차량 주변에 장애물은 없는가? **8** 후방거울은 원위치 시켰는가? **9** 탑승자 모두 안전벨트를 했는가? **10** 후진을 하지 않고 출발할 수 있는가?

캠핑카 운전요령

캠핑카는 승용차를 몰던 사람에게는 조금 부담스럽다. 밴이나 승합차를 이용해 만든 B클래스는 그나마 낫다. 그러나 트럭을 개조해서 만든 C클래스가 문제다. C클래스 캠핑카는 3.5톤 트럭과 맞먹는다. 따라서 처음 운전하면 여간 부담스러운 것이 아니다. 크기에서 오는 부담감은 한두 시간 운전하면 금방 적응된다. 그러나 캠핑카 특성에서 오는 위험은 항상 도사리고 있다. 따라서 승용차와 달리 조심스럽게 운전하지 않으면 낭패를 당할 수 있다.

• 과속 금물

캠핑카는 승용차와 분명히 다르다. 또한, 트럭이나 버스와도 다르다. 차체가 바람이나 외부환경에 취약하게 설계되어 있다. 따라서 과속은 절대 금물이다. 보통 북미의 고속도로는 최고속도가 110km인 곳이 많다. 캠핑카는 이 속도를 따르려고 해서는 안 된다. 그 속도는 어디까지 일반 자동차 기준이다. 캠핑카는 가급적 최대 시속 100km를 넘지 않는다. 일반도로에서도 규정 속도보다 10km 낮춰 운전하는 게 좋다.

• 바람 조심

캠핑카는 바람의 저항을 많이 받게 설계됐다. 앞면 지붕 위에 침실이 있는데다 몸체가 트럭 헤드보다 넓게 설계되었기 때문. 이런 취약한 구조 탓에 과속을 하거나 바람이 강할 때 운전하면 차체가 크게 밀리는 느낌을 받는다. 또 큰 트럭이나 버스가 추월할 때도 차가 휘청거린다. 따라서 바람이 부는 날은 규정 속도는 무시하고 속도를 낮춰 안전하게 운전한다.

• 후방 조심

캠핑카는 전진보다 후진할 때 더 위험하다. 차량 후미 차체가 운전석보다 밖으로 더 돌출되어 후방주시를 기대할 수 없다. 후방 감시 카메라나 센서가 있는 캠핑카도 있지만 공간 지각능력에 따라 의미가 없을 수도 있다. 따라서 후진은 꼭 필요한 경우를 제외하고는 삼간다. 만약, 어쩔 수 없이 후진해야 한다면는 일행 중 한 명이 내려서 반드시 뒤를 봐준다.

• 양보 운전

대부분의 한국 여행자는 캠핑카 운전이 처음일 것이다. 해외 운전 자체가 처음일 수도 있다. 따라서 모든 게 낯설고 서툴다. 이럴 때는 양보가 미덕이다. 누가 먼저인지 아리송하거나 잘 모르는 교통신호가 있다면 우선 양보부터 한다. 그게 안전을 지키는 최상의 선택이다. 또 정해진 교통법규는 반드시 지키면서 운전한다. 특히, 우리나라와 다른 나라별 고유의 운전법규를 잘 숙지하자.

• 비포장도로&코너링 조심

캠핑카를 대여할 때 비포장길은 가지 말라는 경고를 듣게 된다. 이 경고는 엄포가 아니다. 캠핑카는 무게중심이 높다. 노면이 조금만 거칠어도 차체가 크게 흔들린다. 차체가 흔들리면 수납함에 있는 접시나 주방도구도 흔들린다. 흔들림이 심할 경우 접시나 그릇이 쏟아져 박살나는 아주 위험한 상황이 발생할 수 있다. 따라서 비포장길은 가지 않는 게 상책이다. 또 교차로에서 좌회전이나 우회전할 때도 절대 속도를 높여서는 안 된다. 코너링 시 과속하면 살림살이가 다 쏟아지는 험한 꼴을 당할 수 있다.

• 멀미 조심

주행 중의 캠핑카는 생각만큼 안락하지 않다. 차

체가 흔들려 멀미를 할 수도 있다. 주행 중에는 자리를 자주 옮기는 것을 삼간다. 책을 읽거나 하는 일도 가급적 피하는 게 좋다. 화장실도 차량이 정차했을 때 이용한다. 주행 중에는 한 자리에 앉아 창밖의 풍경을 바라보거나 대화를 나누는 게 좋다. 멀미가 심한 사람은 조수석에 앉거나 차량 진행방향에 맞춰 앉는다. 또한, 운행 중에는 좌석벨트 착용하는 것도 잊지 않는다. 분명한 것은 캠핑카 내부에 침대와 화장실이 있어도 주행 중에는 똑같은 교통법규를 적용받는 차라는 점이다.

• 물건 조심

차체가 심하게 흔들리면 아주 위험한 상황이 벌어질 수 있다. 서랍이나 사물함에 들어 있는 접시나 그릇이 떨어지는 경우가 좋은 예다. 비포장길이나 회전 시 급하게 핸들을 조작할 경우 이 같은 일이 벌어질 수 있다. 따라서 깨질 물건은 반드시 서랍에 보관하고, 여의치 않으면 서랍이 열리지 않도록 끈으로 묶어두는 등의 조치를 취해야 한다. 주행 중 가스레인지 위에는 어떤 냄비도 올려놔서는 안 된다. 칼 같은 경우는 반드시 낮은 칸의 서랍에 보관해야 안전하다.

• 아이 조심

아이들에게 캠핑카는 놀이터로 인식될 수 있다. 운전석 위에 마련된 침실을 올라다니거나 차량 내 이곳저곳을 돌아다니고 싶어 한다. 그러나 주행 중에는 좌석에 앉혀 안전벨트를 착용시켜야 한다. 특히, 운전석 위의 침실은 함부로 올라가게 해서는 안 된다.

• 조작 조심

캠핑카 주행 기능 중 크루즈가 있다. 운전 조작 없이도 일정한 속도로 차량을 주행하게 하는 기능이다. 크루즈 기능을 이용하면 운전자는 가속 페달을 밟지 않아도 된다. 하지만 이 기능을 잘못 사용하면 위험한 상황을 맞을 수 있다. 크루즈 기능은 앞차와 충분한 간격을 확보한 곳에서만 사용한다. 또 도로가 곧게 뻗은 평지에서만 사용한다. 굴곡이 심한 곳이나 오르막과 내리막이 번갈아 나타나는 곳에서 이 기능을 사용하면 차에 무리를 줄 수 있다. 크루즈 기능을 사용하더라도 만약을 대비해 항상 브레이크를 밟을 준비를 하고 있어야 한다.

• 대도시 금지

캠핑카를 운전할 때 도시는 가급적 피한다. 도심에서는 덩치가 큰 캠핑카를 운전하기가 쉽지 않다. 길도 잘 모른다. 작은 접촉사고가 발생해도 여행자는 난감하다. 주차할 공간을 찾기도 쉽지 않다. 또 도심의 다운타운은 어디나 범죄의 온상이다. 차 유리를 깨고 귀중품을 탈취하는 도난사고가 자주 발생한다. 특히, 낮보다 밤이 훨씬 위험하다. 따라서 캠핑카를 타고 도심으로 들어가는 것은 피하는 게 좋다.

CHAPTER 6

제주 캠핑

 CAMPING IN JEJU

제주 캠핑의 매력

제주 캠핑은 육지와는 전혀 다른 환경 속에서 캠핑을 즐길 수 있다는 점에서 매력적이다. 바다는 바다대로, 뭍은 뭍대로 그 풍경과 환경이 다르다. 높지도 낮지도 않은 구릉이 이리저리 이어진 제주도의 내륙은 오름의 천국이다. 높은오름, 돗오름, 다랑쉬오름, 아끈다랑쉬오름, 체오름, 거문오름, 새미오름, 윗밤오름, 알밤오름, 용눈이오름 등 수많은 오름이 흩어져 있다. 오름 주변에서 텐트를 치고 제주의 하룻밤을 즐긴다면 분명 이색적인 경험을 할 수 있을 것이다.

해안도 독특하다. 산호 가루가 부서져 옥빛을 내는 바다도 있고, 검은 현무암이 흩어진 바다도 있다. 북쪽의 해변과 남쪽의 해변은 확연하게 구분된다. 바다에 텐트를 친다면 제주의 낭만을 물씬 느낄 수 있다. 밤이면 파도소리가 텐트 앞까지 밀려온다. 수평선에 떠 있는 고기잡이배의 불빛이 검은 바다를 환히 비춘다. 바닷바람은 텐트를 일렁이게 한다. 이는 분명 제주에서만 느낄 수 있는 감흥이다.

다양한 액티비티를 즐길 수 있다는 것도 제주 캠핑의 매력이다. 오름 트레킹을 비롯해 산악자전거, 바다수영, 카약 등 즐길 거리가 무궁무진하다. 캠핑을 떠나 다양한 액티비티를 즐기는 것. 그것이 어쩌면 제주 캠핑의 가장 큰 묘미인지도 모른다.

아이들과 함께 캠핑을 즐길 수 있다는 것도 제주 캠핑의 장점이다. 대개 아이들은 2박 이상 계속되는 캠핑의 경우 쉽게 싫증을 낸다. 마땅한 즐길 거리가 없기 때문이다. 하지만 제주도에는 흥미진진한 박물관이 널려 있다. 박물관만 돌아본다고 해도 며칠이 걸린다.

다양한 해산물요리에 도전할 수도 있다. 제주는 해산물의 천국이다. 서귀포나 성산포, 제주항 등 재래시장에서 해산물을 값싸게 구입할 수 있다. 종류도 많다. 갈치, 고등어, 돔, 전복 등 뭍에서는 쉽사리 살 수 없었던 해산물을 저렴하게 먹을 수 있다. 계절마다 특산물도 다르다. 제주 현지에서 구한 싱싱한 해산물로 먹는 즐거움을 마음껏 누려보자.

제주로 가는 배편

제주로 가는 배편은 목포 완도 고흥 여수 해남 부산에서 있다. 예전에는 인천에서 출발하는 카페리가 있었지만, 세월호 사고 이후 노선이 없어졌다. 제주로 가는 가장 짧은 노선은 완도다. 이 때문에 완도에서는 최대 1일 3회 운항한다. 목포에서 제주는 시간이 조금 더 걸리지만, 배가 크고 결항률이 낮아 이용객이 많다. 차를 가지고 제주로 갈 경우 사전예약을 하는 게 좋고, 현지 도착 시간을 고려해서 첫날 묵을 캠핑장 등을 미리 잡아 놓는다.

● 목포

목포~제주는 퀸메리호, 퀸제노비아호 두 대의 대형 카페리가 운행한다. 소요시간은 5시간으로 완도보다 2시간 정도 더 걸리지만, 결항률이 낮아 이용객이 많다. 매일 운항하는 퀸메리호는 목포 출발 09:00(도착 13:00), 제주 출발 17:00(도착 21:00)이다. 화~금요일 운항하는 퀸제노비아호는 목포 출발 01:00, 제주 출발 13:40이다. 퀸메리호 여객정원은 1,264명, 차량 490대, 퀸제노비아호 여객정원은 1,284명이다. 퀸메리호 요금은 대인 3만2,300원, 소형차 10만3,500원, 대형 SUV 18만1,400원, 소형 캠핑카 23만2,280원이다. 퀸제노비아호도 요금은 엇비슷하다. 씨월드고속훼리(www.seaferry.co.kr)

● 완도

제주까지 거리가 가장 짧다. 송림블루오션, 실버클라우드, 한일블루나래 3대의 여객선이 운항된다. 이 가운데 송림블루오션은 추자도를 경유하고, 한일블루나래는 쾌속선이다. 정원은 실버클라우드 1180명(차량 150대), 한일블루나래 282명(차량 38대), 송림블루오션 240명(차량 25대)이다. 소요시간은 실버클라우드 2시간 40분, 한일블루나래 1시간30분, 송림블루오션 5시간이다. 요금은 실버클라우드 2만9,900원, 한일블루나래 4만6,600원, 송림블루오션 2만6,250원이다. 차량 승선료는 실버클라우드 기준 소형차 8만2,230원, 대형 SUV 14만6,440원, 소형 캠핑카 23만9,060원이다. 완도에서 제주로 가는 배편은 다양한 선박이 있지만, 계절에 따라 운항 스케줄을 조절한다. 대부분 결항이 거의 없는 실버클라우드를 많이 이용한다. 한일고속(www.hanilexpress.co.kr)

• 부산

㈜엠에스페리에서 운영하는 뉴스타호가 격일 간격으로 운항한다. 부산 출발은 월, 수, 금, 제주 출발은 화, 목, 토에 있다. 부산항 출발 시간은 19:00(도착 06:00), 제주항은 18:30(도착 06:00)이다. 운항시간은 11시간 내외로, 배에서 밤을 보내게 된다. 요금은 대인 5만1,500원부터다. 2~4인 침대실도 별도로 있다. 차량은 소형차 14만8,800원, 대형 SUV 23만7,400원, 소형 캠핑카 34만6,600원이다. ㈜엠에스페리(http://msferry.haewoon.co.kr)

• 여수

여수엑스포신항에서 제주항까지 골드스텔라호가 매일 새벽 01:20에 출항한다. 소요시간은 약 6시간, 제주항 도착시간은 07:10이다. 제주에서 여수로 오는 배는 16:50에 있다. 골드스텔라호 정원은 948명, 차량은 343대를 실을 수 있다. 요금은 대인 36,700원부터다. 차량은 소형차 11만6,360원, SUV 19만500원, 캠핑카 소형 27만9,540원이다. 한일고속(www.hanilexpress.co.kr)

• 녹동(고흥)

녹동에서 제주는 아리온제주가 매일 운항한다. 녹동 출발 09:00(제주 도착 13:40), 제주 출발 16:30(녹동 도착 20:10)이다. 요금은 대인 2만7,500원부터, 차량은 소형차 8만4,900원, 대형 SUV 14만5,000원이다. 남해고속(www.namhaegosok.co.kr)

• 우수영

해남 우수영에서 추자도를 경유해 제주로 가는 쾌속선 퀸스타2가 매일 운행한다. 우수영 출발 14:30(추자 도착 16:00, 제주 도착 17:30), 제주에서는 09:30에 출발(추자 도착 10:30, 우수영 도착 12:30)한다. 퀸스타2는 차량은 실을 수 없다. 씨월드고속훼리(www.seaferry.co.kr)

시장 보기

제주도는 어쨌든 섬이다. 육지와 비교하자면 부족한 게 많다. 해산물을 제외하면 가급적 떠나기 전에 준비하는 게 좋다. 만약 필요한 게 있다면 제주시와 서귀포시에 있는 대형 할인 마트를 이용한다. 다른 곳은 구멍가게 수준이다. 대정읍에도 규모 있는 마트가 있다. 해산물은 제주 동문시장이나 서귀포 중앙시장을 이용하는 게 좋다. 현지인들이 이용하는 시장이라 싱싱한 해산물을 저렴하면서 푸짐하게 구입할 수 있다. 성산포 수협직매장에서는 경매가 끝난 후 자투리로 남은 해산물을 저렴하게 팔기도 한다. 넉살이 좋으면 물질을 끝내고 나오는 해녀에게 문어나 소라 등을 진짜 '착한' 가격에 살 수도 있다. 겨울에는 대정읍 수협직매장에서 방어나 부시리를 사서 회 떠먹는 재미가 있다. 옥돔이나 소라, 문어, 해삼 등은 사계절 내내 맛볼 수 있다. 자리돔은 봄부터 초여름, 갈치는 가을, 부시리와 방어는 겨울이 진미다. 담배나 양주는 제주항 면세점에서 구입하면 비용을 절약할 수 있다.

용두암
이호태우
해수욕장
애월
하귀
곽지해수욕장
귤빛
애월읍
제주경마공원
휴림
한림
비양도
협재해수욕장
금릉해수욕장
한림읍
비체올린
한경면
돌하르방캠핑장
차귀도
소인국테마파크
서귀포자연휴양
오설록
대정읍
수월봉
안덕면
중문관광단지
지삿개 주상절리
산방산
화순해수욕장
용머리해안
중문
해수욕장
대정
가파도
마라도

김녕해수욕장
월정리해변
함덕해수욕장
양해수욕장
조천
함덕
김녕미로공원
세화
우도
조천읍
구좌읍
제주베이스캠프
비자림
다랑쉬오름
용눈이오름
성산 일출봉
시
성산읍
절물휴양림
산굼부리
섭지코지
사려니숲길
어라운드 폴리
표선면
모구리야영장
성판악휴게소
성읍민속마을
제주민속촌박물관
표선해수욕장
표선
돈내코야영장
남원읍
남원
남원큰엉
포 시
연폭포
쇠소깍

섬 속의 섬, 우도

제주도 동쪽, 성산일출봉과 마주보는 곳에 자리한 우도는 섬 속의 섬으로 불린다. 제주에 비해 개발의 손길이 덜 미쳐 진짜 섬다운 풍경이 남아 있다. 섬 전체가 도립공원으로 지정될 만큼 아름답다. 특히, 파도가 몰아치는 해변을 배경으로 거미줄처럼 이어진 돌담은 우도에서만 느낄 수 있는 정취다. 자전거를 이용해도 반나절이면 돌아볼 수 있어 지금은 제주 여행의 필수 코스가 됐다.

• 서빈백사(홍조단괴)

우도에서 최고로 손꼽는 해변이다. 폭 15m, 너비 300m에 이르는 해변이 온통 눈부시게 빛난다. 서빈백사는 백사장은 물론, 파도가 핥는 바다 속도 물그림자가 비칠 만큼 투명하다. 물이 점점 깊어지면서 푸른 빛으로, 또 다시 검푸르게 색깔을 바꾸는 바다의 아름다움은 환상적이다. 이곳에서는 한라산이 손에 잡힐 듯이 가깝다. 해 질 무렵이면 석양이 물드는 하늘 아래 제주도의 오름과 오름이 겹치고 포개지는 아름다운 모습도 볼 수 있다.

• 소머리오름

우도는 소의 모양을 닮았다고 해서 지어진 이름이다. 소머리오름은 소의 머리에 해당한다. 우도의 유일한 오름으로 높이는 133m다. 소머리오름에 오르면 우도의 전경이 한눈에 들어온다. 일출봉과 성산포를 오가는 고깃배들, 남쪽 동지나해로 뻗은 무한대의 바다도 인상적이다.

• 우도등대

소머리오름 정상에 있다. 1906년 처음 불을 밝혀 100년이 넘는 역사를 간직했다. 2003년에는 높이 16m의 새로운 등탑을 설치했다. 이 등탑에는 국내 기술로 개발한 대형 회전식 등명기를 설치, 50km 밖에서도 등대를 확인할 수 있도록 했다.

• 검멀래

소머리오름의 동쪽 벼랑이다. 쉴 틈 없이 밀려오는 파도 덕에 오름의 밑둥치가 깎여나가면서 크고 작은 해식동굴이 만들어졌다. 계단을 내려가 갯돌이 깔린 해변을 가로지르면 바위가 파도에 깎여 고래 입처럼 크게 구멍이 뚫려 있다. 이 굴을 지나 아슬아슬한 벼랑을 따라 가면 폭 10m, 길이 50m의 자연 동굴이 반긴다. 이곳이 검멀래다. 검멀래는 썰물 때에만 들어갈 수 있는데, 고함을 지르면 소리가 바위벽에 은은하게 울려 나온다. 해마다 이곳에서 성악가들이 작은 음악회를 개최한다.

우도 돌아보기

섬 속의 섬 우도는 제주도 여행의 또 하나의 로망이다. 그러나 차량을 이용해 갈 수 없다. 버스나 전기차를 이용해 돌아볼 수밖에 없다. 걸어서 다닐 수도 있지만 시간도 오래 걸리고 힘들다.

우도를 여행하는 가장 좋은 방법은 전기차나 전기자전거를 대여해 이용하는 것이다. 전기차는 2인용으로 비바람이 불어도 안전하게 이용할 수 있다. 가격은 3시간 기준 3만원선. 전기자전거는 전기차에 비해 더 자유롭다. 전기로 충전한 배터리가 달려 있어 힘들이지 않고 우도를 돌아볼 수 있다. 가격은 3시간 기준 1만5,000원이다. 성산항에서 카페리가 오가는 하우목동에 많은 대여소가 있다. 가격은 숍마다 거의 비슷하다. 오전에 가면 좀 더 상태 좋은 것을 대여할 수 있다.

시간 구애를 받지 않고 좀 더 자유롭게 돌아보려면 순환버스를 이용한다. 우도순환버스는 소머리오름~검멀래~하고수동해수욕장~우도박물관~서빈백사 등 주요 여행지를 찾아간다. 자신이 원하는 곳에 내렸다가 다음 버스를 타고 가면 된다. 일행이 여럿이면 전기차를 빌리는 것보다 훨씬 경제적이다.

오름에 깃든 탁월한 조망
모구리야영장

모구리야영장은 모구리오름 서쪽 사면에 조성됐다. 오름은 기생화산을 일컫는 제주도의 방언이다. 면적은 53만㎡(약 16만평)에 이른다. 모구리오름 대부분이 캠핑장으로 조성됐다고 보면 된다. 캠핑장에서 오름을 산책하는 코스도 마련됐고, 극기훈련장과 서바이벌캠핑장도 있다. 또 아스팔트싱글로 포장된 다목적 운동장도 있다. 모구리야영장은 탁월한 조망을 가지고 있지만 바람에 취약하다는 단점이 있다. 5월부터 9월까지는 태풍만 없다면 이보다 좋은 캠핑장이 없다. 그러나 이 외의 계절에는 바람에 대한 대비를 해야 한다.

주소 제주도 남제주군 성산읍 난산리 2960-1
전화 064-760-3408
야영료 어른 1,200원, 청소년 1,000원, 어린이 800원 (7세 이하 무료). 입장료와 주차료 없음

원앙폭포가 있는 깊은 숲
돈내코야영장

서귀포시에서 가까운 곳에 있다. 물이 귀한 제주도에서 사시사철 계곡이 흐르는 한라산 중산간에 있다. 2021년에 리모델링을 마쳐 현대적으로 변모했다. 카라반을 새롭게 설치했고, 사이트마다 전기도 설치했다. 기존에 있던 데크를 철거하고 파쇄석을 깔았다. 캠핑사이트는 20동 내외. 사이트까지는 여전히 차량 진입 불가다. 캠핑 장비를 나르는 불편이 있지만, 캠핑 환경과 편의시설은 완벽하다. 원앙폭포 트레킹은 빼놓을 수 없는 필수 코스다. 잔디가 깔린 드넓은 운동장도 아이들의 놀이터로 훌륭하다.

주소 제주 서귀포시 상효동 1459번지
전화 064-762-2314
입장료 소형 500원, 대형 1,000원, 주차료(1박 2일) 1,200원

파도 소리 머무는 솔밭
이호테우해변

제주시에서 서쪽으로 가면 만나는 첫번째 해수욕장이다. 아담한 해변도 좋지만 밤이면 환하게 빛나는 말 모양 등대도 아름답다. 이 등대가 제주여행 인증샷 포인트! 캠핑장은 해변을 감싼 솔밭 언덕에 자리했다. 예전에 유료 캠핑장을 운영했던 곳으로 다닥다닥 붙은 데크도 몇 개 있다. 사이트는 자연적으로 형성되었으며 텐트 40여동을 칠 수 있다. 개수대 시설은 있지만 취사를 하기는 불편하다. 백팩킹이나 비수기 한가할 때 찾으면 좋겠다. 주변에 마트와 식당 등이 있다.

주소 제주도 제주시 이호동 1600
홈페이지 없음
이용료 무료
개장 연중(선착순)

산방산 그늘 아래 마라도가 보인다
화순해수욕장

화순 산방산이 보이는 해변에 있다. 노지 스타일의 와일드한 캠핑장이다. 캠핑장은 유료와 무료로 구분되어 있다. 무료 사이트는 해변을, 유료 사이트는 잔디밭에 있는 데크를 이용한다. 코로나 이후 유료 사이트는 별도로 관리하지 않고 있다. 캠핑장 중앙에 물길을 조성하고 테이블을 배치한 것이 독특하다. 예전에는 여름철 성수기에 이 테이블에 앉아 마을에서 파는 음식을 먹을 수 있었다. 전체적으로 그늘이 별로 없는 게 흠이다. 바람이 불면 피할 곳이 없다.

주소 제주도 서귀포시 안덕면 화순리 776-8
홈페이지 없음
이용료 무료
개장 연중(선착순)

편백숲 그늘 아래

서귀포자연휴양림

한라산 서쪽을 가로지르는 1100도로에 있다. 255ha에 온대 · 난대 · 한대 수종이 다양하게 있다. 편백숲에는 산림욕장이 조성돼 있어 산림에서 뿜어져 나오는 휘발성 향기물질(피톤치드)이 피로를 풀어주고 스트레스를 해소해준다. 법정악을 중심으로 해발 600~800m 높이에 자리 잡고 있어 전망도 빼어나다. 시설은 크게 가족야영장과 오토캠핑장, 편백숲동산, 매점, 산책로 등으로 구성된다. 가족야영장은 차에서 짐을 날라야 하는 번거로움이 있지만 분위기가 번잡하지 않고 아늑하다. 오토캠핑장은 나무 테크가 설치되어 있는데, 대형 텐트를 치기에는 무리가 있다. 하지만 나무 사이를 잘 이용한다면 '대형 텐트+타프' 구성도 가능하다.

주소 제주도 서귀포시 대포동 산1–1번지
홈페이지 huyang.seogwipo.go.kr
전화 064–738–4544
입장료 어른 1,000원, 어린이 300원, 주차료 중소형 2,000원, 야영장 2,000원, 야영데크 4,000원

에메랄드빛 바다에 안겨 하룻밤

함덕서우봉해변

제주의 물빛 가운데 몇 손가락에 꼽는 함덕해수욕장에 있는 야영장이다. 사이트에서 몇 걸음이면 물 맑은 바다다. 야영장 바닥은 고운 모래가 깔렸다. 일부는 초지로 되어 있다. 그늘이 별로 없는 야자수가 군데군데 심어져 있다. 연중 개장하지만 바람 부는 날은 캠핑이 어렵다. 비수기는 캠핑장 화장실도 폐쇄한다. 사이트는 40동 내외, 구획은 별도로 없다. 그늘도 거의 없다. 함덕해수욕장 앞 잔디밭은 야영금지 구역. 서우봉 해변에 있는 캠핑장을 찾아가야 한다. 바다 카약, 올레길 걷기 등을 할 수 있다. 인근에 하나로마트를 비롯한 마트와 식당이 많다.

주소 제주도 제주시 조천읍 함덕리 1008
홈페이지 없음
이용료 무료
개장 연중(선착순)

제주 바다 굽어보는 한라산의 얼굴
관음사야영장

한라산에 깃든 세 곳 캠핑장 가운데 하나다. 제주시가 훤히 내려다보이는 한라산 중턱에 있어 전망이 좋다. 한라산 등산로 가운데 하나인 관음사 코스의 시발점이기도 하다. 제주 시내가 가까워 장 보기도 좋고, 제주를 들고날 때도 편리하다. 무엇보다 한라산을 등지고 있어 악명 높은 제주의 바람을 피할 수 있다. 캠핑장은 숲그늘이 좋다. 타프가 필요없을 만큼 그늘이 짙다. 사이트도 널찍널찍해 대형 텐트를 치는데 부족함이 없다. 국립공원에서 관리해 편의시설의 청결상태도 좋다. 캠핑장 앞 잔디밭은 축구장 만큼 넓다. 1회 요금을 내고 사용하는 샤워장도 있다. 다만, 주차장에 차를 두고 리어커로 캠핑장비를 운반해야 한다. 전기 사용도 불가다. 숯을 이용한 화로대 사용은 가능하지만, 장작불은 불가다.

주소 제주도 제주시 오등동 3-2
전화 064-756-9950
홈페이지 www.jeju.go.kr/hallasan
요금 야영료 3,000~6,000원, 샤워장 1회 600원, 주차료 1,800원
개장 연중(선착순)

고운 모래사장 너머 이국의 바다
협재해수욕장

제주 북서쪽 협재해수욕장에 있다. 비양도가 보이는 이국적인 바다와 고운 모래 해변이 인상적인 곳. 캠핑장은 해변 왼쪽 솔숲에 있다. 소나무 그늘이 좋고, 주변도 제법 안정감이 있다. 다른 무료 해변 야영장에 비해 관리도 잘 되고 있다. 이웃한 금능해수욕장도 관리가 잘 되어 캠퍼들이 많이 찾는다. 사이트는 자연적으로 형성되어 있다. 화장실도 깨끗하고 규모도 있다. 취사장도 넉넉하다. 샤워장은 여름철만 개장한다.

주소 제주도 제주시 한림읍 협재리 2497-1
홈페이지 없음
이용료 무료
개장 연중(선착순)

기타 제주 사설 캠핑장

• 제주베이스캠프

함덕해수욕장과 가까운 제주시 조천읍 선흘리에 있다. 사설 캠핑장 가운데 제법 규모가 있다. 제주 화산석과 잔디, 데크로 사이트를 꾸렸다. 잔디와 데크는 사이트까지 차량 진입이 가능하다. 차이점은 바닥 상태다. 잔디라 해도 화산석이라 물 빠짐이 좋다. 백패킹 사이트는 주차 후 50m 가량 걸어가야 한다. 작은 텐트를 칠 수 있는 데크가 놓여 있다. 전망은 이곳이 가장 좋다. 사이트마다 전기, 무선 인터넷, 가로등이 제공된다. www.jejubeliita.com

• 돌하르방캠핑장

제주 서쪽 중산간지대에 있다. 넓은 잔디밭을 가운데 두고 사이트를 구성했다. 사이트는 데크와 파쇄석, 잔디로 되어 있다. 데크는 예약제, 파쇄석과 잔디는 선착순으로 배정한다. 데크 사이즈는 3·4m. 캠핑장 내에 수영장도 있다. 요금은 4인 기준 3만~4만원. 주변에 한림공원, 협재해수욕장, 오설록, 평화박물관, 차귀도 등의 여행지가 있다. www.jejudolharbang.com

• 어라운드 폴리

롯지와 카라반을 갖춘 캠핑 리조트다. 방사탑 모양의 롯지 모양이 독특하다. 에어스트림을 이용한 카라반도 럭셔리하다. 텐트 자리는 많지 않지만 편의시설이 훌륭하다. 바닥은 데크와 잔디로 되어 있다. 사이트 곁 주차 가능하고, 개별 전기도 제공된다. 공용 키친과 수영장, 전기 바비큐 데크도 있다. 1인 개별 샤워실도 인기가 높다. 캠핑 장비도 대여해준다. 다만 캠핑 요금은 조금 비싸다. 비수기 기준 5만~6만원. www.aroundfollie.com

• 휴림

제주산림조합에서 조성한 숲속 캠핑장이다. 애월항과 이호테우해변과 가까운 중산간에 있다. 텐트 사이트와 글램핑, 카라반 시설을 갖추고 있다. 캠핑장 규모는 크지 않지만 나무 아래 데크가 있어 전체적으로 아늑하다. 화장실과 샤워실, 취사장, 편의점 등 편의시설도 훌륭하다. 시설에 비해 가격도 저렴한 편이다. 주중(월~목)에는 텐트 2만원, 글램핑 3만원, 카라반(소) 4만5,000원이다. http://huerim.kr

• 귤빛

함덕해수욕장에서 가까운 중산간에 있다. 텐트 사이트, 글램핑, 카라반 등의 시설을 갖추고 있다. 캠핑장 이름처럼 귤밭 가운데 조성된 것이 특징. 텐트 사이트는 30동. 파쇄석과 잔디로 되어 있다. 사이트마다 전기가 설치되어 있으며, 사이트 곁 주차도 가능하다. 요금은 비수기 기준 텐트 3만원, 글램핑 7만원. 취사장과 샤워실, 매점, 수영장 등의 부대시설도 있다. www.jeju-camping.com

• 비체올린

카약을 테마로한 테마파크 캠핑장이다. 화산암으로 돌담을 쌓아 사이트를 구분했다. 캠핑을 하면서 카약도 즐길 수 있다. 파크 안에 미로공원, 석상광장, 아로마정원, 유체꽃길 등의 공원이 있다. 공원 내 테마 공간은 카약을 타고 가며 감상할 수 있다. 파크 중앙에는 수영장이 있다. 캠핑장은 수영장을 빙 둘러 있다. 아쉬운 것은 사이트까지 차량 진입이 안 된다는 것. 리어커로 짐을 날라야 한다. 가격은 비수기 3만~4만원. 협재해수욕장에서 가깝다. www.vicheollin.com

제주 캠핑 ABC

• 장비는 떠나기 전에 확실히 챙기자

제주는 섬이다. 모든 게 부족하고 설령 있다고 해도 비싸다. 캠핑 장비는 기본으로 챙겨 간다. 현지에서 구입하는 해산물이나 주류를 제외하고 가공식품이나 쌀, 라면 등도 모두 챙겨서 가는 게 절약하는 길이다.

• 바람을 피할 수 있는 곳이 최고의 사이트다

제주에서 캠핑의 최대 적은 바람이다. 항상 바람막이가 될 수 있는 곳을 고려해서 사이트를 잡아야 한다. 특히, 낮과 밤은 분명히 다르다. 낮에 평온하다가 밤만 되면 바람이 부는 경우가 부지기수다.

• 배편을 확실히 체크하자

제주를 오가는 배편은 계절과 기상에 따라 변동이 심하다. 반드시 출발 전에 배편을 확인해야 한다. 특히, 풍랑주의보가 내릴 경우 운항을 하지 않을 수 있으므로 터미널로 출발하기 전에 한 번 더 확인하는 것이 안전하다.

• 방향을 정해서 코스를 짠다

제주 여행은 섬 일주가 기본이다. 따라서 도는 방향을 정해서 코스를 짜야 시간과 기름을 낭비하지 않는다. 또한 캠핑장도 코스에 맞춰 잡아야 한다. 동쪽부터 돈다면 협재해수욕장~모구리~돈내코~서귀포자연휴양림~화순 금모래~협재~관음사 순으로 캠핑지를 고려한다. 서쪽은 이와 반대다.

• 성수기에는 미리 예약하자

제주도의 정규 캠핑장은 숫자가 적다. 주말이나 성수기에는 현지인들이 이용하기에도 부족하다. 따라서 성수기나 주말에 캠핑장을 이용하려면 사전에 예약을 하는 게 현명하다.

• 배를 타러 오가는 일정도 고려하자

완도항에서 떠날 경우 서울에서 제주까지 꼬박 하루가 걸린다. 서울에서 아침 일찍 출발해 오후에 배를 타도 된다. 그러나 그보다는 해남 송호리오토캠핑장에서 하룻밤 머물면 일정도 여유가 있고 주변 여행도 할 수 있다.

• 기름은 가득 채우고 가라

섬은 모든 게 비싸다. 기름도 마찬가지다. 단돈 10원이라도 절약하려면 뭍에서 넣고 가는 게 좋다. 완도항을 이용할 경우 목포에서 영암으로 가는 2번국도 주변에서 기름을 넣는 게 좋다. 이곳에 기름값이 저렴한 주유소가 몰려 있다.

• 첫날 포스트는 확실히 정하고 가자

제주 도착 시간이 저녁이라면 첫날은 캠핑장을 확실히 정해놓자. 해가 진 상태에서 캠핑장을 찾아 헤맬 수도 없고, 사이트를 구축하다 보면 저녁도 챙겨 먹기 어렵다. 주말의 경우 캠핑장이 만원일 수도 있기 때문에 예약은 필수다.

CHAPTER 7

캠핑요리

 CAMPING RECIPE

누가 뭐라고 해도 캠핑의 진정한 묘미는 요리다. 우리나라의 음식문화는 밥과 찌개, 밑반찬 등을 푸짐하게 놓은 상차림을 기본으로 한다. 캠핑요리 또한 예외가 아니다. 이 때문에 대부분의 캠퍼들은 캠핑을 갈 때 하루 세끼 식사 준비에 목숨을 건다.

요리는 캠핑장에서 캠핑을 알차게 만드는 여러 기술 가운데 하나로 취급받는다. 이를테면 요리가 모닥불을 피우거나 타프를 치는 것과 같은, 캠핑을 구성하는 절대적인 능력의 하나로 치부되는 것이다. 따라서 여자보다는 남자가, 엄마보다는 아빠가 캠핑요리에 더 적극적이다. 캠핑장에서는 보통 여자보다 남자가 200% 이상의 요리 실력을 뽐낸다. 평소 주방에는 얼씬도 하지 않던 아빠가 앞치마를 두르고 요리를 한다고 생각해보라. 자녀들은 전혀 다른 아빠의 모습에 감동을 받을 수밖에 없다. 설령 음식 맛이 없다고 해도 아이들은 아빠가 앞치마를 둘렀다는 것만으로도 후한 점수를 준다.

캠핑요리는 집에서 하는 요리와 조금 다르다. 집에서는 꿈도 꿀 수 없는 다양한 요리를 시도해 볼 수 있는 기회이기도 하다. 화로나 그릴을 이용한 바비큐 요리는 캠핑의 멋과 낭만을 한층 배가시켜준다. 또 현지에서 구입한 특산물을 이용해 그곳 캠핑장만의 별미를 만들 수도 있다. 특히, 집과 비교하면 아주 부족한 여건이지만 그런 속에서도 순발력과 창의성을 바탕으로 새로운 요리에 도전하다 보면 캠핑의 재미에 흠뻑 빠지게 된다.

캠핑장에서는 제아무리 고가의 장비를 갖추어도 집과 비교하면 부족한 게 많다. 아무리 좋은 장비라 해도 집에 있는 주방을 통째로 옮겨놓은 것만은 못하다. 이 태생적인 한계를 극복하는 데 캠핑요리의 묘미가 있다. 주어진 조건에 최대한 순응하면서 독창적인 능력을 키우는 것, 그것이 바로 캠핑요리를 잘하는 길이다. 한편, 캠핑장에서만 시도할 수 있는 요리를 중심으로 과감하게 도전하다 보면 미처 알지 못했던 요리 실력을 발견하기도 한다. '요리의 달인'이 되기 위해서는 다음 몇 가지 원칙을 알아야 한다.

• 레시피를 단순화하라

캠핑장에서는 집에 있는 주방처럼 요리를 위한 완벽한 조건을 갖추기 어렵다. 따라서 레시피를 단순화시켜 요리를 쉽고 편하게 할 수 있도록 해야 한다. 음식 맛을 결정적으로 좌우하는 게 아니라면 거추장스러운 과정은 생략하고 재료 본연의 맛을 살리는 방법을 찾아야 한다.

• 최소한의 재료로 요리하라

레시피가 단순해지기 위해서는 재료를 단순화시킬 필요가 있다. 불필요한 양념은 과감하게 생략한다. 끼니별로 준비할 요리의 연관성을 따져서 공동으로 활용할 수 있는 재료를 준비하는 것도 재료를 최소화하는 방법이다. 메인 요리의 가짓수를 한두 가지로 압축해 그 요리에 집중하는 것도 재료를 줄이는 방법이자 캠핑요리를 잘하는 비결이다.

• 음식물 쓰레기를 최소화하라

캠핑장에서는 남는 것보다 조금 부족한 게 좋다. 일단 음식이 남으면 보관이 여의치 않다. 냉장고가 없어 쉽게 상할 수 있다. 음식이 남으면 버리게 되고 이는 환경오염의 주범이 된다. 요리를 할 때는 음식물이 남지 않도록 조금 부족하게 하라. 또 일단 만든 음식은 가급적 남기지 않고 모두 먹는 버릇을 들이자.

• 새로운 아이디어를 실험하라

집과 똑같은 식상한 밥과 찌개에서 탈피하라. 요리의 방법과 재료는 무한대다. 밥을 예로 들어보자. 집에서 짓는 밥은 흰쌀밥이나 잡곡밥, 혹은 콩밥이 전부다. 그러나 밥에 꼭 이런 재료만 사용해야 한다는 법은 없다. 새우를 넣을 수도 있고, 볶은 돼지고기를 넣을 수도 있다. 또 각종 야채를 다져서 넣을 수도 있다. 이처럼 요리에 창조적인 아이디어를 부여하면 요리하는 시간이 점점 즐거워진다.

• 현지에서 구할 수 있는 재료를 활용하라

캠핑장이 위치한 곳은 산과 바다, 강, 숲 등 다양하다. 그 캠핑장 주변에는 그곳에서만 나는 특산물이 있을 것이다. 현지에서 구하는 재료는 몇 단계의 유통과정을 거쳐 구입하는 재료와 달리 선도가 뛰어나다. 또 현지 시장을 이용할 경우 가격도 훨씬 저렴하다. 따라서 캠핑을 떠나기 전에 캠핑장이 위치한 곳의 계절별 특산물이 무엇인지 미리 파악하고, 현지에서 구입할 수 있도록 한다. 특히 생물 생선처럼 선도가 중요한 것은 가급적 현지에서 구입한다. 요즘은 택배 시스템도 아주 잘 되어 있다. 신선식품을 날짜에 맞춰 캠핑장으로 배달하는 방법도 있다.

• 계절에 맞는 재료를 준비하라

우리나라는 사계절이 뚜렷한 나라다. 계절에 따라 제철인 농산물도 제각각이다. 캠핑요리는 가급적 계절에 맞는 재료를 이용하는 게 좋다. 제철에 맞는 채소나 해산물, 과일은 그만큼 가격도 저렴하고 신선도도 뛰어나기 때문이다. 캠핑요리는 양념이나 조미료 대신 재료 본연의 맛을 살리는 게 중요하므로 선도는 요리 재료를 구입할 때 중요하게 고려해야 할 요소다.

• 요리하는 것을 즐겨라

캠핑장에서는 요리를 일로 여기면 안 된다. 캠핑의 즐거움을 배가시키는 최고의 놀이라고 생각해야 한다. 이처럼 즐거운 마음으로 요리를 해야 음식 맛도 좋아지는 법이다. 요리가 즐겁지 않으면 캠핑요리의 꽃이라 할 수 있는 바비큐 훈제요리에 도전할 수 없다. 바비큐 훈제요리는 보통 요리 시간이 1시간을 훌쩍 넘기 때문이다.

• 이웃 텐트와 음식을 나누자

한국의 캠퍼들에게 가장 부족한 부분이 아닐까 싶다. 캠핑장은 우리가 사는 아파트와 같은 또 하나의 마을이다. 그곳에도 이웃이 있고, 서로가 지켜야 할 예절이 있다. 특히, 캠핑장은 어느 텐트에서 무슨 요리를 하는지 다 알수 있는 장소다. 따라서 음식에 여유가 있다면 이웃 텐트에게도 맛볼 기회를 주자. 캠핑장이 훨씬 인간적인 장소로 변할 것이다.

• 음식의 강약을 조절하자

매 끼를 다 거창하게 먹을 수는 없다. 아침과 점심, 저녁의 특성에 맞춰 음식을 준비할 필요가 있다. 아침은 되도록 가볍게 먹는다. 분명 전날 음주가 있었을 테고, 설령 그렇지 않더라도 입맛이 없을 수 있으므로 따끈한 국물을 중심으로 요리를 구성한다. 점심은 남은 찬과 밥을 활용해 요리를 하자. 볶음밥이나 주먹밥 등의 메뉴를 활용할 수 있다. 저녁은 거창하게 준비한다. 바비큐나 메인 요리를 중심으로 식탁을 풍성하게 꾸민다. 가급적 해가 지기 전에 저녁을 시작할 수 있도록 오후 4시 내외부터 음식을 준비하는 게 좋다.

• 인스턴트 음식은 피하자

캠핑은 자연을 찾아가는 것이다. 요리도 자연에서 얻은 것을 그대로 활용하는 게 캠핑의 취지에 맞다. 그러나 캠핑장에서 라면으로 끼니를 해결하는 캠퍼들이 흔한 게 현실이다. 캠핑장에서는 가급적 인스턴트 음식은 피하자. 아이들에게도 과자봉지를 건네기보다 과일이나 직접 요리한 간식을 주자.

• 남은 재료를 활용하자

캠핑요리는 정해진 룰이 없다. 부족하면 부족한 대로 요리를 할 줄 아는 게 능력이다. 특히, 캠핑이 끝날 때쯤 되면 예상보다 남는 음식재료가 있고, 부족한 재료가 있다. 이때는 남은 재료를 활용해서 요리하는 지혜를 발휘해야 한다. 남은 재료는 버리면 쓰레기지만 잘만 요리하면 훌륭한 한 끼의 식사가 될 수 있다.

01 재료는 미리 손질해둔다

대부분 캠핑장의 취사시설은 집과 비교할 수 없이 열악하다. 또한 한정된 코펠을 이용해 재료를 다듬고 손질해야 하므로, 집에서 재료를 미리 손질해 가면 캠핑장에서 한결 일이 수월해진다.

양파나 감자, 파, 당근 등은 껍질을 벗겨 다듬고 양념에 쓸 마늘은 다져 놓는다. 닭고기는 깨끗이 손질해 캠핑장에서는 물에 한 번 헹군 뒤 곧바로 요리할 수 있도록 준비한다. 나물이나 해물 종류도 마찬가지로 미리 손질한다. 쌀도 씻어서 말려두면 캠핑장에서 간편하게 요리할 수 있다. 이렇게 손질한 음식 재료를 팩과 용기에 담아두면 현장에서는 취사장을 들락거릴 일이 거의 없어진다.

02 양념은 동일한 용기에 담는다

소금, 설탕, 고춧가루, 깨소금, 후추 등의 양념은 요리를 할 때마다 필요한 것들이다. 그러나 캠핑 준비를 하다 보면 한두 가지씩 빠트리는 경우가 많다. 또 캠핑장에서 관리를 잘못해 분실하는 경우도 있다. 이를 예방하기 위해서는 동일한 규격의 용기를 양념통으로 이용하는 것이 좋다. 또 양념류를 한 곳에 담을 수 있는 수납공간이 있으면 빠트리는 일도 없고, 캠핑장에서 분실하는 경우도 없다. 참기름과 식용유 등의 기름류, 간장, 장국 등도 동일한 크기의 용기에 담아 가면 수납하기가 한결 수월해진다.

03 수납공간을 규격화하라

양념통과 마찬가지로 재료를 수납하는 용기 역시 규격화시키는 것이 수납을 잘하는 비법이다. 용기의 크기가 제각각이면 수납 시 빈 공간이 발생하여 공간을 비효율적으로 사용하게 된다. 또 수납을 해놔도 안정적이지 않다. 따라서 양념류나 밑반찬, 야채 등 내용물에 맞춰 용기를 통일하고, 이 용기를 빈 공간 없이 최적화시켜 담을 수 있는 케이스를 마련할 필요가 있다.

04 선도 유지가 필요한 것은 아이스박스에 넣어라

고기나 생선같이 상할 우려가 있는 재료는 아이스박스에 넣어 간다. 김치 같은 밑반찬도 아이스박스에 넣어 간다. 단, 멸치볶음이나 콩자반처럼 냉장보관할 필요가 없는 것은 다른 수납 공간을 활용한다. 맥주나 콜라처럼 차갑게 마실 음료와 주류도 냉장보관한다. 아이스박스에 냉장보관할 때는 아이스팩을 맨 위에 올려놓아야 보냉효과를 높일 수 있다.

05 냉동재료를 아이스팩으로 활용하라

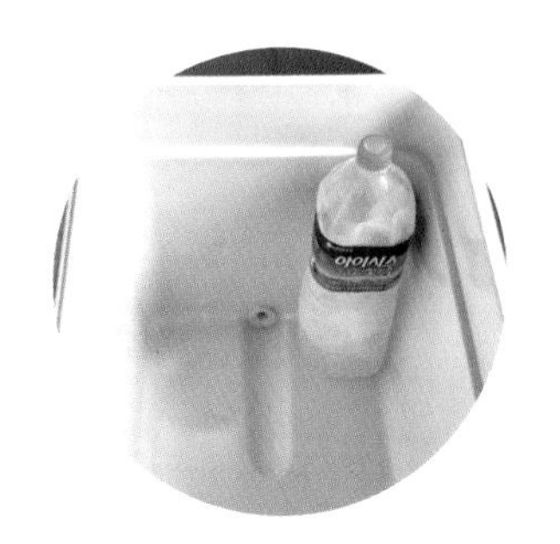

아이스팩만으로는 냉장효과를 유지하기가 힘들다. 이때는 냉동시켜 사용해도 되는 것을 얼려서 아이스팩 역할을 하게 하는 것도 방법이다. 예를 들어 페트병에 물을 얼린 후 아이스박스에 넣어두면 캠핑장에서 시원한 물도 마실 수도 있고, 아이스박스의 보냉효과도 높일 수 있다.

06 재료의 특성에 따라 수납하라

음식 재료를 수납하는 케이스는 2~3개로 분리해둘 필요가 있다. 반찬과 야채, 고기 등은 각각의 성격에 맞게 보관해야 잡스러운 맛이 서로 배지 않는다. 특히, 비린내가 많이 나는 해산물이나 어류 등은 단단하게 포장을 해서 다른 재료에 냄새가 배지 않도록 한다.

07 체크리스트를 만들라

캠핑에 필요한 장비와 조리도구, 재료 등을 합치면 챙겨야 할 게 100가지도 넘는다. 자칫하면 중요한 물품을 빠트리고 가서 낭패를 볼 수도 있다. 음식도 마찬가지다. 양념이나 재료를 빠트려서 속상해하지 않으려면 기본적인 음식 재료 체크리스트를 만들어두고 항상 체크하는 버릇을 들이자.

밥 Rice

한국인 식탁의 중심은 밥이다. 반찬이 제아무리 많아도 소용없다. 밥과 어우러져야 반찬이 의미가 있다. 또 갈비나 삼겹살 등 아무리 맛있는 요리가 있어도 밥이 없으면 허전하다. 따라서 캠핑요리의 중심도 밥이다.

캠핑장에서 하는 밥은 집에서 짓는 것과 분명히 다르다. 밥솥이 아닌 코펠에 밥을 짓기 때문이다. 물론 전기를 사용할 수 있는 곳에서는 전기밥솥을 쓰기도 하고, 부지런한 캠퍼들은 압력밥솥을 사용하기도 한다. 그러나 이는 소수이며 대부분은 코펠을 이용해 밥을 짓는다.

코펠은 밥솥에 비해 얇고 밥이 잘 되도록 쌀에 압력을 가할 수 없기 때문에, 밥물과 불의 세기를 섬세하게 조절하지 못하면 밥이 설익거나 바닥이 탈 수 있다. 코펠에서 밥 짓는 데 익숙해지기 위해서는 상당한 노력과 반복이 필요하다.

일단 밥 짓는 요령을 터득하면 다양한 변화를 시도할 수 있다. 쌀과 잡곡, 콩으로 한정된 밥 짓는 재료를 다양화시켜 독특한 밥을 지을 수 있다. 해산물이나 야채, 버섯 등을 이용하면 밥 하나만 가지고도 다양한 요리가 나올 수 있다.

밥 짓기의 기술

코펠에 밥을 짓는 요령은 캠퍼마다 제각각이다. 저마다 숱한 시행착오를 통해 얻어낸 자신들만의 노하우를 가지고 있다. 그러나 대부분의 노하우는 불의 세기를 조절하는 방식에서 약간씩 차이가 있을 뿐, 크게 보면 밥 짓는 기술에는 큰 차이가 없다고 할 수 있다.

밥솥과 코펠의 차이

밥솥과 코펠은 모양에서 기능까지 많은 차이를 보인다. 우선 코펠은 재질이 얇다. 이는 열전도율이 높다는 뜻이다. 빨리 달궈지고 빨리 식는다. 가마솥처럼 두꺼운 무쇠로 만든 솥은 천천히 달궈지고, 천천히 식으면서 그 온기를 고스란히 쌀에 전달한다. 따라서 설익는 법이 없고, 쉽게 타지도 않는다. 그러나 코펠의 바닥은 얇기 때문에 센 불에 조금만 오래 두어도 바닥이 새카맣게 탄다. 또 불을 끄면 금방 식어버려 복사열을 이용하여 뜸들이기도 어렵다.
밥솥과 코펠의 더 큰 차이는 바로 압력이다. 요즘은 대부분의 가정에서 압력밥솥을 많이 쓴다. 가마솥의 경우 별다른 장치 없이도 무거운 뚜껑 그 자체가 압력을 행사해 밥이 잘 되도록 한다. 그러나 코펠은 뚜껑이 가볍다. 밥물이 끓기 시작하면 뚜껑이 여닫히면서 김이 새 나간다. 불 조절이 늦으면 밥물이 넘치기도 한다. 압력이 작기 때문에 그만큼 밥의 찰기가 떨어진다.

코펠에 밥 잘 짓는 요령

• 물을 많이 잡아라

코펠에서 음식을 할 때는 내부에 가하는 압력이 작다. 따라서 수증기가 쉽게 빠져나간다. 이것을 고려해 압력밥솥에 밥을 할 때보다 물을 많이 넣어야 한다. 압력밥솥의 경우 손을 펴서 담갔을 때 손톱 위로 물이 찰랑일 정도면 충분하다. 그러나 코펠은 손등 위 3분의 2까지 물이 차게 해야 한다.

• 큰 코펠을 이용하라

밥물이 끓어 넘치면 밥맛이 없어진다. 코펠이 작으면 밥물이 끓어 넘치는 것을 막을 수 없다. 특히, 쌀의 양을 조절하지 못해 코펠 뚜껑이 들릴 정도로 밥을 하면 십중팔구 위는 설익고, 바닥은 타게 된다. 따라서 밥물을 잡았을 때 코펠의 3분의 1에 미치지 않도록 넉넉한 크기의 코펠을 사용한다.

• 밥을 많이 하라

쌀의 양이 적으면 밥 짓기의 고수라고 해도 맛있는 밥을 짓기가 어렵다. 코펠은 얇기 때문에 금방 달구어지고, 금방 식어서 복사열을 기대할 수 없다. 그러나 밥의 양이 많으면 자체에서 복사열이 발생해 뜸 들이는 효과가 높아진다. 따라서 밥의 양을 되도록 많이 하는 게 좋다.

• 밥물이 넘치지 않게 하라

어떤 일이 있어도 밥물이 넘쳐서는 안 된다. 밥물에는 구수한 밥맛을 내는 성분들이 녹아 있다. 수증기가 증발할 때 이 성분들은 다시 밥에 스며든다. 그러나 밥물이 넘치면 이 효과를 기대할 수 없다. 게다가 끓어 넘친 밥물로 더럽혀진 스토브를 청소하는 것도 귀찮은 일이다.

• 밥 짓는 시간을 오래 잡아라

압력밥솥을 이용하여 밥을 지으면 15분 내외면 밥이 완성된다. 불을 끈 후에도 압력으로 인해 뜸이 들기 때문이다. 그러나 코펠은 불이 닿는 순간까지만 뜸이 든다고 생각하면 된다. 따라서 처음부터 중불을 이용하여 밥을 해야 한다. 밥물이 끓으면 불을 끈 채 3분쯤 뒀다가 다시 불을 켜고 약한 불로 15분쯤 뜸을 들인다. 코펠이 충분히 클 경우에는 불을 끄지 않고 곧바로 약한 불로 낮춰서 뜸을 들여도 된다. 만약, 누룽지가 먹고 싶다면 마지막에 15~30초쯤 센 불로 가열한다.

실전 밥짓기

• 쌀 씻기

쌀을 씻을 때 첫 물은 살짝 헹구어 재빨리 버리는 것이 좋다. 쌀 속에 포함되어 있는 잡티 등이 쌀에 스미는 것을 막기 위해서다. 두 번째부터는 쌀을 박박 씻는다. 이렇게 씻어야 밥맛이 좋아진다.

• 밥물 안치기

손을 넣었을 때 남자 손등의 3분의 2까지 오게 물을 붓는다. 2~3인분처럼 적은 양의 밥을 지으려면 물을 조금 더 낮춰 잡는다.

• 중불로 가열하기

처음부터 중불로 가열한다. 너무 센 불을 이용하면 빨리 끓기만 할 뿐 쌀이 푹 익지 않는다.

• 뜸들이기

밥이 끓으면 불을 최대한 약하게 해 뜸을 들인다. 이때 완전히 불을 끄고 3~5분쯤 두었다가 뜸을 들여도 무방하다. 또 뚜껑을 열고 밥을 한 번 휘저어서 아래위가 섞이도록 한 후 뜸을 들이는 것도 좋은 방법이다. 뜸은 15분 정도가 적당하다.

• 밥 상태 확인하기

뜸이 다 들면 눈과 코를 활용해 밥 상태를 확인한다. 밥이 다 됐으면 코펠 뚜껑과 본체 사이에 비친 밥물이 바싹 마른다. 또 밥 냄새도 구수해진다.

• 밥 섞기

불을 끈 후에 5분 정도 그대로 둔다. 그 다음 주걱으로 위아래가 섞이도록 밥을 골고루 저어준다.

밥의 응급처치

밥을 많이 지어본 캠퍼라고 항상 밥 짓기에 성공하는 것은 아니다. 밥 짓기에 실패하여 삼층밥이 나올 수도 있고, 밥이 덜 익을 수도 있다. 이때도 재빨리 손을 쓰면 그럭저럭 먹을 수 있는 밥이 되도록 할 수 있다.

• 밥이 진 경우

물을 너무 많이 잡았을 때 발생한다. 이때는 아래쪽 밥은 조금 태울 각오를 하는 게 좋다. 우선 수증기가 날아가도록 밥을 골고루 섞어준다. 다음 약한 불로 5~10분쯤 가열한다. 마지막 30초는 센 불에서 탄내가 날 때까지 가열한다. 코펠 바닥의 누룽지는 많이 탔을 것이므로 먹지 말고 버려야 한다.

• 밥이 설익은 경우

밥물이 부족했을 때 생기는 현상이다. 설익은 밥은 응급처치를 하면 100% 살릴 수 있다. 우선 주걱으로 밥을 섞은 뒤 적당량의 물을 골고루 뿌려준다. 그 다음 약한 불에서 10분쯤 더 뜸을 들인다. 물을 너무 많이 부으면 밥이 겉돌 수 있으므로 주의한다.

• 삼층밥이 된 경우

처음부터 끝까지 센 불로 가열했을 때 나타나는 현상으로 가장 처치하기 힘든 경우다. 우선 맨 위의 설익은 부분은 걷어낸다. 그 아래 잘 익은 부분만 떠서 먹는다. 밑에 탄 부분은 과감히 포기한다. 설익은 부분은 깨끗한 코펠에 담아서 약간의 물을 붓고 약한 불에서 가열해 누룽지를 만들어 먹는다. 이때 물의 양이 너무 많아서는 안 되며 밥을 꾹꾹 눌러서 코펠 바닥에 밀착시켜야 한다.

압력은 돌멩이로?

예전에는 코펠 내의 압력을 높이기 위한 임시방편으로 코펠 위에 돌을 올려놓는 경우가 많았다. 특히, 기압이 낮은 높은 지대에서는 이 방법이 종종 사용됐다. 결론부터 말하자면, 돌멩이를 올려 놓는 것은 맛있는 밥을 짓는 데 아무런 도움이 안 된다. 돌멩이를 올려놓는다고 밥물이 끓어 넘치는 것을 막을 수 있는 것도 아니고 또 압력을 높일 수 있는 것도 아니다. 오히려 돌멩이에 붙은 흙이 주방을 어지럽힐 뿐이다. 위아래를 골고루 익히기 위해 밥을 다 한 뒤 코펠을 뒤집어주는 경우도 있다. 밥의 복사열을 이용하는 방법으로 일리가 없는 것은 아니다. 그러나 자칫 밥을 쏟을 위험이 있고 화상을 입을 가능성도 높으므로 시도하지 않는 게 바람직하다.

추천 캠핑밥 5

은행밤밥

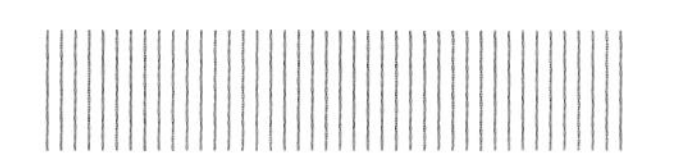

30 MINUTES ★★

밤 대신 감자를 넣어도 좋다. 은행은 호불호가 명확해 취향을 미리 확인해야 실수를 하지 않는다. 은행의 찰기와 구수한 밤의 향기를 맡으려면 양념장 대신 맨밥으로 먹어야 한다. 은행은 기름을 두른 채 약한 불에서 볶아야 타지 않는다.

재료

쌀 600g, 은행, 밤, 완두콩, 참기름, 간장

만드는 법

❶ 쌀은 밥 짓기 30분 전에 씻어 불린 다음 물기를 뺀다.
❷ 은행은 팬에 기름을 두르고 약한 불에서 볶은 다음 키친타월로 살살 문질러 껍질을 벗긴다.
❸ 밤은 속껍질까지 완전히 벗긴다. 큰 것은 반으로 자른다.
❹ 코펠에 쌀을 안친 후 그 위에 은행과 밤, 완두콩을 올린다. 마지막으로 물을 맞춘다.
❺ 밥물이 끓어오르면 약한 불로 줄인 후 15분 정도 뜸을 들인다.

콩나물밥

40 MINUTES ★★

콩나물에 수분이 많이 함유되어 있기 때문에 물을 평소보다 조금 적게 잡는다. 밥이 끓기 전에 코펠 뚜껑을 열면 콩나물에서 비린내가 날 수 있으므로 주의한다. 다진 고기나 야채를 함께 넣어 요리해도 된다. 봄에는 양념장에 달래를 이용하면 좋다.

재료

쌀 600g, 콩나물 300g, 양념장(간장, 다진 파, 마늘, 깨소금, 참기름)

만드는 법

❶ 쌀은 씻어 물에 불린다.
❷ 콩나물은 꼬리를 다듬고 물기를 없앤다.
❸ 코펠에 쌀을 안치고, 그 위에 콩나물을 올린다.
❹ 밥물이 끓으면 약한 불에서 15분 정도 뜸을 들인다.
❺ 밥이 되는 동안 양념장을 만든다.
❻ 밥이 다 되면 밥과 콩나물을 골고루 섞어서 그릇에 담아낸다.

야채밥

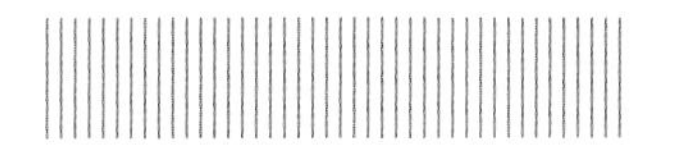

기호에 따라 표고버섯이나 감자를 추가할 수 있다. 돼지고기 대신 소고기를 넣어도 좋다. 조리 전에 소금으로 약간 간을 하면 담백한 맛이 더 살아난다. 양념장에 비벼 먹어도 되고, 국이나 찌개와 함께 먹어도 좋다.

재료

쌀 600g, 돼지고기 100g, 양파 1개, 당근 1개 , 파, 완두콩

만드는 법

❶ 쌀은 씻은 후 불려둔다.
❷ 양파와 당근, 파, 돼지고기를 사방 0.5cm 크기로 잘라놓는다.
❸ 다진 돼지고기를 팬에 살짝 볶는다.
❹ 코펠에 쌀을 넣고 그 위에 야채와 완두콩, 볶은 돼지고기를 올린다.
❺ 밥이 끓으면 약한 불에서 15분 정도 뜸을 들인다.

카레밥

40 MINUTES ★★

어른, 아이 모두 좋아하는 덮밥요리다. 카레가 익을 때 나는 고소한 냄새는 식욕을 자극하기에 충분하다. 아침나절에 땀 흘린 뒤 점심 메뉴로 내놓으면 더욱 꿀맛이다. 카레밥은 김치와 함께 먹어야 맛이 더 난다. 또 뜨끈한 밥과 함께 내놔야 제 맛이다.

재료

밥 600g, 돼지고기 100g, 양파 2개, 감자 2개, 다진 마늘, 카레

만드는 법

❶ 양파와 감자를 깍둑썰기 한다. 돼지고기도 사방 1cm로 썬다.
❷ 코펠에 올리브유를 두르고 돼지고기와 마늘을 넣고 볶다가 감자와 양파를 넣고 함께 볶는다.
❸ 고기가 익으면 적당량의 물을 넣고 끓인다.
❹ 물이 끓는 동안 카레에 물을 붓고 갠다.
❺ 물에 갠 카레를 ❸에 붓고 은근한 불로 끓인다. 이때 카레가 바닥에 눌어붙지 않도록 주걱으로 잘 저어준다. 카레의 농도에 따라 물을 보충한다.
❻ 밥에 카레를 얹어 낸다.

누룽지탕

찬밥을 활용한 아침 해장용 누룽지요리다. 입맛이 없을 때 아침 식사로 적당하다. 탕을 끓일 목적이면 누룽지를 얇게 펴지 않아도 된다. 누룽지는 충분히 달구어졌을 때 잘 떨어진다. 누룽지가 타는 것을 방지하려면 수시로 냄새를 맡아가며 확인한다. 누룽지가 너무 퍼지지 않도록 적당히 끓여야 구수한 맛이 더 난다.

재료

찬밥 400g

만드는 법

❶ 찬밥을 팬에 넓게 편다. 주걱에 물을 묻혀서 누르면 밥이 주걱에 잘 달라붙지 않는다.

❷ 팬을 스토브 위에 올린 후 약한 불로 10분쯤 가열한다. 이때 다른 버너에 물을 끓인다.

❸ 고소한 냄새가 나면 나무 주걱으로 팬에 붙은 누룽지를 떼어낸다.

❹ 끓는 물에 누룽지를 넣고 센 불에서 2~3분 끓인다.

면 Noodle

캠핑장에서 가장 많이 해먹는 요리 가운데 하나가 면이다. 특히, 캠핑장에서의 점심은 일단 면요리를 중심으로 생각한다. 아침에 출발해 캠핑장에 도착하자마자 열심히 사이트를 꾸리고 나면 점심 때다. 금방 허기진다. 이 때 빠르게 해먹을 수 있는 게 면요리다. 아침부터 간단하게(?) 라면을 끓여 먹는 캠퍼들도 많다. 캠핑장을 철수할 때도 점심에 간단하게 해먹을 수 있는 게 면요리다. 이처럼 캠핑장에서 면요리가 땡기는 이유는 많다.

면은 다른 재료에 비해 상대적으로 요리하기가 쉽다. 또 요리하는 시간도 적게 걸린다. 바비큐 같은 메인 요리를 먹고 난 뒤 후식으로 가볍게 먹을 때도 좋다. 백숙이나 부대찌개, 매운탕 같은 전골 요리를 하면서 마지막에 라면이나 칼국수를 넣어 먹는 것도 별미다. 파스타나 메밀국수처럼 레시피를 알면 면요리만으로 근사한 식사도 가능하다. 손끝이 야무진 캠퍼라면 집에서 반죽해간 수제비를 끓여 먹는다. 이처럼 캠핑장에서 면요리는 팔방미인이다. 따라서 하루에 한 끼 정도는 면요리로 식단을 짜는 게 좋다. 또 출출할 때 먹을 간식으로 라면 정도는 필수로 챙겨가자.

추천 면 요리 6

닭칼국수

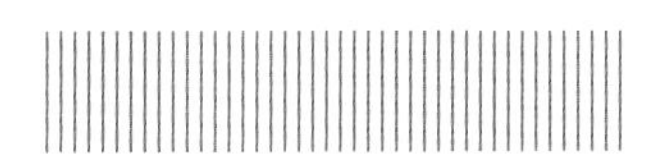

닭백숙을 하고 남은 국물과 닭고기로 만들 수 있는 요리 가운데 하나다. 칼국수는 물을 많이 잡아먹는다. 따라서 국물을 충분히 잡도록 한다. 멸치와 다시마로 육수를 내서 첨가하는 것도 좋다. 양념장은 별도로 내놔도 되고, 면이 끓을 때 간을 해도 된다.

재료

칼국수 600g, 닭백숙 국물, 느타리버섯, 양념장(간장, 고추, 참기름, 파)

만드는 법

❶ 닭백숙을 하고 남은 국물에 생수를 붓고 끓인다.
❷ 남은 닭고기는 결대로 찢어서 넣는다.
❸ 육수가 팔팔 끓으면 칼국수와 느타리버섯을 넣는다.
❹ 면이 끓는 동안 양념장을 만든다.
❺ 칼국수가 익으면 양념장과 곁들여 내놓는다.

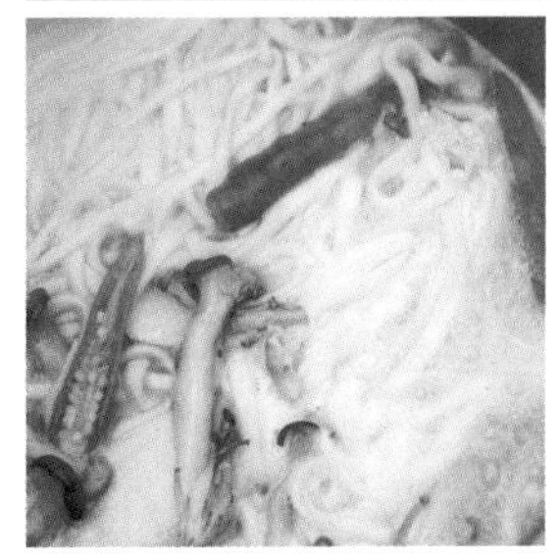

순두부 라면

20 MINUTES

★★★

라면으로 해먹을 수 있는 초간편 요리다. 순두부의 부드러운 맛이 더해져 일반 라면과는 느낌이 다르다. 순두부가 너무 풀어지지 않게 해야 떠먹는 즐거움이 있다. 청양고추를 넣으면 얼큰하게 먹을 수 있다. 아침 해장용으로도 괜찮다.

재료

순두부 300g, 라면 2개, 표고버섯 약간, 계란 1개, 파, 양파, 고추

만드는 법

❶ 표고버섯과 양파, 파, 고추는 채 썰어 놓는다.
❷ 코펠에 야채와 순두부, 수프를 넣고 끓인다.
❸ 물이 끓으면 라면을 넣는다. 3분 정도 익힌 후 계란과 파, 고추를 넣는다.

봉골레 스파게티

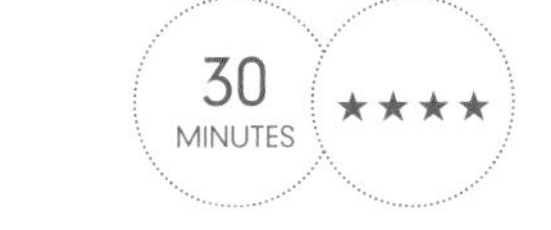

스파게티를 제대로 즐기는 요리다. 바지락을 넣어 요리된 모양도 예쁘고, 맛도 좋다. 더치오븐이 없다면 코펠로도 가능하다. 스파게티 면발은 씹었을 때 조금 딱딱한 느낌이 나게 한다. 바지락은 센 불에서 빨리 조리해야 싱싱하다.

재료

스파게티 면, 바지락 200g, 마늘, 파, 올리브 오일

만드는 법

❶ 큰 코펠에 물을 붓고 끓인다. 물이 끓으면 스파게티 면을 넣는다. 이때 물은 충분히 잡아야 면이 코펠에 달라붙지 않는다.

❷ 면이 삶아지는 동안 더치오븐을 달군다. 마늘과 파 등 야채도 준비한다. 더치오븐이 뜨겁게 달구어지면 약간의 물과 바지락을 넣고 팔팔 끓인다.

❸ 조개 입이 활짝 열리면 스파게티 면을 건져 더치오븐에 넣는다. 다진 마늘과 파, 올리브오일을 넣고 살짝 더 볶으면 완성! 수분이 부족하면 면 삶은 물을 약간 붓는다.

비빔국수

20
MINUTES

★★★

야채는 취향에 따라 양배추나 양파, 상추 등을 넣는다. 귀차니즘이 발동하면 채 썬 오이 정도. 그도 아니면 양념장만으로도 충분하다. 집에서 양념장을 따로 만들어 가면 훨씬 수월하다. 양념장은 비빔국수 외에도 골뱅이무침, 쫄면, 기타 초고추장을 필요로 하는 모든 음식에 활용할 수 있다.

재료

소면 두 줌, 오이, 양파 1/2개, 고추장, 고춧가루, 설탕, 식초, 참기름, 다진 마늘, 깨소금

만드는 법

❶ 국수 삶을 물을 끓인다.
❷ 오이와 함께 넣을 채소는 채 썰고, 양념장을 만든다.
❸ 물이 끓으면 면을 넣는다. 한 번 끓어오르면 찬물을 1컵 넣고 다시 끓인다.
❹ 국수가 투명해지면 건져내어 찬물에 헹궈 물기를 빼고 준비한다.
❺ 그릇에 국수를 담고, 그 위에 양념장과 채 썬 야채를 얹어 낸다.

라볶이

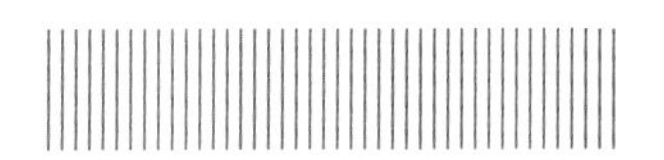

간식과 한끼 식사의 경계를 뛰어넘는 음식이다. 마트에 즉석식품으로 떡볶이 소스도 있으니 번거로우면 이용한다. 매콤하게 양념해야 느끼하지 않다. 라면은 불지 않게 조금 덜 삶는 게 포인트!

재료

라면 1봉지, 사각 어묵 1봉지, 떡볶이떡 한 줌, 양배추, 양파, 대파, 마늘, 양념(고추장 2큰술, 케찹 2큰술, 물엿 약간)

만드는 법

❶ 어묵, 양파, 대파, 양배추 등 채소를 적당한 크기로 썬다(미리 썰어가도 된다).

❷ 코펠에 물을 약간 넣고 끓인다. 고추장, 케첩, 물엿 등 양념과 떡과 어묵, 야채를 넣는다.

❸ 다른 코펠에 물을 끓여 라면을 삶는다. 라면은 살짝 덜 익힌 채 건져 넣은 후 떡볶이와 함께 비빈다.

메밀국수

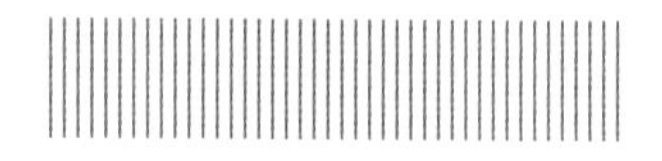

무더운 여름에 별미다. 무를 갈아 생즙을 만드는 게 요리의 포인트. 양념장은 와사비도 첨가해 코를 탁 쏘면서 달짝지근하게 만든다. 면은 삶은 후 재빨리 찬물에 헹궈야 쫄깃하다. 마트에서 양념이 든 것을 구매하면 편리하다.

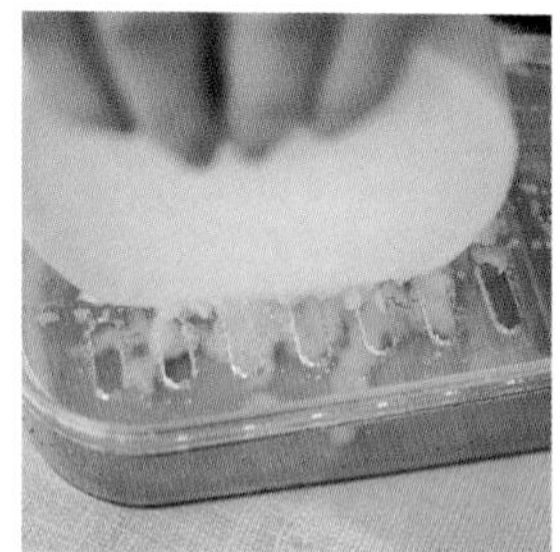

재료

시중에 판매 중인 메밀생면, 무

만드는 법

❶ 맛있는 소스를 만들기 위해 무를 강판에 간다. 파도 총총 썬다(그날 먹을 거라면 집에서 갈아와도 된다. 소스도 얼려오면 좋다).
❷ 코펠에 물을 충분히 넣고 끓인다. 물이 끓으면 면을 넣고 5분 동안 삶는다. 이때 면이 엉키지 않게 잘 저어준다.
❸ 삶은 면을 건져내 재빨리 찬물에 식힌 후 물기를 뺀다. 소스가 담긴 그릇에 한 덩이씩 넣어 먹는다.

전골&탕 Hot Pot&Soup

한국인의 식탁 중심에는 밥과 국이 있다. 반찬은 거들뿐, 밥과 국이 있어야 제대로 식탁을 차렸다고 생각한다. 캠핑장에서도 전골&탕은 캠퍼들의 사랑을 받는다. 우선 집보다 캠핑장에서 자는 게 피로도가 더하다. 캠퍼들은 몸을 풀어줄 따끈한 국물을 의외로 많이 찾는다. 특히, 날이 추운 겨울은 뜨끈한 국물 요리가 준비되어 있어야 언몸을 녹여준다. 전날 과음을 하거나 음주를 즐겼다면 아침은 당연히 국물이 있는 요리를 찾을 것이다.

전골이나 탕 같은 국물 요리는 캠핑을 가기 전에 재료를 손질해 가는 게 좋다. 캠핑장에서는 재료를 털어넣으면 될 수 있게 한다. 또, 인원수에 맞게 적당한 규모로 준비하는 지혜도 필요하다. 국물 요리는 음식물 쓰레기의 주범이다. 캠핑장처럼 오물 처리 시설이 잘 갖춰진 곳은 그나마 낫다. 그러나 노지나 취사장이 없는 야영지에서는 환경오염의 주범이 될 수 있다.

어묵탕

30 MINUTES ★★

어묵을 이용한 간단한 탕 만들기다. 육수를 진하게 끓여내는 게 관건이다. 무가 푹 익도록 육수를 오래 끓이면 국물이 더욱 진해진다. 기호에 따라 청양고추를 통으로 넣으면 얼큰한 국물을 즐길 수 있다.

재료

어묵 400g, 무, 대파, 쑥갓, 멸치, 다시마, 간장, 국수장국

만드는 법

❶ 무는 큼직한 크기로 깍둑썰기 한다.
❷ 코펠에 물을 붓고 무와 멸치, 다시마, 대파를 넣은 후 육수가 우러나도록 푹 끓인다.
❸ 육수가 충분히 우러나면 간장과 국수장국으로 밑간을 한다.
❹ 육수가 끓는 동안 동그란 어묵은 어슷썰기 하고, 편편한 어묵은 세로 1cm, 가로 4cm 크기로 자른다.
❺ 육수에 어묵을 넣고 5분쯤 끓인다.
❻ 5cm 길이로 썬 쑥갓을 고명으로 얹어 낸다.

백숙

간단한 재료로 즐기는 대표적인 캠핑요리다. 식성에 따라 인삼을 넣을 수도 있고, 마늘만 이용해 담백하게 끓일 수도 있다. 뱃속에 넣은 쌀은 충분히 불려서 넣어야 잘 익는다. 너무 많은 양의 쌀을 넣으면 밥이 잘 되지 않을 수 있다. 이때는 고기를 먹는 동안에 더 끓여주면 된다.

재료

닭 한 마리, 찹쌀 200g, 마늘, 녹각, 황기, 대추

만드는 법

❶ 닭의 핏물을 제거하고 지방을 떼어낸다.
❷ 내장을 제거한 닭의 뱃속에 불린 찹쌀을 채운다. 마지막에 통마늘을 넣고 터지지 않게 이쑤시개로 꿰맨다.
❸ 코펠에 물을 넉넉하게 붓고 닭을 안친다. 물에 씻은 황기와 녹각, 대추를 넣는다.
❹ 센 불로 가열한 뒤 물이 끓으면 중불로 줄여 은근하게 졸인다.
❺ 젓가락으로 눌렀을 때 푹푹 들어가면 고기부터 건져낸다.
❻ 고기를 먹는 동안 찹쌀이 든 몸통은 코펠에 다시 넣어 충분히 끓여준다.

쇠고기버섯샤부샤부

버섯과 야채, 소스는 취향에 따라 준비한다. 샤부샤부 육수는 멸치와 다시마 육수로도 충분히 맛있게 즐길 수 있다. 남는 야채를 넣어도 좋고, 만두와 칼국수를 넣어 함께 즐겨도 좋다.

재료

샤부샤부용 쇠고기 300g, 각종 버섯(표고버섯, 느타리버섯, 팽이버섯 등), 속배추, 청경채, 부추, 대파, 육수, 국간장, 소금, 겨자소스, 간장소스(연겨자, 식초, 설탕, 진간장, 육수 조금)

만드는 법

❶ 생수에 멸치, 다시마를 넣고 육수를 끓인다.
❷ 육수가 끓는 동안 각종 버섯과 야채를 씻어 준비한다. 속배추는 가늘게 썰고, 부추와 대파도 자른다.
❸ 겨자소스는 연겨자에 물과 식초, 설탕을 넣고, 간장소스는 진간장에 육수를 조금 섞어서 만든다.
❹ 육수를 코펠에 담아 약한 불로 끓이고, 버섯과 야채, 쇠고기를 넣어 살짝 데쳐 먹는다.

부대찌개

30 MINUTES ★★★

얼큰하면서 진득한 국물이 저녁 밥상과 궁합이 잘 맞는다. 어묵 대신 두부를 넣어도 된다. 국물을 너무 많이 잡으면 깊은 맛이 안 난다. 스토브에 올려놓고 찌개가 식지 않도록 끓여가며 먹으면 더 맛있다. 찌개를 먹고 남은 국물에 라면을 끓이면 예술이다.

재료

스팸 200g, 소시지 200g, 어묵 100g, 김치 100g, 포크빈(통조림) 3큰술, 버섯, 양파, 팽이버섯, 다진 마늘, 파, 쑥갓, 고춧가루, 고추장

만드는 법

❶ 스팸은 0.5cm 두께로 넓적하게 썰고 프랑크소시지는 어슷하게 썰어 놓는다.

❷ 김치는 속을 적당히 털어낸 후 5cm 길이로 썰고, 어묵은 가로 5cm, 세로 2cm로 썬다.

❸ 고춧가루, 고추장, 다진 마늘, 파를 넣고 양념장을 만든다.

❹ 코펠에 준비한 재료와 양념을 넣고 끓인다.

❺ 찌개가 푹 끓으면 쑥갓을 얹어 낸다.

콩나물모시조개탕

아침 해장용으로 최고다. 모시조개 대신 바지락이나 백합을 이용할 수 있다. 아이들이 있는 경우 고추는 나중에 넣는 게 좋다. 해감을 빼도 조개에서 모래와 같은 이물질이 나올 수 있다. 국물을 뜰 때 조심스럽게 뜨고, 바닥에 남은 국물은 버린다.

재료

모시조개 200g, 콩나물 200g, 고추, 파, 마늘 약간

만드는 법

❶ 모시조개는 흐르는 물에 깨끗이 씻는다. 특히, 껍질 부분은 박박 문질러 이물질을 제거한다. 콩나물도 깨끗하게 씻어놓는다.
❷ 물이 팔팔 끓으면 모시조개와 콩나물을 넣는다.
❸ 모시조개의 입이 벌어지면 국물에 뜬 거품을 제거한다.
❹ 파와 고추, 마늘을 넣고 한소끔 끓인다.

계란순두부탕

재료가 간단하고 조리법도 간단해 누구나 도전할 수 있다. 부드러운 순두부와 계란이 속을 풀어준다. 순하게 먹고 싶다면 고춧가루와 고추를 넣지 않는다. 다시마와 버섯을 많이 넣고 육수를 진하게 만드는 게 요리의 포인트다.

재료

순두부 400g, 계란 3개, 표고버섯, 팽이버섯, 양파, 다시마, 당근, 고추, 고춧가루, 다진 마늘, 소금

만드는 법

❶ 다시마와 당근, 표고버섯, 양파를 넣고 육수를 만든다.
❷ 육수가 우러나면 다시마와 당근, 버섯, 양파를 건져낸다. 다시마와 버섯은 채를 썰어둔다.
❸ 육수에 순두부와 팽이버섯을 넣는다. 육수가 팔팔 끓으면 다진 마늘과 소금, 고춧가루를 넣고 밑간을 한다.
❹ 계란 3개를 푼다.
❺ 고명으로 채 썬 다시마와 버섯, 고추, 대파를 얹어 낸다.

바비큐 Barbeque

한국인이 캠핑을 가는 가장 큰 이유를 꼽으라면 바비큐를 들 수 있다. 그만큼 바비큐는 캠핑 요리의 꽃이라 할 수 있다. 밥은 없어도 삼겹살은 구워 먹어야 직성이 풀리는 게 캠핑이다. 캠핑장에서는 저녁은 물론 점심부터 고기 굽는 캠퍼들이 많다. 일단 무언가를 구워야 본격적인 캠핑요리를 하고 있다고 여긴다.

바비큐는 고기나 해산물, 야채를 불을 이용해 구워 먹는 것을 말한다. 열원이 직접적으로 재료에 닿는 직화구이, 대류열을 이용해 서서히 익히는 훈제구이, 프라이팬이나 그리들 같은 철판을 이용한 철판요리도 모두 바비큐에 해당한다. 이처럼 바비큐는 도구에 따른 조리 방식과 재료에 따라 무궁무진한 요리로 할 수 있다.

바비큐는 숯불에 구워 먹으면 끝!이라고 가볍게 여기는 캠퍼들이 많다. 그러나 그렇게 간단하지 않다. 특히, 삼겹살 직화구이를 하며 불쇼를 벌이는 캠퍼들이 수두룩하다. 특히, 그릴이나 더치오븐, 그리들을 이용한 바비큐는 레시피는 물론 도구 다루는 법도 충분히 익혀 둬야 제대로 된 요리를 할 수 있다. 도구를 제대로 다루지 못하면 요리를 망칠 수 있다.

바비큐 도구와 스타일, 사전 준비

● 바비큐 주요 도구

바비큐 도구는 여러 종류가 있다. 가장 많이 사용하는 것이 직화구이 그릴이다. 화롯대나 숯을 피운 그릴에 석쇠를 올려 요리한다. 최근에는 세 개의 다리가 달린 무쇠 프라이팬 그리들을 이용한 철판요리를 즐기는 캠퍼들이 많다. 그리들은 구이, 볶음, 전, 전골 요리를 하나로 해결하는 만능 요리도구로 각광받고 있다. 그리들 대신 프라이팬이나 철판, 스킬렛(무쇠 프라이팬) 등을 이용하기도 한다. 조금 노련한 캠퍼들은 바비큐 그릴을 이용한 훈제 요리에 도전한다. 가끔 무게 때문에 절망하지만 더치오븐을 이용한 요리도 캠핑의 멋과 맛을 제대로 보여준다. 겨울에는 난방용 난로도 훌륭한 바비큐 도구가 된다. 난로에 구워 먹는 고구마나 밤, 가래떡은 별미다.

• 바비큐 스타일

바비큐를 하는 방법은 크게 직화, 훈제, 철판 세 가지로 볼 수 있다. **직화는** 말 그대로 불에 직접 구워 먹는 방법이다. 숯이나 브리케트을 이용해 열원을 만들고 그 위에 석쇠를 올린 다음 고기나 해산물, 야채 등을 구워 먹는다. 가장 쉬운 바비큐 방법처럼 보이지만, 의외로 어렵다. 특히, 불조절을 잘 하지 못하면 고기가 타버리거나 덜 익을 수도 있다. 불에 직접 요리하는 만큼 조리시간이 가장 짧다.

훈제는 대류열을 이용한 바비큐다. 열기가 직접적으로 음식재료에 닿는 게 아니라 뜨겁게 달구어진 복사열을 이용해 사방에서 골고루 익힌다. 훈제를 하려면 뚜껑이 있는 전용 바비큐 그릴이 필요하다. 무쇠로 만들어진 더치오븐도 훈제요리의 좋은 도구다. 훈제는 간접적인 열기를 이용하는 만큼 요리 시간이 오래 걸린다. 또 한 번에 요리할 수 있는 양이 정해져 있어 계산을 잘 해야 한다. 훈제 요리 재료는 대부분 재료에 간이 배이도록 사전에 양념을 재워 온다. 또 고기에 향이 스며들도록 훈연칩을 사용하기도 한다.

철판은 뜨겁게 달구어진 불판에서 요리한다. 프라이팬이나 스킬렛, 그리들, 사각으로 만들어진 철판을 이용한다. 더치오븐 뚜껑도 아주 훌륭한 철판 요리 도구다. 철판 재질은 알루미늄, 무쇠, 스테인리스 등 여러 가지가 있다. 철판 요리는 불판을 이용해 요리하기 때문에 불조절이 용이하다. 열원이 강력하면 조리 시간도 짧은 편이다. 무엇보다 국물이 있거나 양념이 짙게 배인 재료를 이용한 요리 모두 가능하다. 가장 활용도가 뛰어나다. 다만, 직접 불에 닿는 게 아니라서 바비큐 특유의 향은 없다.

• 양념과 밑간

바비큐 요리 재료에 따라 준비가 조금 달라진다. 조개나 새우 같은 해산물을 이용한 직화구이는 밑간이 필요없다. 깨끗한 물에 씻어 주면 준비 끝이다. 그러나 고기는 간단한 밑간을 해주면 좋다. 생고기는 굽기 전에 소금이나 후추 등의 향신료를 뿌려준다. 30분 전에 뿌려주면 좋지만, 캠핑장에서는 바로 전에 밑간을 해도 충분하다. 간장이나 고추장을 베이스로 양념해 바비큐를 하려면 적어도 반나절에서 하루 정도는 미리 재워두는 게 좋다. 그래야 고기에 양념이 골고루 스민다. 다만, 하루 이상 재워두면 고기의 신선도가 떨어질 수 있다. 철판요리는 생고기를 굽는 게 아니라면 기본적으로 양념까지 마무리해서 간다. 그래야 음식 맛도 살고 손도 덜 간다.

• 불 피우기

바비큐를 시작하려면 우선 불을 피워야 한다. 언제 불을 피우면 좋을까? 재료에 따라 다르지만 숯이나 브리케트는 생각보다 시간이 많이 걸린다. 바비큐 준비는 다 끝냈는데, 불이 준비 안 돼 손만 빨고 있는 경우가 많다. 숯이나 브리케트는 조리 시간 최소 20분 전에는 불을 붙인다. 완전히 불이 붙기까지는 최소 15분 이상 걸린다. 장작에 불을 지펴 숯을 만든다면 두 배는 더 잡아야 한다. 연소 시간은 숯이 브리케트보다 1.5배쯤 더 길다. 브리케트는 40분~1시간, 숯은 1시간~1시간 30분 정도 사용할 수 있다. 따라서 추가로 바비큐를 할 계획이면 브리케트는 40분 뒤에, 숯은 1시간쯤 뒤에 추가한다.

• 불쇼 예방하기

직화구이 가운데 가장 난처한 게 불쇼다. 캠핑장에서 가장 많이 먹는 '국민고기'는 삼겹살이다. 일단 바비큐를 한다면 거의 대부분 삼겹살을 떠올린다. 하지만 삼겹살 직화구이는 생각보다 어렵다. 기름이 많이 떨어져 불쇼를 벌일 확률이 높다. 기름이 숯에 떨어져 불이 나고, 고기는 겉만 타고 속은 안 익는 상황이 발생할 수 있다. 그렇다면 불쇼를 예방하려면 어떻게 해야 할까?

우선 삼겹살은 직화구이 재료로 신중해야 한다. 기본적으로 지방이 많은 부위라 불쇼는 거의 필연이라고 봐야 한다. 따라서 지방이 적은 목살로 직화를 하면 불쇼를 예방할 수 있다. 소고기나 닭도 불쇼없이 직화구이를 하기 좋다. 특히, 닭고기는 의외로 직화구이와 잘 어울리고, 가격도 저렴하다. 또 숯과 석쇠의 간격을 충분히 두는 것도 불쇼 예방의 방법이다. 기름이 떨어져 숯에 불이 붙어도 불꽃이 고기에 직접 닿지 않을 정도로 간격을 유지하면 좋다. 대신 고기는 천천히 익을 것이다. 숯에 떨어진 기름으로 불씨가 커졌을 때는 일단 고기를 불이 닿지 않는 곳으로 옮긴다. 불이 사그라들면 다시 올려서 불에 의해 겉만 타는 것을 예방한다. 조금 귀찮지만 이렇게 해야 불쇼로 낭패를 보지 않는다.

• 직화구이 고기 두께

같은 고기라도 직화구이용은 달라야 한다. 일단 목살처럼 가능하면 지방이 없는 부위로 한다. 고기의 두께도 중요하다. 바비큐를 할 때 가장 중요한 것은 육즙을 지키는 것이다. 흔히 '겉빠속촉'이라는 말을 한다. 겉은 빠삭하게 익고, 속은 촉촉한 상태를 말하는데, 속이 촉촉하다는 것은 육즙이 보존되어 있다는 것을 말한다. 직화구이를 하면서 육즙을 지키려면 고기를 두툼하게 썰어야 한다. 보통 고기 두께가 1.5~2cm 정도는 돼야 직화구이를 해도 육즙을 지킬 수 있다. 고기를 얇게 썰면 육즙이 다 날라가 뻣뻣해진다. 소고기 역시 최소 2cm 이상 두껍게 써는 게 좋다. 닭은 도리탕용으로 잘라놓은 것을 그대로 이용하면 된다.

추천 바비큐 11

꼬치구이

40 MINUTES ★★★

캠핑장을 빛낼 가장 화려한 요리 가운데 하나다. 꼬치를 뒤집을 때마다 식초 섞은 물을 뿌려주면 수분이 공급되어 고기가 퍽퍽하지 않고 잡냄새도 제거된다. 물병은 플라스틱 우유병 뚜껑에 못으로 구멍을 뚫어 만들 수 있다. 스큐어가 없으면 1회용 나무꼬치를 이용해도 된다.

재료

돼지고기 앞다리살 600g, 피망 2개, 파프리카 2개, 양파 2개, 파, 마늘, 식초, 소금

만드는 법

❶ 비계를 제거한 돼지고기를 한 입 크기로 썬 후 소금과 후추에 재워 1시간 이상 숙성시킨다. ❷ 피망과 파프리카, 양파를 가로, 세로 각각 2cm 크기로 자른다. 파는 길이 3cm 길이로 잘라둔다. ❸ 스큐어에 고기, 피망, 양파, 고기, 파프리카, 파, 고기, 마늘의 순서로 꿴다. ❹ 그릴에 불을 피운다. ❺ 숯이 완전히 점화되면 꼬치를 얹어 굽는다. ❻ 꼬치를 뒤집을 때마다 식초와 물을 1:5의 비율로 섞은 물을 뿌려준다.

LA갈비구이

15 MINUTES ★★★

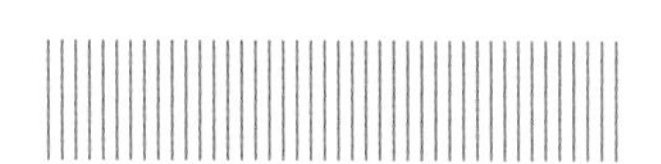

집에서 양념에 충분히 재워 간다. 직화로 해도 되지만 바비큐 그릴에 직화와 훈제를 병행하면 조리시간이 짧다. 또 숯불 향도 스며 맛도 좋아진다. 그릴 자국이 선명하게 나야 보는 맛도 좋다.

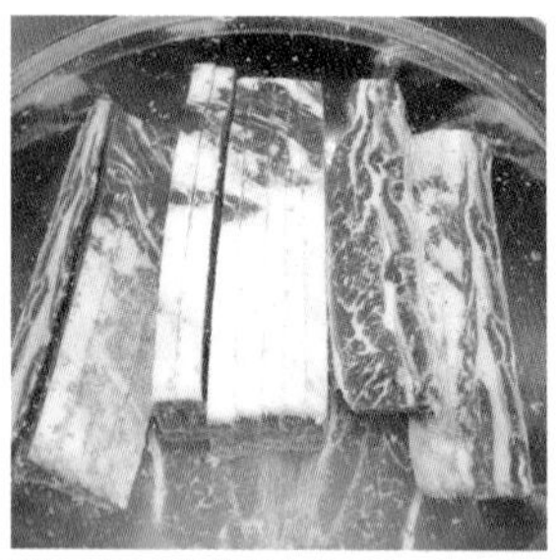

재료

LA갈비 800g, 양파 1/2개, 다진 마늘 2큰술, 사과 1/2개, 매실청 2큰술, 간장 5큰술, 참기름 1큰술, 물엿 약간

만드는 법

❶ 양파, 마늘, 사과를 믹서기로 갈아 놓고 매실청과 간장, 참기름, 후추를 넣어 양념장을 만든다.

❷ 갈비는 찬물에 담가 핏물을 뺀다. 건져낸 갈비를 물기를 제거한 후 양념에 재운다. 재운 갈비는 냉장실에서 반나절 이상 숙성시킨다.

❸ 숯불을 준비한다. 석쇠가 뜨겁게 달구어지면 갈비를 굽는다. 갈비는 면을 돌려가면서 굽는다. 그릴 뚜껑이 있다면 덮어주면서 구면 좋다.

조개구이

10 MINUTES ★

가장 간단한 바비큐다. 화로대와 석쇠만 있으면 준비 끝! 화로에 굽는 재미와 입안에 착 감기는 짭조름한 조개 맛이 끝내준다. 조개류와 새우 등 다양한 조합이 가능하다. 조개는 오래 구우면 맛이 없다. 조개 입이 벌어지면 바로 먹는다.

재료

백합, 바지락, 가리비, 소라, 키조개 등 조개류

만드는 법

❶ 숯불을 피운 후 석쇠를 올려놓는다. 조개를 적당량 올려놓는다. 조개가 입을 딱 벌리면 다 익은 것! 이때 먹어야 육즙이 살아 있고, 조갯살도 맛난다.

❷ 가리비는 입이 벌어지면서 조갯살이 위에 붙는다. 입이 벌어지면 재빨리 반대 방향으로 뒤집어 육즙을 지킨다.

❸ 소라는 빨판이 위로 오도록 해야 육수의 손실을 막는다. 초록빛 내장은 독이 있으니 먹지 않는다.

닭구이

30 MINUTES ★★★

육류 바비큐 가운데 가장 쉽다. 반면 맛은 기대 이상이다. 닭은 쉽게 타지 않아 불쇼 걱정이 없다. 시간을 갖고 고기를 돌려주면서 오래오래 굽는다. 소금과 후추만으로 밑간을 하면 야생의 맛이 느껴진다. 감자나 고구마도 함께 구면 금상첨화!

재료

볶음용 닭 1마리, 양파, 감자, 통마늘, 천일염, 후추

만드는 법

❶ 요리 30분 전 굵은 소금과 후추로 밑간을 한다. 달구어진 석쇠에 고기를 올려놓는다. 숯불은 중간 이상 센불이 되어야 요리가 잘 된다. 닭고기와 함께 감자와 양파 등 야채도 같이 굽는다.
❷ 고기 표면이 타지 않게 뒤집어가며 골고루 익힌다. 이때 굵은 소금을 넣은 올리브 오일을 발라주면 껍질이 더 바싹하게 익는다.
❸ 닭고기는 돼지고기 보다 천천히 익는다. 인내심을 갖고 바비큐를 하자.

비어치킨

90 MINUTES ★★★★★

캔맥주를 이용하는 독특한 아이템으로 호기심을 자극한다. 훈제되는 동안 맥주가 닭고기 속에 골고루 스며들어 육질이 부드러워진다. 올리브유를 중간중간 발라주면 껍질이 고소해진다. 취향에 따라 고춧가루를 럽에 넣으면 매콤한 요리로 즐길 수 있다.

재료

닭 한 마리, 캔맥주 1개, 바비큐 럽

만드는 법

❶ 소금, 설탕, 마늘가루, 양파가루, 올리브유, 파슬리로 바비큐 럽을 만든다. ❷ 닭을 깨끗이 손질해 바비큐 럽을 골고루 발라준 뒤 지퍼백에 담아 24시간 냉장보관한다. ❸ 맥주가 절반 정도 남은 캔에 바비큐 럽을 한 스푼 넣고 닭을 꽂아 세운다. ❹ 그릴 온도가 150℃를 유지하게 해서 1시간 30분쯤 훈제한다. 온도가 내려가면 브리케트를 더 넣어준다. ❺ 훈제 중간중간 올리브유를 발라준다. 고기의 중심부 온도가 75℃ 이상이면 꺼내 먹기 좋게 찢어 놓는다.

통삼겹살훈제

80 MINUTES ★★★★

직화구이와 달리 고기 속에 수분이 배어 있어 촉촉하다. 담백한 것을 좋아하면 굵은 소금을, 달콤한 맛을 좋아하면 데리야키소스로 만든 바비큐 럽을 이용한다. 통삼겹살 대신 목살을 이용해도 좋다. 마늘과 청양고추, 쌈을 곁들이면 한결 맛이 산다.

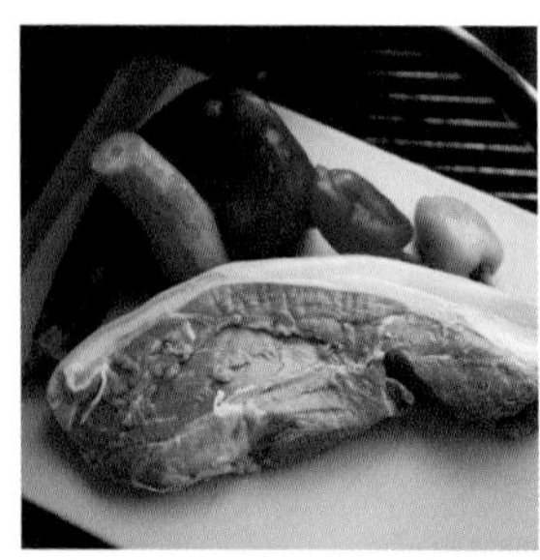

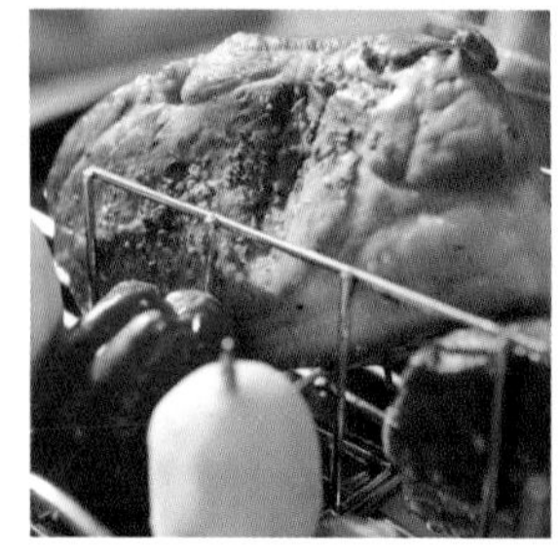

재료

통삼겹살 600g, 감자 2개, 호박 1개, 피망 2개, 굵은 소금, 파슬리, 후추

만드는 법

❶ 4cm 두께의 통삼겹살에 굵은 소금과 파슬리, 후추를 바른 뒤 6~12시간 숙성시킨다.
❷ 그릴 속에 달구어진 브리케트를 넣고 내부 온도가 150℃를 유지하도록 1시간 10분쯤 훈제한다.
❸ 온도가 150℃ 이하로 내려가면 브리케트를 더 넣어준다.
❹ 고기 중심부의 온도가 75℃ 이상이면 요리를 마친다.
❺ 고기는 먹기 좋게 썰어서 내놓는다.

전복 훈제

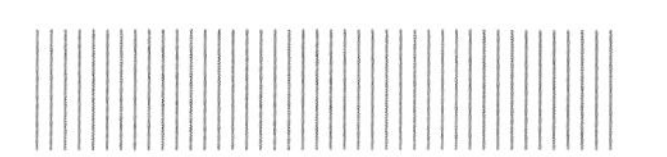

20 MINUTES ★★★★

전복을 이용한 아주 고급스러운 훈제요리다. 손질은 힘들고, 양도 얼마 되지 않지만, 제대로 요리하면 프렌치 레스토랑 부럽지 않다. 와인과의 매칭, 플레이팅에도 신경을 쓰자. 기념일이나 특별한 날에 요리하면 오래오래 기억에 남는다.

재료

전복 8마리, 버터, 훈연톱밥

만드는 법

❶ 전복을 숟가락으로 박박 문질러 닦은 뒤 십(+)자 모양의 칼집을 낸다. 그 위에 버터를 올린다. ❷ 더치오븐에 포일을 깔고 그 위에 훈연용 톱밥을 얹는다. 톱밥 위에 트리벳을 넣고, 그 위에 전복을 올린다. ❸ 더치오븐을 센불로 가열한다. 톱밥이 타기 시작하면 더치오븐 뚜껑을 닫는다. 이때 뚜껑과 더치오븐 사이에 나무젓가락을 고여 산소가 공급되어 톱밥이 꺼지지 않게 한다. ❹ 중불 이하로 줄여 10분쯤 요리한다. 전복을 꺼낸 후 2차 훈제를 준비해도 된다.

닭다리 훈제

80 MINUTES ★★★

가슴살과 함께 가장 고기가 많은 부위다. 어른 아이 다 좋아한다. 그릴에 한가득 요리해도 순식간에 뚝딱이다. 양념이 잘 스미게 밑간을 해서 반나절 이상 재워둔다. 훈제를 하면서 올리브유를 발라주면 껍질이 바삭바삭하다. 훈연칩을 넣어주면 풍미가 더욱 좋다.

재료

닭북채 1팩, 소금, 후추, 올리브 오일, 파슬리 가루 약간, 훈연칩 적당량

만드는 법

❶ 닭북채를 소금과 올리브 오일, 후추, 다진 마늘을 넣고 지퍼백에 재워놓는다. 소금 대신 간장을 이용해도 된다. 바비큐 그릴의 한쪽에 브리케트를 놓고, 그 옆에 기름받이를 놓는다. 브리케트에 포도나무 훈연칩을 넣은 후 석쇠를 올린다.

❷ 불이 없는 쪽으로 닭북채를 올린다. 그릴 뚜껑을 덮는다.

❸ 중간중간 고기의 방향을 돌려준다. 이때 소금과 후춧가루를 넣은 올리브 오일을 붓으로 발라준다. 표면이 노릇노릇하게 구워지면 끝!

오삼불고기

철판 요리의 지존이다. 담백한 오징어와 삼겹살의 환상궁합을 느낄 수 있다. 기름진 삼겹살을 매콤한 고추장이 단박에 제압한다. 청양초나 마늘을 곁들여 상추나 깻잎에 싸 먹으면 맛이 더 산다. 볶음밥으로 마무리하면 최고다!

재료

오징어 2마리, 삼겹살 400g, 양파, 고추, 대파, 마늘, 고추장

만드는 법

❶ 손질된 오징어를 적당한 크기로 썬다. 오징어와 삼겹살을 양파, 마늘, 파, 청양초, 참기름, 고추장, 고춧가루 등 양념에 반나절 정도 재워둔다.
❷ 철판이 뜨겁게 달구어지면 기름을 두르고 재료를 철판에 넓게 펴준다. 익는 속도에 맞춰 반복해서 뒤집는다. 삼겹살이 익으면 불을 줄이고 먹는다. 너무 타지 않게 가끔 뒤집어 준다.
❸ 다 먹은 뒤에는 밥을 볶는다.

목살구이

20 MINUTES ★★

지방이 적당히 섞인 목살은 캠핑용으로 최고다. 그리들을 이용하면 어렵지 않게 요리할 수 있다. 무쇠 특유의 힘이 고기 맛도 살려주고, 골고루 익혀준다. 목살은 2cm 내외로 두툼하게 썰어야 육즙이 산다. 통마늘도 함께 구면 냄새도 잡고 마늘도 맛있게 먹는다. 마무리로 김치볶음밥은 필수다!

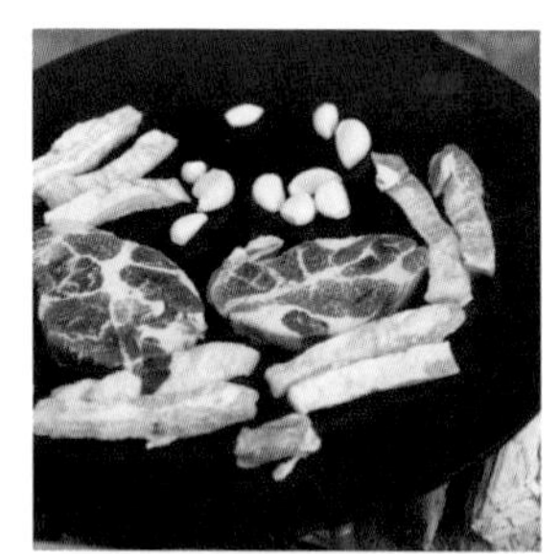

재료

목살 200g, 삼겹살 200g, 감자 2개, 양파 1개, 소금, 후추, 묵은 김치

만드는 법

❶ 그리들을 달구면서 올리브 오일을 둘러준다. 먼저 통마늘을 넣고 마늘향을 낸다. 그리들이 뜨겁게 달궈지면 목살을 올린다.

❷ 한쪽 면이 노릇노릇 익으면 뒤집어 준다. 이때 소금과 후추도 뿌려준다. 고기는 자주 뒤집지 않는다. 확실하게 구운 뒤에 뒤집는다.

❸ 표면이 노릇하게 익으면 가위로 먹기 좋게 자른다. 구운 고기를 조금 남겨 잘개 썬 후 김치와 함께 볶음밥을 한다.

양곱창구이

20 MINUTES ★★

양곱창은 어려운 바비큐 재료다. 그러나 요즘은 먹기 좋게 손질해 택배로 보내준다. 그리들이나 철판을 이용하면 간편하게 요리할 수 있다. 맛은 곱창집 사장님 울고 갈 정도로 좋다. 감자와 양파를 함께 구워 먹으면 궁합이 잘 맞는다. 마무리는 기승전 김치볶음밥!

재료

양곱창 400g, 감자 2개, 양파 1개, 소금, 참기름, 후추

만드는 법

❶ 그리들을 달구면서 참기름을 넉넉하게 둘러준다.

❷ 그리들이 뜨겁게 달궈지면 참기름이 모이는 그리들 가운데 두툼하게 썬 양파와 감자를 올린다. 그런 다음 가장자리를 따라 양곱창을 올린다.

❸ 감자와 양파를 양곱창과 자리바꿈한 후 돌려가면서 굽는다. 표면에 있는 물기가 마르고 노릇노릇하게 탄 느낌이 나면 다 익은 것이다. 우선 양부터 골라 먹는다. 곱창은 생각보다 더디게 익는다. 겉이 노릇노릇해질 때까지 익힌 후 가위로 잘라 마저 익힌다.

캠핑과 와인 Wine

와인이 돈 좀 있고, 외국물을 먹은 사람들의 전유물로 치부되던 시대는 지났다. 요즘은 기념일에 맞춰 선물로 와인을 준비하는 것이 자연스런 현상이다. CEO의 열에 여덟은 와인 때문에 스트레스를 받는다고 한다. 최근에는 와인을 테마로 한 드라마가 제작되기도 했다.

이 같은 와인 열품은 캠핑장에서도 예외가 아니다. 소주와 맥주 등으로 대변되던 음주문화를 비집고 와인이 둥지를 틀고 있다. 캠퍼들은 와인 잔을 부딪치며 도심을 탈출해 자연으로 돌아온 기쁨을 나눈다. 특히, 와인은 누구나 부담없이 즐길 수 있어 독한 술에 거부감을 갖던 여성들도 캠핑장에서 같이 즐길 수 있다.

캠핑장에서 와인을 마실 때는 격식을 따질 필요가 없다. 맥주잔을 부딪치듯 부담없이 와인을 즐긴다. 캠핑장에서는 와인에 곁들이기 좋은 안주가 많다. 아니, 와인을 필요로 하는 맛난 요리들이 준비되어 있다. 캠핑장의 와인 붐은 이제 시작이다. 와인이 파티를 위한, 요리를 위한 술이란 인식의 확산으로 기존의 주류를 물리치고 '신주류'로 급부상하고 있다.

캠핑과 와인의 궁합

캠핑과 와인. 어찌 보면 부적절한 조합처럼 보인다. 자연으로 돌아가려는 캠핑과 격식과 예절을 따지는 와인문화가 대척점에 선 것처럼 보일 수 있다. 그러나 와인은 캠핑을 위한 술이라고 해도 과언이 아니다.

와인만큼 캠핑의 기쁨과 즐거움을 잘 표현해주는 술은 없다. 서양에서는 기념일이나 기쁜 일이 있을 때 샴페인을 터트린다. 샴페인 잔을 타고 올라오는 기포는 들뜬 사람들의 마음을 그대로 드러내준다.

샴페인을 터트리기에 가장 좋은 장소는 어디일까? 탁한 실내일까? 아니면 탁 트인 자연일까? 오월의 눈부신 햇살과 신록 속에 샴페인을 터트려본 이들은 그 행복을 알 것이다.

와인은 다양한 종류가 있다. 누구나 알고 있는 레드와 화이트는 기본이다. 여기에 분홍빛이 돌며 상큼한 과일향이 살아있는 로제와인, 벌꿀처럼 달면서 은은한 과일향이 배어 있는 아이스와인, 알코올향과 오크향이 물씬한 포트와인 등 제조방법에 따라 무수히 많은 와인이 있다.

이들 와인은 캠핑장에서 한껏 빛을 발한다. 로제와인은 싱그러운 햇살 아래 봄소풍을 떠난 느낌을 준다. 진한 양념에 하루를 재운 뒤 구워내는 바비큐에는 묵직한 레드와인을 곁들인다. 살이 하얀 고기류나 해산물에는 차갑게 보관한 화이트와인이 최상이다. 한겨울에 화목난로 곁에서 마시는 얼음처럼 차가운 아이스와인은 또 어떤가.

흔히 와인은 음식을 위한 술이라 말한다. 그리고 또 요리는 캠핑의 꽃이라 불린다. 그러니 당연히 캠핑과 와인은 최상의 궁합이라 할 수 있다.

캠핑용 와인은 따로 있다!

어떤 와인을 마실까? 캠핑을 가면서 와인을 고를 때면 곤혹스럽다. 우선 자신이 좋아하는 와인 스타일을 몰라서 곤혹스럽고, 둘째, 출시되는 와인의 종류가 워낙 다양해 어떤 와인이 좋은지 알지 못해 곤혹스럽다. 결국 매장의 도우미를 불러 그에게 결정권을 넘기게 된다.

와인은 가격으로 말한다. 비싼 와인일수록 그 값어치를 한다. 그러나 비싼 와인이라고 캠핑용으로 무조건 좋은 것은 아니다. 그 이유는 비싼 와인일수록 형식과 조건을 따지기 때문이다. 즉, 그 와인을 즐길 수 있는 모든 조건을 완벽하게 갖추어야 와인을 제대로 음미할 수 있다는 이야기다.

캠핑장의 와인은 격식이 필요없다. 와인을 가장 캐주얼하게 즐기는 자리이므로 굳이 비싼 와인을 선택할 이유가 없다. 누구나 편하게 마실 수 있는 저가의 와인이면 충분하다. 물론, 부부나 연인, 둘만의 시간을 위해 애써 준비한 것이라면 모르겠지만 여럿이 어울려 마실 때는 저렴한 와인이 최고다.

캠핑용 와인은 1만원대가 적당하다. 요즘은 와인이 대중화되면서 대형 마트의 경우 1만원대에서도 괜찮은 와인이 많다. 달달한 맛도 괜찮다면 호리병 모양에 담아내는 1.5ℓ 크기의 저렴한 와인으로 파티를 해도 무방하다.

여럿이 팀을 이뤄 간다면 와인도 각자 가져가는 게 좋다. 한 사람이 도맡아서 마련하기에는 경제적으로 부담이 된다. 또 한 사람이 준비하면 자신의 취향에 맞는 와인만 가져갈 수도 있다. 따라서 각자 와인을 1~2병씩 준비해 자신이 가져온 와인 이야기를 들려주는 것도 좋을 것이다.

가격대를 결정하면 다음은 어떤 종류의 와인을 살 것인가를 결정해야 한다. 일반인은 대부분 레드와인에 손이 간다. 그러나 무턱대고 레드와인을 집는 것은 옳지 않다.

와인은 음식을 위한 술이다. 와인을 고를 때는 캠핑장에서 해먹을 요리에 맞춰야 하는 것이 정석이다. 그럼 어떻게 맞추는 것이 좋을까?

일반적으로 살이 붉은색 고기는 레드와인, 살이 흰 고기나 생선의 경우 화이트와인이 맞는다고 알려졌다. 틀린 이야기는 아니다. 가장 관습적이면서 쉽게 매치시킬 수 있는 방법이다. 그러나 꼭 이 방식을 따를 필요는 없다. 1만원대 레드와인이라면 장기 숙성용 와인이 아니므로 묵직한 타닌보다는 산도와 과일향이 살아있는 신선한 와인일 것이다. 따라서 닭처럼 흰 살을 가진 육류나 생선과 매치시켜도 크게 무리는 없다.

코스를 따라서 와인을 고르는 것도 현명한 방법이다. 즉, 화이트와 레드와인을 동시에 준비해 음식과 매치시켜 내는 것이다. 보통 와인은 화이트와인을 마신 후 레드와인을 마신다. 따라서 메인 요리를 시작하기 전 에피타이저로 즐길 수 있는 화이트와인과 요리를 준비한다. 그 다음 메인 요리에 맞춰 레드와인을 내면 크게 실수하는 법이 없다.

맛의 특징을 파악해 와인을 맞출 수 있다면 아주 노련한 캠퍼다. 와인 매칭의 원칙 가운데 강한 자극이 있는 음식은 강한 와인으로 제압한다는 것이 있다. 고춧가루와 마늘 등 자극적인 양념을 많이 사용하는 요리에는 그만큼 향이 강한 와인을 선택한다. 불닭이나 순대 같은 요리에는 후추향이 도드라지는 시라즈Shiraz나 타닌이 강한 카베르네 소비뇽Cabernet Sauvignon이 좋다. 반면, 잡채나 불고기처럼 부드러운 맛과 육질이 특징인 요리는 메를로Merlot나 산지오베제Sangiovese

가 적당하다. 또 아이스크림이나 과일처럼 단맛이 강할 때는 그보다 더 단 아이스와인 등으로 단맛을 제압해야 입안이 깔끔하다.

또 고수들은 와인과 요리의 질감을 가지고 비교하기도 한다. 이를테면 두꺼운 스테이크에는 무거운 와인이 어울린다. 어느 정도 숙성기간을 거쳤고, 색도 진한 특징을 갖는다. 말벡Malbec이나 카베르네 소비뇽이 이에 해당한다. 반면, 닭백숙이나 편육처럼 담백한 요리엔 상큼하면서도 생기 넘치는 피노 누아Pinot Noir가 좋다.

정리하자면 무턱대고 레드와인부터 고르지 말자는 것이다. 캠핑 요리의 테마에 맞춰 그에 맞는 와인을 선택하자. 처음에는 힘들겠지만 매장 점원에게 의지하지 말고, 1만원대 와인을 중심으로 자신의 안목을 키우자.

국내에서는 레드와인의 소비량이 월등히 우세하다. 이는 세계적인 추세와도 무관치 않다. 와인 전문가조차 레드와인 찬양 일색이다. 그러나 캠핑장에서는 그렇지 않다. 캠핑 와인으로는 레드보다 화이트와인이 좋다는 게 정설이다.

우선 화이트와인은 차갑게 마시는 술이다. 이탈리아의 농부들은 여름철이 되면 화이트와인에 물을 절반쯤 타서 물 대신 마시며 갈증을 달랜다고 한다. 차갑게 식힌 화이트와인의 산뜻한 산도와 과일향이 갈증을 씻어주기 때문이다. 캠핑장에서도 마찬가지다. 낮부터 묵직한 레드와인을 마신다는 것은 왠지 부담스럽다. 그러나 차갑게 식힌 화이트와인은 거부감이 없다.

화이트와인은 대부분 레드와인보다 알코올 도수가 2~3도 정도 낮다. 또 차가운 온도로 마시기 때문에 거부감도 덜하다. 깐깐하게 어울리는 안주를 고집하는 레드와인과 달리 어느 안주하고도 잘 맞는다. 과일과 함께 마실 수도 있고, 손으로 집어먹는, 이른바 핑거푸드와도 궁합이 잘 맞는다. 취하는 게 목적이 아닌, 그 순간의 분위기를 살려주는 데는 화이트와인만큼 좋은 게 없다.

화이트와인을 마실 때 주의할 점은 온도다. 화이트와인은 아주 특별한 와인을 제외하고 상온에서 마시면 맛이 밋밋하게 느껴진다. 따라서 10℃ 내외로 차갑게 식혀 마시는 게 좋다. 특히, 저가의 와인일수록 더 차갑게 식혀주는 게 좋다.

물론 화이트와인도 분명 와인의 한 종류이므로, 많이 마시면 취한다. 따라서 자연을 즐기며 휴식하기 좋을 정도만 적당히 마시는 지혜가 필요하다.

바비큐와 레드와인

캠핑요리의 꽃은 바비큐다. 바비큐를 잘 하느냐 못하느냐에 따라 아빠에 대한 점수가 달라진다. 바비큐와 가장 잘 어울리는 와인은 레드와인이다. 직화구이 냄새가 물씬한 바비큐를 한 점 베어 문 뒤 마시는 진한 레드와인 한 모금은 와인의 존재 이유를 분명히 알려준다.

레드와인은 화이트와인에 비해 일반적으로 알코올 도수가 2~3도 높으며 떫은맛이 강하다. 이는 포도씨나 껍질에 존재하는 타닌이 녹아들어 있기 때문이다. 이 타닌은 와인을 오래 보관하는 데 도움을 준다. 타닌은 와인이 오크통이나 병속에서 숙성되는 과정에서 특별한 향(부케)으로 변하기도 한다.

일반적으로 1만~2만원대의 와인은 출시된 지 2년을 넘지 않은 것들이다. 흔히 '어린와인'이라 부르는 것으로 맛이 거칠다. 또, 타닌의 힌트도 적다. 대신 산도가 살아있고, 과일향이 풍부하며, 당장 마셔도 거부감 없이 편하게 넘어간다.

1만원대의 레드와인은 와인의 본고장이라 할 수 있는 프랑스와 이탈리아에서는 쉽게 찾아볼 수 없다. 설령 제품이 있다고 해도 품질을 자신할 수 없는 경우가 많다. 반면 신대륙인 칠레나 호주에는 1만원대의 괜찮은 와인이 많다. 이런 와인을 출시하는 와이너리들은 대부분 대규모로 와인을 생산하기 때문에 출중한 와인보다는 일정한 품질을 유지하는 와인들을 주로 취급한다. 따라서 1만원대의 좋은 레드와인을 고를 자신이 없다면 차라리 칠레와 호주 같은 신대륙 와인을 택한다.

레드와인은 온도를 크게 신경 쓰지 않아도 된다. 봄가을의 경우 그늘에만 두면 큰 문제가 없다. 그러나 여름철의 경우 15℃ 이내의 온도를 유지해야 상쾌함이 더 산다.

파티는 석양에

와인은 마시는 타이밍이 중요하다. 캠핑장에서는 더욱 그렇다. 햇살이 뜨거운 한낮에 레드와인을 마신다고 생각해보라. 제 아무리 좋은 와인도 불쾌하게 느껴질 것이다.
캠핑장에서 와인을 마시기 가장 좋은 시간은 해 지기 1시간 전이다. 이때는 햇살이 사선으로 비껴들면서 세상을 노랗게 물들인다. 햇살의 힘도 한풀 꺾이는 것은 당연지사다.
우선 화이트와인이나 샴페인으로 분위기를 돋운다. 와인 잔에 적당량의 와인을 따른 후 햇살 속에 비춰본다. 와인 잔 속에 또 하나의 태양이 떠 있을 것이다. 투명한 와인 속에 빛나는 햇살을 마셔보라. 목을 타고 내려가는 상쾌함이 온몸을 찌릿찌릿하게 만든다. 여기에 상큼한 산도와 풋풋한 과일향이 뒤끝을 받쳐준다. 안주는 치즈 카나페나 닭고기를 곁들인 샐러드, 과일이면 충분하다.
해가 점점 붉어지면 슬슬 레드와인을 준비할 차례다. 이때쯤 충분히 뜸을 들인 바비큐 요리가 완성돼야 한다. 두툼한 소고기 스테이크나, 칩을 넣고 1시간쯤 훈연한 돼지고기도 좋다. 해가 떨어지기 전에 노을보다 짙은 와인을 몇 모금 털어 넣고, 큼지막한 고깃살도 씹어주어야 한다.
저녁은 가급적 주변에 잔광이 남아 있을 때 마치는 게 좋다. 식사에서 술자리까지 계속 이어가기보다는 한 번 정리를 한 후 여흥을 즐기는 게 좋다. 이때 설거지를 끝내고 화로에 모닥불도 피운다. 디저트는 과일로 한다. 모닥불을 쬐며 커피를 마시는 것도 빼놓을 수 없는 낭만이다. 와인이 부족한 이들은 모닥불에 구운 감자나 과일을 안주 삼아 와인을 더 마셔도 좋다.

와인을 빛나게 하는 것들

캠핑장에서는 와인을 캐주얼한 분위기에서 마셔야 한다는 데 이견이 없다. 그래도 최소한의 것들은 지켜야 한다. 그 중의 하나가 와인 잔이다.

만약 와인을 머그잔이나 코펠에 들어있는 밥그릇에다 마신다고 생각해보라. 그처럼 어색한 느낌도 없을 것이다. 와인 잔은 와인을 마실 때 갖춰야 할 최소한의 형식이다. 그러나 집에서 사용하는 크리스털 잔을 들고 갈 수는 없지 않은가. 이때 필요한 게 플라스틱 와인 잔이다. 집에서 마시는 와인 잔처럼 폼 나지는 않겠지만 그럭저럭 구색은 맞출 수 있다. 와인 잔은 선물용 상자나 박스를 재활용하면 안전하게 담아갈 수 있다.

화이트와인을 마실 때는 아이스버킷도 필수다. 그러나 와인을 식히자고 부피가 큰 아이스버킷을 가지고 가는 것은 현명하지 못하다. 이때는 코펠을 이용하면 된다. 코펠에 절반쯤 물을 붓고, 얼음을 한 봉지 넣으면 훌륭한 야전용 아이스버킷이 된다.

와인 오프너도 빼놓지 않고 준비한다. 보통 소믈리에 나이프라 불리는 오프너가 부피가 작아 실용적이다. 그러나 이 나이프는 부피가 작은 대신 약간의 숙련된 기술을 필요로 한다. 만약 여럿의 시선이 자신에게 고정되어 있는데 코르크를 열지 못해 쩔쩔 맨다면 당황스러울 것이다. 평소에 반복적으로 사용해 캠핑장에서도 무리 없이 사용할 수 있도록 한다.

TIP

와인 구매하기

요즘은 와인 구매하기가 편해졌다. 인터넷에 '추천 와인'을 치면 원하는 와인을 검색할 수 있는 키워드가 나온다. 주요 키워드는 와인타입, 당도, 가격, 생산국가, 어울리는 음식, 포도품종이다. 이 키워드를 조합하거나 원하는 키워드를 중심으로 와인을 검색하면 자신이 원하는 와인을 고를 수 있다. 또 어플을 이용하면 사용자 리뷰와 평가, 와인에 얽힌 이야기도 볼 수 있다. 대표적인 어플은 '비비노 와인 스캐너(Vivino Wine Scanner)'와 '와인 그래프(Wine Graph)' 두 가지가 있다. 비비노 와인 스캐너는 해외 와인 어플로 와인 라벨을 스마트폰 카메라로 비추면 와인에 대한 정보와 유저들의 평가를 볼 수 있다. 와인 그래프는 와인21닷컴의 DB를 이용한 국내 어플이다.

CHAPTER 8

캠핑장 아웃도어

OUTDOOR IN CAMPING

캠핑은 곧 자연과 친구가 되는 길이다. 도심에서는 볼 수 없는 새와 나비와 곤충을 만날 수 있다. 화단에서는 볼 수 없는 들꽃이 피어 있고, 계절마다 모습을 달리하는 숲도 접할 수 있다. 아이들과 함께 자연을 느끼며 자연과 함께 호흡하는 일, 캠핑의 목적은 그것에 있다. 캠핑장을 고를 때도 그곳에 어떤 자연이 기다리고 있는지 곰곰이 따져볼 일이다. 산과 숲과 강, 바닷가 등 캠핑장이 위치한 곳에 따라 체험할 수 있는 자연은 달라진다. 그것에 맞춰 준비물을 챙겨 가면 만점 아빠, 노련한 캠퍼로 인정받는다.

레포츠를 즐길 수 있는 장비를 갖추고 가면 캠핑장에 활기가 넘친다. 캠핑장 어디서나 즐길 수 있는 배드민턴 하나면 온 가족이 즐겁다. 노련한 캠퍼들은 산악자전거(MTB)나 카약에 도전한다. 캠핑장에서 듣는 음악도 특별하다. 공룡이나 아이들의 모험을 테마로 한 영화를 틀어준다면 아이들은 거의 기절할 정도로 즐거워할 것이다. 또 밤하늘에 있는 별자리를 찾아보면서 아이들은 어렴풋이 인생을 배우고, 미래의 모습을 그려본다. 이처럼 캠핑장에는 다양한 아웃도어가 기다리고 있다. 캠핑장의 놀이와 문화, 아웃도어를 능숙하게 다룰 줄 안다면 진정한 캠핑의 달인이라 부를 수 있다.

낚시

낚시는 캠핑과 잘 어울리는 아웃도어다. 간단한 준비로 온가족이 즐길 수 있다. 특히, 우리나라처럼 계곡과 강, 바닷가에 캠핑장이 많이 조성된 곳에서는 낚시의 기회가 많다. 낚시는 크게 바다에서 하는 바다 낚시와 강이나 호수 같은 민물에서 하는 민물낚시로 구분할 수 있다. 또 미끼를 어떤 것을 쓰는가에 따라 루어낚시와 일반 낚시로 구분한다. 루어낚시는 가짜 미끼를 사용하고, 일반 낚시는 살아있는 미끼나 떡밥 등을 사용한다.
캠핑을 하면서 즐기기 좋은 민물낚시는 견지와 루어, 플라이가 있다. 이 가운데 견지는 가장 쉽게 도전할 수 있다. 루어낚시도 캐스팅 요령만 알면 어렵지 않다. 다만, 플라이낚시는 많은 연습이 필요하고, 대상지도 좀 더 특별하다. 그러나 가장 멋진 낚시이기도 하다. 바다낚시는 갯바위나 방파제에서 하는 것과 배를 타고 바다로 나가는 선상낚시가 있다. 초보는 어떤 낚시를 하더라도 충분히 배우고 도전해야 한다.

낚싯대, 미끼, 낚시복장
여름>가을>봄>겨울
1명~다수
강변>계곡>바다>섬

활동성 ★★★
교육성 ★★
준비성 ★★★

천렵

아이들에게 물만큼 좋은 놀이터가 없다. 어른들도 마찬가지다. 유년시절에 계곡을 훑으며 천렵을 즐기던 기억이 고스란히 남아 있다. 또 물놀이를 겸할 수 있어 여름철에는 빠지지 않는 캠핑장의 아웃도어다.

천렵을 하려면 우선 물고기가 많으면서 깊지 않은 개천이나 계곡을 찾아가야 한다. 무릎 이상 깊은 곳은 제아무리 고기가 많아도 잡기가 어렵다. 또 사고의 위험도 높다. 보통 고기가 많이 사는 지형은 바닥에 돌이 많이 깔려 있고, 물살이 적당히 빠른 곳이다. 천렵으로 잡을 수 있는 꺽지나 동자개, 기름종개, 쉬리, 버들치 등은 돌을 은신처로 삼는다. 바닥에 모래가 깔린 곳은 고기가 없다.

천렵은 한 명이 족대를 물속에 펼치면 양쪽에서 족대 앞으로 2~3m를 나아가 바닥을 훑으며 내려온다. 이때 동작을 빨리해야 하며 돌을 우악스럽게 흔들어야 혼비백산한 고기들이 족대로 들어간다. 고기몰이를 하는 사람은 장갑을 껴야 손톱이나 손에 상처를 입지 않는다. 천렵으로 잡은 물고기는 매운탕이나 어죽을 끓이면 별미다. 그러나 자연보호와 교육적인 차원에서 다시 살려주는 것도 바람직하다. 특히, 보호어종은 반드시 살려줘야 한다.

족대, 물고기 담을 통, 물놀이 복장

여름>가을

2~5명

계곡>강변

활동성 ★★★★★

교육성 ★★★

준비성 ★★

자전거

캠핑장에 있으면 자동차의 지붕이나 뒤에 자전거를 달고 오는 캠퍼들을 심심치 않게 본다. 이들은 사이트를 구축하고 여유가 생기면 자전거를 타고 숲속으로 사라진다. 거칠게 자연과 만나러 가는 것이다.

자전거는 짐을 싣다 보면 조금 거추장스러운 게 사실이다. 캠핑장비도 만만치 않은데 자전거까지 더한다고 하면 게으른 캠퍼들은 지레 겁을 먹는다. 그러나 막상 캠핑장에 가지고 오면 잘 가져왔다는 생각에 흐뭇해지는 게 자전거다.

자전거를 즐기려면 산악형 캠핑장이 좋다. 특히, 숲길이 잘 조성된 휴양림은 자전거를 즐기기 가장 좋다. 그러나 숲길을 갈 때는 사전에 길이 어디까지 나 있는지 충분히 파악하고 가야 낭패를 보지 않는다. 상세한 지도가 있다면 금상첨화다.

MTB가 아닌 일반 자전거는 캠핑장 내에서 타기 좋다. 특히, 최근에 조성되는 캠핑장은 자전거를 타도 좋을 만큼 충분한 도로를 확보하고 있다. 강변이나 호숫가에 자리한 캠핑장에서 자전거를 탄다면 금상첨화다.

자전거, 헬멧, 라이딩 복장, 물

가을 > 봄 > 여름 > 겨울

1명~다수

산악 > 휴양림 > 강변

활동성 ★★★★★

교육성 ★★★

준비성 ★★★

오리엔티어링

오리엔티어링은 지도와 나침반을 이용해 목적지를 찾아가는 레포츠다. 본래는 숲속에서 길을 잃지 않고 집이나 목적지를 찾아가기 위한, 생존을 위한 수단에서 유래했지만 지금은 대중적인 레포츠로 자리 잡았다. 특히, 노르웨이나 스웨덴 같은 북유럽에서는 초등학교 정규과정에 포함시킬 만큼 중요하게 인식되고 있다.

오리엔티어링은 초등학교 고학년은 돼야 즐길 수 있다. 지도 보는 법과 나침반 활용하는 법을 이해할 수 있어야 하기 때문이다. 기본적으로 부모의 오리엔티어링에 대한 이해가 바탕이 되지 않으면 시도하기 어렵다. 또 나침반을 활용할 수 있는 정밀한 지도도 가지고 있어야 한다.

위의 조건을 갖추지 못했다고 해서 포기할 필요는 없다. 캠핑장에서 즐길 수 있는 수준만큼만 하면 된다. 자녀가 어리고 아주 초보적인 수준이라면 캠핑장 내에서 보물찾기 정도로 시도할 수 있다. 이때는 캠핑장 배치도를 참조해 그림지도를 그린 후 목적 장소에 보물을 숨겨놓으면 된다. 좀 더 적극적으로 한다면 부모와 아이가 함께 지도를 보면서 목적지를 찾아가보는 것도 좋다. 이때 자녀에게 유익한 보물을 미리 숨겨놓으면 아이들이 아주 좋아한다.

지도, 나침반, 보물
봄 > 가을 > 여름 > 겨울
2인 이상
산악 > 휴양림 > 강변

활동성 ★★★★★
교육성 ★★★★★
준비성 ★★★★

트레킹

트레킹은 산과 계곡을 따라 걷는 것을 말한다. 등산이 산의 정상에 오르는 것을 목적으로 하는 것과 달리 트레킹은 걷는 그 자체를 중시한다. 따라서 산이나 계곡, 강변 등 걸을 수 있는 모든 곳이 대상이 된다.
트레킹은 캠핑에서 가장 쉽게 도전할 수 있는 아웃도어다. 특별한 장비 없이도 누구나 즐길 수 있다. 걸을 수 있는 힘만 있다면 할 수 있다. 또 등산화 대신 튼튼한 운동화만 준비하면 되기 때문에 장비에 대한 부담도 적다. 국내 대부분의 캠핑장은 트레킹을 즐길 만한 코스가 있다. 특히, 자연휴양림이나 산악형 캠핑장이 트레킹을 즐기기에 적합하다.
트레킹을 즐기려면 우선 코스를 알아야 한다. 산이나 계곡의 경우 자신이 걷고자 하는 코스를 정해 놓고 움직여야 한다. 깊은 산이나 계곡은 반드시 지도가 필요하다. 아이가 있는 경우 체력적인 안배도 해줘야 한다. 오랜 시간 걷는 코스라면 물이나 간식, 도시락 등도 지참해야 한다. 이때는 배낭이 있어야 손쉽게 수납할 수 있을 뿐만 아니라 걷는 자세도 좋다.

등산화, 등산복, 배낭, 간식, 물, 지도
가을>봄>여름>겨울
1명~다수
산악>휴양림>계곡

활동성 ★★★★★
교육성 ★★★
준비성 ★★★

카약

카약은 아직까지 국내에서 대중화되지 않은 레포츠다. 외국과 비교하면 척박한 자연적인 조건이 원인이다. 또 장비가 고가인데다 부피도 만만치 않아 캠퍼들에게는 부담이다. 그러나 향후 한국적 현실에 맞게 카약도 중흥기를 맞을 것으로 보인다. 국내의 경우 카약을 즐길 만한 공간이 제한되어 있다. 내린천이나 수항계곡 등 급류에서 카약을 즐길 만한 곳은 몇 곳 되지 않는다. 그러나 3면이 바다인데다 크고 작은 호수와 저수지가 많다. 외국처럼 역동적이지는 않아도 즐길 수 있는 공간은 충분하다.

카약은 플라스틱이나 나무로 만든 것도 있지만 튜브로 된 것도 있다. 휴대성은 튜브로 된 것이 월등히 높다. 튜브 제품은 펌프를 이용해 공기를 주입한다. 튜브라고 해서 약한 것은 아니다. 최근에 출시되는 것은 날카로운 바위에 부딪쳐도 끄떡없을 만큼 단단하다.

카약을 타려면 일단 기본기를 갖춰야 한다. 노 젓는 방법과 방향 전환하기, 응급 시 대처법 등을 배워야 한다. 아웃도어에 취미가 있는 남자들은 금방 배운다. 구명조끼를 착용하면 설령 카약이 뒤집어져도 안전하다. 처음에 물이 깊지 않은 곳에서 충분히 연습을 한 후 나중에 급류나 바다에 도전한다. 내린천이나 수항계곡, 한탄강 등에서는 카약을 대여할 수도 있다.

- 카약, 헬멧, 구명조끼
- 여름>가을>봄
- 1명~다수
- 강변>호수>바다

활동성 ★★★★★
교육성 ★★★
준비성 ★★★★★

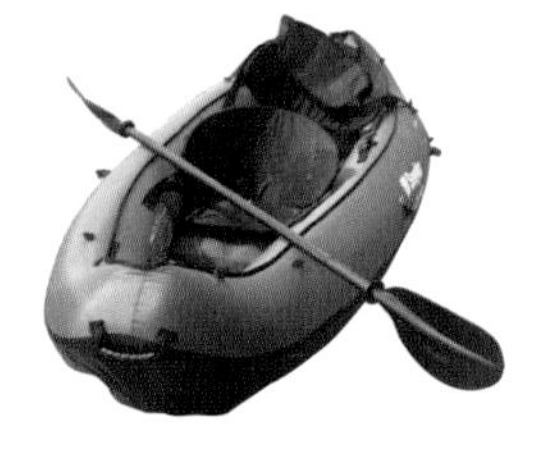

배드민턴

캠핑장에서 발견한 놀라운 레포츠 가운데 하나가 배드민턴이다. 요즘은 캠핑장을 가더라도 배드민턴을 치고 있는 사람들을 쉽게 볼 수 있다. 그만큼 대중적인 캠핑장 레포츠로 자리를 잡은 것이다.
배드민턴은 라켓과 셔틀콕만 있으면 어디서나 즐길 수 있다. 경기에서는 네트가 필요하고, 선이 그어진 경기장이 있어야 하지만 그것 없이도 아무 문제없이 즐길 수 있다. 타프를 칠 만한 공간만 있으면 어디서나 할 수 있다.
또한 배드민턴은 라켓을 다루는 특별한 기술을 요하지 않기 때문에 아이들이나 여자들도 부담 없이 접근할 수 있다. 특히, 동시에 4명이 칠 수 있기 때문에 가족끼리의 시합, 또는 타 가족과의 시합도 벌일 수 있다. 최근에는 라켓에 맞는 순간 불빛이 나는 야광형 셔틀콕도 출시되어 밤에도 전천후로 즐길 수 있다.
배드민턴 최대의 적은 바람이다. 셔틀콕이 가볍기 때문에 바람이 조금만 불어도 제대로 칠 수가 없다. 따라서 바람막이가 되어줄 수 있는 공간을 찾아내면 금상첨화다. 강변이나 바닷가는 바람이 많다. 반면 산악형이나 휴양림의 경우 상대적으로 바람이 적다.

- 배드민턴 라켓, 셔틀콕
- 가을>봄>여름
- 2~4명
- 계곡>강변>호수>휴양림

활동성 ★★★★★
교육성 ★★
준비성 ★★

갯벌 체험

갯벌은 생태계의 보고다. 무수히 많은 생명체가 갯벌을 터전 삼아 살아간다. 갯벌은 또 아이들에게 가장 좋은 자연의 놀이터다. 갯벌을 싫어하는 아이들은 없다. 일단 갯벌에 들어서면 허기가 지는 줄도 모르고 논다.
아이들이 갯벌을 좋아하는 것은 갯벌에서 살아가는 생명체를 직접 확인해 볼 수 있기 때문이다. 호미 한 자루만 있으면 조개나 게, 망둥어 등을 잡아 볼 수 있다. 갯벌을 뒤져 생명체를 찾아내면 아이들은 뿌듯한 성취감을 느낀다. 그것들은 평소에 동물도감이나 책을 통해서 봤던 것들이다.
갯벌은 또 안전하다. 넘어지고 자빠져서 갯벌에 범벅이 되더라도 다치는 일은 없다. 오히려 아이들은 옷과 피부가 엉망이 되어가는 것을 즐긴다.
갯벌에 갈 때는 꼭 여분의 옷을 준비해 간다. 주변에 샤워시설이 있는지도 확인한다. 물이 들어오는 시간은 반드시 미리 알고 있어야 한다. 밀물 때가 되면 바닷물은 순식간에 밀려온다. 너무 멀리 나가 있다가 큰 사고를 당할 수 있다. 또 갯벌에는 조개나 굴 껍질처럼 날카로운 것이 있을 수 있다. 그런 곳은 가급적 피해서 놀아야 부상을 입지 않는다. 무더운 여름에는 모자와 자외선 차단제가 필수다.

- 호미, 채집통, 갈아입을 옷
- 여름>가을>봄
- 1명~다수
- 바다>섬

활동성 ★★★★
교육성 ★★★★
준비성 ★★

식물 관찰

텐트 주위 어디에서나 볼 수 있는 것이 식물이다. 잘 살펴보면 우리가 지금까지 모르고 지나쳤던 수많은 식물과 꽃을 발견할 수 있다. 오전이나 저녁 무렵 아이들과 함께 식물 관찰을 하며 시간을 보내는 것도 캠핑을 유익하게 만드는 방법이다. 식물 관찰을 하기 위해 거창한 준비를 할 필요는 없다. 돋보기와 식물 관찰일지 등 간단한 준비물만 있으면 된다. 캠핑지 주위의 산책로를 걸으며 아이들과 함께 눈높이를 낮추고 땅을 유심히 보도록 하자. 우리의 눈길을 기다리는 식물이 많다. 봄, 가을이면 예쁜 야생화도 발견할 수 있다. 네이버 같은 포털 사이트 앱을 이용하면 식물이나 꽃을 쉽게 알 수 있다. 스마트폰 카메라로 꽃이나 식물을 클로즈업하면 어떤 식물인지 알려준다. 아이들과 함께 캠핑지 주변 식물도감을 만들거나 압화를 만들면 좋은 자연교육이 된다.

식물 관찰일기 쓰는 법은 간단하다.

❶ 제목을 적는다. ❷ 꽃을 소개하고 꽃에 얽힌 전설과 꽃말을 적는다(예 : 봉선화→나를 건드리지 마세요). ❸ 꽃잎은 몇 장이며, 색깔은 무엇이며, 수술과 암술은 각각 몇 개인지 등 자세한 사항을 기록한다.

돋보기, 카메라, 벌레약, 식물도감

봄>가을>여름

1명~다수

숲>휴양림>계곡>섬

활동성 ★★★★

교육성 ★★★★

준비성 ★★★

곤충채집

곤충채집은 아이들의 로망이다. 어른들도 대부분 어린시절 채집망을 들고 잠자리, 나비, 사슴벌레 따위를 잡으러 다녔던 기억을 가지고 있을 것이다. 아파트로 가득한 도시에서 자란 요즘 아이들은 곤충을 접할 기회가 적다. 곤충 역시 마트나 문방구에서 살 수 있는 것으로 알고 있는 아이들이 많다. 계곡과 산에는 신기한(?) 곤충들이 많다. 딱정벌레, 모시나비, 납작사슴벌레 등 부지기수다.
곤충채집을 할 때는 반드시 어른이 함께 해야 한다. 뱀이나 벌레에 물릴 수도 있기 때문이다. 되도록 긴팔 상의를 착용하는 것도 벌레물림을 예방할 수 있는 방법이다. 야간 채집을 해도 재미있는 곤충을 많이 발견할 수 있으니 손전등이나 헤드 랜턴도 준비해 가자. 채집 곤충 보관용으로 비닐 지퍼백을 준비하는 것도 잊지 말자. 이 지퍼백은 공기가 통하도록 5mm 내의 구멍을 내도록 한다. 곤충은 주로 참나무 진액을 먹고 살기 때문에 나무진이 나오는 참나무 위주로 공략 하는 것도 한 방법이다. 또한 곤충은 불빛을 보고 달려드는 성질이 있어 아주 밝은 등을 켜두면 쉽게 채집할 수 있다.

- 채집망, 채집통, 벌레약, 손전등, 지퍼백 등
- 봄 > 가을 > 여름 > 겨울
- 1명~다수
- 숲 > 휴양림 > 계곡 > 섬

활동성 ★★★★★
교육성 ★★★★
준비성 ★★★★

사진 찍기

디지털카메라는 재미있는 장난감이기도 하다. 디지털카메라 하나면 한두 시간 정도는 지루하지 않게 보낼 수 있다. 다양한 포즈로 사진을 찍으며 즐거운 시간을 가질 수도 있고 나만의 작품을 만들 수도 있다. 디지털카메라는 어른들에게도 역시 즐거운 시간을 선사하지만 아이들에게도 좋은 추억을 선물해준다. 특히 요즘은 스마트폰의 카메라 기능이 아주 좋아서 일부러 디카를 사지 않아도 된다. 캠핑장에서 찍은 사진으로 '실사 캠핑일기'를 쓰도록 해보는 것도 좋은 방법이다.
디지털카메라가 아니더라도 재미있는 토이카메라도 많다. 다이아나플러스, 홀가, 로모, 슈퍼샘플러 등 저렴한 가격의 필름카메라를 토이카메라라고 한다. 디지털카메라나 고가의 필름카메라가 연출할 수 없는 독특한 색감으로 인기를 얻고 있다. 촬영방법도 간단한 편이다. 디자인이 예쁘기 때문에 아이들이 좋아한다. 또한 일반 필름을 사용하기 때문에 동네 사진관에서도 쉽게 현상할 수 있다. 캠핑장에서 이런 토이카메라를 이용해 놀이 삼아 사진을 찍어보는 것도 유쾌한 시간을 보내는 한 방법이다.

카메라, 필름, 삼각대
사계절
1명~다수
아무곳이나 가능

활동성 ★★★
교육성 ★★
준비성 ★★★

연날리기

캠핑장에서 즐길 수 있는 재미있는 레포츠 가운데 하나가 연날리기다. 요즘 캠핑장에 가보면 의외로 연날리기를 하고 있는 아이들을 쉽게 볼 수 있다. 만들기도 간편하고 공간도 많이 차지하지 않기 때문이다. 연날리기는 탁 트인 공간만 있으면 어디서나 즐길 수 있다. 준비물도 연과 얼레만 있으면 되는데, 요즘 문방구에서 쉽게 구할 수 있다.

문방구에서 연을 사 갈 경우, 집에서 미리 조립해 가지 말고 캠핑장에서 직접 조립하는 것이 좋다. 아빠가 풀과 문구용 칼을 이용해 아이들에게 직접 만들어주다 보면 아이들이 아빠의 존재감을 느낄 수 있다. 연 날리기는 아이들이 특히 좋아한다. 아빠와 아이가 나란히 연을 날리는 모습을 보노라면 이것이 진정한 캠핑의 모습이 아닐까 하는 생각도 든다.

쉽게 즐길 수 있지만 숲이나 계곡에서 할 수 없는 등 공간의 제약을 다소 받는다는 것이 단점이다. 연날리기는 넓은 잔디밭이 있거나 호숫가나 강처럼 탁 트인 공간에서 해야 한다. 또 다른 캠퍼의 캠핑에 방해가 되면 안 된다. 캠핑장에서 연 날릴 공간이 없다면, 캠핑장을 벗어나 연 날릴 수 있는 공간을 찾아가는 것도 방법이다. 바람도 중요하다. 바람이 없으면 연이 날지 않고, 또 바람이 너무 세면 연이 땅으로 곤두박질 친다. 따라서 바람도 고려해서 연을 날린다.

연, 칼, 풀 등 연 제작도구
가을>겨울>봄>여름
1명~다수
호수, 강

활동성 ★★★
교육성 ★★
준비성 ★★★

아이들과 함께 하면 좋은 놀이

• 무궁화꽃이 피었습니다

술래를 속이는 대표적인 놀이다. 술래가 나무에 얼굴을 대고 '무궁화꽃이 피었습니다'를 말하는 동안 술래 가까이 접근한다. 마지막에는 술래가 '무궁화꽃이 피었습니다'를 할 때 등을 때린 후 도망친다. 술래가 '무궁화꽃이 피었습니다'를 말한 후 뒤돌아볼 때 움직이다 걸린 사람이 술래가 된다. 술래는 '무궁화꽃이 피었습니다'를 외치는 속도를 조절해서 다음 술래를 잡는다.

• 윷놀이

가장 손쉽게 할 수 있는 놀이다. 가족이 함께 즐길 수 있는 것이 장점이다. 윷과 말판만 준비하면 돼서 수납도 큰 부담이 없다. 결과에 따라 설거지 하기, 밥 하기, 물 떠오기 등 '내기'를 걸면 재미있다.

• 재기차기

윷놀이와 함께 쉽게 할 수 있다. 특히 겨울철에 많이 한다. 좁은 장소에서도 할 수 있다. 한두번 해보면 아이들이 더 좋아한다. 병뚜껑이나 비닐봉지 등을 이용해 즉석에서 만들 수도 있다. 운동량도 상당하다.

• 땅따먹기

흙바닥에서 간단하게 할 수 있는 놀이다. 땅바닥에 적당한 크기의 원이나 사각형을 그린 다음 각자 모퉁이를 자기 집으로 정하고 뼘으로 반원을 그려놓는다. 가위바위보로 순서를 정한다. 자기 집에서 출발한 말을 세 번 튕겨 자기 집으로 되돌아오면 세 번 말이 지나간 선 안이 자기 땅이 된다. 이때 세 번 안에 자기 집 안으로 말을 집어넣지 못하거나 너무 세게 튕겨 말이 선밖으로 나가면 상대방에게 순서가 넘어간다. 땅을 넓게 차지하는 편이 이긴다.

• 비석치기

얇은 비석을 세워 놓고 다양한 방법으로 돌(목대)을 던져 그 비석을 넘어트리는 놀이다. 우선 길이 5~10cm 되는 비석 모양의 돌을 주어다 3m 전방에 세워 놓는다. 이 돌을 가위바위로 순서를 정해 넘어 트린다. 넘어트리는 방법은 다양하다. 처음에는 가지고 있는 목대를 던져 비석을 맞춰 쓰러트린다. 두번째는 목대를 발등에 올려놓고 1m 앞까지 접근해서 비석을 넘어트린다. 세번째는 무릎 사이에 목대를 넣어가서 비석을 넘어트린다. 그 다음은 배 위에 목대를 올려서 간다. 이밖에 등이나 이마 등 서로 정한 다양한 부위에 목대를 올려놓고 다가가 비석을 넘어트린다.

• 두꺼비집 짓기

봄가을에 아무런 준비없이 즐길 수 있는 놀이다. 부드러운 흙이나 모래만 있으면 된다. 먼저 땅을 우묵하게 판다. 그 다음 한쪽 손을 주먹을 쥔 채 그 안에 넣고, 다른 한 손으로 그 위에 흙이나 모래를 덧쌓아가며 두드린다. 이 때 '두껍아 두껍아 헌집 줄게 새집 다오'라는 노래를 반복해 부른다. 흙이 단단해지면 주먹을 살짝 풀어서 살그머니 뺀다. 이 때 흙이 무너지지 않아야 한다.

땅따먹기

CHAPTER

9

매듭법

 U S E F U L K N O T

캠핑장에서는 줄을 사용하는 일이 잦다. 텐트나 타프, 플라이를 칠 때 스트링은 필수다. 또 나무와 나무 사이에 줄을 걸어 빨랫줄을 만들 수도 있다. 해먹을 칠 때도 줄이 필요하다.

줄을 잘 다루려면 매듭법을 알아야 한다. 타프나 텐트, 해먹의 스트링을 강하게 당기려면 어떤 매듭법이 필요한 지 알고 있어야 한다. 또 굵기가 서로 다른 줄을 이어서 사용할 때도 제대로 매듭법을 알고 있어야 곤란을 겪지 않는다.

매듭법을 익혀두면 캠핑장은 물론 등산이나 배를 탈 때, 그리고 일상생활에서 아주 유용하게 사용할 수 있다. 상황에 따라 사용할 수 있는 매듭법 몇 가지만 알고 있어도 주변 사람들에게 '아웃도어 전문가' 소리를 듣는다.

옭매듭

오버핸드매듭Overhand Knot이라고도 부른다. 매듭법의 기초가 되는 매듭이며 일상생활에서도 가장 많이 쓰이는 매듭이다. 특히, 이 매듭은 다른 매듭을 한 다음 줄이 풀리는 것을 방지하기 위한 마무리로 활용한다. 만약 본 매듭이 풀렸다 하더라도 옭매듭이 한 번 더 안전장치가 되어주는 것이다. 옭매듭은 워낙 쉽기 때문에 누구나 할 수 있다. 그러나 다른 매듭을 한 다음 옭매듭으로 마무리하는 것은 반복적으로 연습하지 않으면 쉽게 잊어버린다.

이럴 때 사용하세요

- 매듭을 만들고 난 뒤 마무리할 때(옭매듭 마무리)
- 2개의 줄을 이어 사용할 때 (되감기 옭매듭)
- 줄을 고정시킬 때(고리 옭매듭)

옭매듭

고리 옭매듭

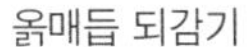

옭매듭 되감기

옭매듭 마무리

사각매듭

2개의 줄을 이어 사용할 때 필요한 매듭이다. 매듭을 만드는 모양이 사각형이라 사각매듭Square Knot이라 부른다. 한두 번만 해 보면 누구나 익힐 수 있으며 활용도가 뛰어나다. 단, 이 매듭은 줄이 느슨해지면 작은 움직임에도 쉽게 풀어질 수 있다. 마무리는 항상 옭매듭으로 한 번 더 안전하게 묶어 준다.

이럴 때 사용하세요

- 두 개의 줄을 이을 때

(①→②→③→④의 순으로 사각매듭을 완성한 후 ⑤와 같이 옭매듭으로 마무리한다.)

피셔맨스매듭

피셔맨Fisherman은 어부라는 뜻이다. 이 매듭법은 이름 그대로 어부들이 어구를 고정시킬 때 즐겨 이용했던 매듭법이다. 이 매듭은 두 줄을 이을 때 가장 확실한 효과를 보인다. 매듭의 크기도 작아 걸림이 적은 게 장점이다. 그러나 강한 충격을 받으면 풀기가 어려우므로 2개의 줄을 계속 고정시켜서 사용할 때 유용하다.

이럴 때 사용하세요

- 같은 굵기의 줄 2개를 이을 때.
- 아미 나이프나 필기구 등 가느다란 줄을 이용해 목걸이를 만들 때.

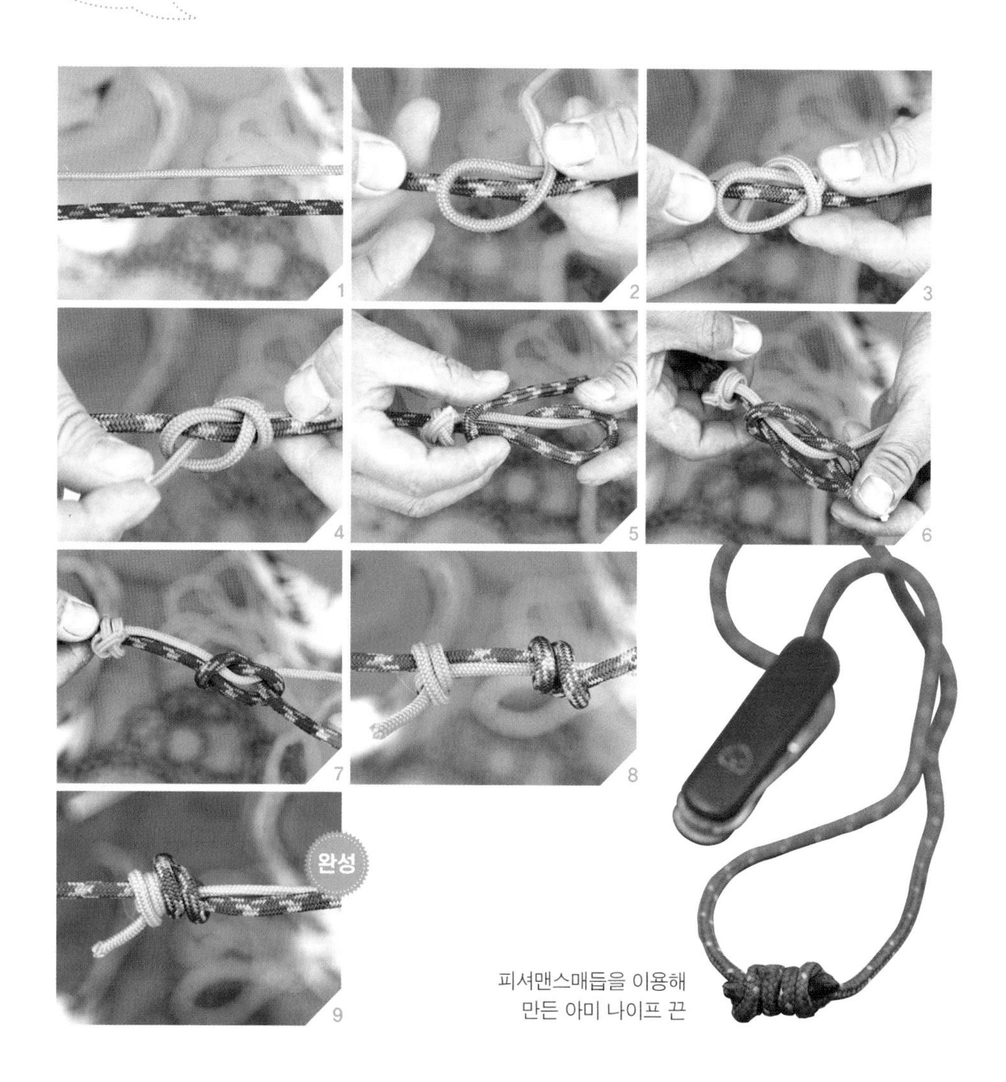

피셔맨스매듭을 이용해 만든 아미 나이프 끈

터벅매듭

캠핑장에서 가장 유용하게 쓰이는 매듭 가운데 하나다. 이 매듭은 줄을 팽팽하게 당겨서 맬 때 사용한다. 줄 길이를 자유롭게 조절할 수 있어 텐트나 타프의 스트링을 팽팽하게 당길 때나 느슨해진 빨랫줄을 당길 때 유용하다. 최근에 출시되는 텐트나 타프에는 터벅매듭을 사용하지 않고도 자유롭게 줄의 길이를 조절할 수 있는 장치가 달려 있다. 하지만 이 장치가 없는 경우도 있으므로 익혀두면 요긴하게 사용할 수 있다.

이럴 때 사용하세요

- 텐트나 타프의 스트링을 팽팽하게 당길 때.
- 빨랫줄을 걸 때.
- 해먹을 걸 때.

카베스통매듭

카베스통매듭Cabestan knot은 암벽등반을 하는 산악인들이 즐겨 사용하는 매듭법 가운데 하나다. 다른 이름으로는 클로브히치매듭Clove Hitch Knot이라고도 부른다. 이 매듭은 묶는 법이 아주 간단해 한 손으로도 쉽고 빠르게 만들 수 있다는 게 장점이다. 풀 때도 아주 간단하므로 임시로 장비를 매달아둘 때 유용하다. 단, 이 매듭을 활용하려면 카라비너가 필요하다. 이 매듭은 다른 매듭과 달리 옭매듭으로 마무리하지 않는다.

이럴 때 사용하세요

- 장비나 물건을 임시로 줄에 매달아둘 때.

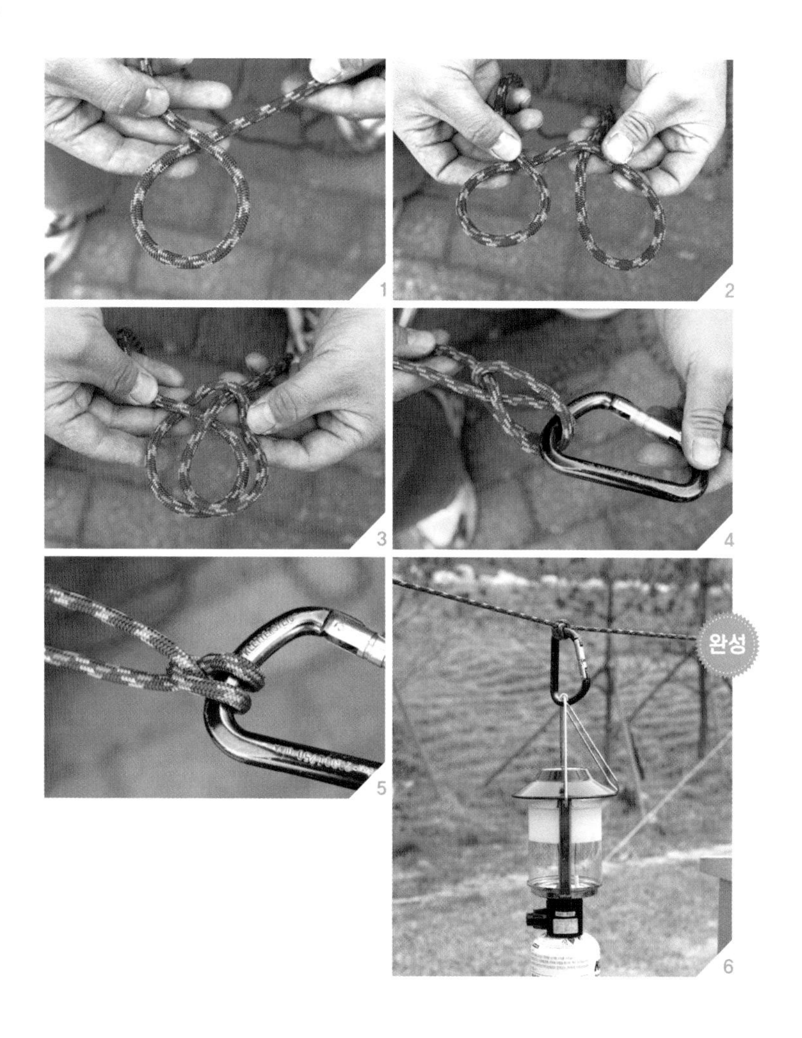

보라인매듭

보라인매듭Bowline Knot은 목동들이 양을 말목에 붙들어 맬 때 사용하던 매듭이다. 암벽등반 시 안전벨트가 없을 때, 또는 중간에 오르는 경우 이 매듭이 많이 사용된다. 보라인 매듭은 나무나 돌처럼 움직이지 않는 확보물에 줄을 고정시킬 때 유용하다. 단, 이 매듭은 헐거워지면 풀릴 수 있으므로 매듭을 지은 후에는 항상 옭매듭으로 마무리해야 한다.

이럴 때 사용하세요

- 빨랫줄을 맬 때.
- 해먹을 나무에 걸 때.

시트밴드 매듭

시트밴드매듭Sheet Bend knot은 사각매듭처럼 2개의 줄을 이을 때 많이 사용된다. 사각매듭보다 매듭의 강도가 강한 것이 특징이다. 특히, 줄의 굵기가 서로 다를 때도 사용할 수 있는 게 최대 장점이 있다. 사용 후에 매듭을 풀기도 쉽다. 마무리는 항상 옭매듭으로 한다.

이럴 때 사용하세요

- 굵기가 다른 두 개의 줄을 이을 때.

8자매듭

매듭 가운데 가장 강력한 매듭이다. 매듭의 모양이 8자 모양을 띤다. 주로 암벽등반에서 잠금 카라비너에 고정할 때 이용된다. 카라비너 없이 안전벨트에 바로 묶어서 사용할 수 있다. 8자매듭은 가장 강력한 매듭이면서도 풀기 쉽다는 장점이 있다. 낮은 곳에 있는 응급환자나 장비를 끌어올릴 때 유용하며, 되감기나 이중으로 감기를 하면 더욱 튼튼하다. 마무리는 옭매듭으로 한다.

이럴 때 사용하세요

- 낮은 곳에 있는 사람이나 장비를 끌어올릴 때.
- 폴을 지지하는 스트링의 걸개를 만들 때.

하니스루프매듭

하니스루프매듭Harness Loop Knot은 아주 고급스런 매듭 가운데 하나이다. 이 매듭을 이용하면 쉽게 고리를 만들 수 있고, 또 쉽게 풀 수도 있다. 암벽등반 시 배낭을 끌어올릴 때 주로 이 매듭이 사용된다. 캠핑장에서는 랜턴이나 주방용품 등 바닥에 둘 수 없는 장비를 줄에 걸어둘 때 요긴하다. 특히 가는 줄에 이 매듭을 여러 개 묶어 국자나 주걱, 집게 등을 걸어놓으면 운치가 있으면서도 실용적이다. 단, 이 매듭을 활용하려면 카라비너가 있어야 한다. 이 매듭은 옭매듭이 필요치 않다.

이럴 때 사용하세요

- 랜턴을 삼각대 대신 줄에 매달아 둘 때.
- 키친에 주방용품을 걸어둘 때.

에번스매듭

교수형을 집행할 때 이 매듭을 이용하기 때문에 일명 사형수매듭이라고도 불린다. 이 매듭은 로프를 당기면 고리가 조여든다. 또 반대로 확보물이나 카라비너에서 고리를 빼낸 뒤 긴 줄을 당기면 마술처럼 줄이 스르르 풀린다. 따라서 줄을 임시로 고정시킬 때 활용하면 좋다. 마무리는 옭매듭으로 한다.

이럴 때 사용하세요

- 텐트나 타프의 스트링을 고정시킬 때.
- 카라비너에 줄을 고정시킬 때.

올바른 매듭의 활용

매듭은 상황에 따라 적절히 사용해야 한다. 잘못된 매듭을 할 경우 안전에 심각한 위해를 끼칠 수 있다. 목적에 맞는 매듭법을 선택해야 한다. 매듭을 지을 때는 어떻게 풀 것인지도 고려한다. 매듭을 자주 풀었다 묶었다 할 경우에는 잘 풀리는 매듭을 활용 하는 게 좋다. 겨울이나 비가 내릴 때처럼 궂은 날씨에 잘 풀리지 않는 매듭과 씨름하는 일은 일어나지 않도록 유의한다. 반면, 다시 풀 일이 없는 줄은 가급적 풀기 어려운 매듭을 활용하는 게 좋다. 매듭에는 30가지 이상의 종류가 있다. 그러나 모든 것을 다 알 필요는 없다. 비슷한 용도의 매듭법 가운데 가장 중요하고 활용도가 뛰어난 것을 골라서 익히기만 해도 요긴하게 활용할 수 있다. 매듭법은 어둠 속에서, 또는 장갑을 낀 채로, 혹은 한 겨울에도 자유롭게 사용할 수 있을 만큼 손에 익힐 필요가 있다.

CHAPTER

10

응급처치법

F I R S T　A I D

캠핑과 안전사고

캠핑은 거주공간을 자연 속으로 옮겨 생활하는 것이다. 캠핑 시 캠핑사이트 구축은 물론 요리와 아웃도어 활동 등 다양한 활동을 하게 된다. 자연히 사고나 부상을 당할 여지가 많다. 이를테면 요리를 하다 화상을 입거나 낚시를 하다 물에 빠질 수도 있다. 또 산책을 하다 뱀에게 물릴 수도 있고, 칼을 다루다 손을 베일 수도 있다.

이처럼 캠핑장에 크고 작은 사고의 위험이 많지만 응급상황에 대한 대처법을 제대로 숙지하고 있는 캠퍼들은 그리 많지 않다. 전기장판과 장작난로까지 들고 가면서 코펠보다 작은 구급상자는 두고 가는 게 현실이다.

캠핑은 안전이 보장될 때 즐거운 것이다. 그러나 이 안전은 누가 보장해 주는 게 아니므로 스스로 위험에 대처하는 지혜를 키우고, 만약 사고가 발생했을 때 즉각적으로 대응할 수 있는 응급처치법을 알고 있어야 한다. 응급처치법을 제대로 숙지하고 있으면 사고를 미연에 방지할 수 있으며, 사고가 일어나도 더 이상 악화되는 것을 막을 수 있다.

안전을 위해 숙지해야 할 기본 원칙

응급상황이 발생하면 상황에 따른 신속한 대처를 해야 한다. 특히, 생명이 걸린 위급한 상황은 초기 대응과 신속성에 따라 생명이 좌우되기도 한다. 이때 분명히 명심해야할 게 있다.

● 첫째, 자기안전을 먼저 생각하자

응급상황이 발생한 경우에 구조자는 제일 먼저 자기안전부터 생각해야 한다. 익사사고의 경우 구조자가 함께 사망하는 경우가 빈번하게 발생하는데, 이것은 자기안전을 생각지 않고 구조활동을 벌이기 때문이다. 또 자동차 사고가 발생했을 때도 급한 마음이 앞서다 보면 뒤에서 오는 차에 다칠 수도 있다. 따라서 구조활동을 벌일 때는 항상 자기안전을 먼저 생각해야 한다.

● 둘째, 손쉬운 방법부터 생각하자

응급상황에 대한 구조활동은 시간과의 싸움이다. 순간적인 대처가 늦으면 상황은 점점 더 어려워진다. 그러나 구조의 방법이 복잡하면 시간이 많이 걸리고, 도구도 많이 필요하다. 따라서 현장에 무엇이 있고, 어떻게 대처할지를 재빨리 판단하는 게 빠른 구조를 위한 지름길이다. 단, 빠른 것과 서두르는 것을 혼동해서는 안 된다.

● 셋째, 행동단계를 파악하자

구조활동의 ABC를 머릿속에 그려가면서 구조를 해야 한다. 우선 상황을 정확히 파악하는 게 급선무이며, 상황을 파악한 후 조난자에게 가장 손쉬운 방법으로 접근한다. 그 다음 구조활동을 통해 상황이 더 나빠지지 않게 한 뒤 마지막으로 환자가 후송될 때까지 자리를 지킨다.

● 넷째, 응급조치는 최소한의 조치일 뿐이다

응급조치는 위험에 처한 사람을 안전한 곳으로 이동시키기 위한 최소한의 조치를 취하는 것일 뿐, 그 다음은 의사의 몫이다. 그런데도 자신이 마치 의사인양 처방을 내리는 것은 곤란하다. 환자의 상태에 맞는 적절한 의료행위와 처방은 의사가 할 일이다. 응급조치는 '부상자가 의료기관에 인도되기 전까지 부상자의 상태가 더 악화되지 않도록 도와주는 행위'라는 것을 명심하자.

화상사고

캠핑장에서 일어나는 안전사고 가운데 가장 빈번하게 발생하는 게 화상이다. 여름철을 제외한 대부분의 계절에 화로를 이용하기 때문이다. 또 요리를 하거나 랜턴을 켜놓았을 때도 우발적인 화상사고가 발생할 수 있다. 특히, 캠핑장에서는 날이 추워지면 불을 가까이하게 되고, 잠자리까지 화기를 가지고 가기 때문에 예기치 않은 화상사고가 발생하기 쉽다.

• 화상사고 예방하기

화상사고를 예방하려면 우선, 아이들이 불이나 화기에 가까이 가지 못하게 주의를 기울여야 한다.

화로는 화상사고의 주요 원인이다. 화로에 모닥불을 피워 놓은 후에는 절대 아이들만 불가에 있게 하지 않는다. 아이가 어릴 경우 화로 주변에 철망을 두르거나 화로 테이블을 설치한다. 모닥불을 끌 때는 물을 이용해서 불기가 완전히 제거되게 해야 한다.

랜턴은 잠자리용과 생활공간용으로 분리해두는 것이 좋다. 광량이 큰 랜턴이 필요한 생활공간은 가스나 휘발유랜턴을 사용해도 좋다. 그러나 잠자는 텐트에는 건전지를 이용한 랜턴을 사용하도록 한다. 건전지랜턴은 광량은 작지만 안전하기 때문이다. 또 스토브를 텐트 속에서 작동시키는 것도 삼가야 한다.

스토브나 코펠이 달구어진 줄 모르고 만져서 화상을 입는 경우가 있으므로 스토브나 코펠은 가급적 키친에 두고, 주변에 뜨거운 것이 있다는 것을 같이 캠핑하는 사람들에게 주지시켜야 안전하다.

휘발유 스토브나 랜턴에 연료를 보충할 때는 반드시 불을 끄고 충분히 식힌 다음에 한다. 연료 보충은 텐트나 리빙셸 밖에서 진행해야 한다. 또한, 깔때기를 이용해 연료가 새지 않도록 한다.

연료를 보충한 후에는 연료주입구를 비롯한 주변을 깨끗이 닦아 혹시 모를 발화를 미연에 방지한다.

• **응급처치**

화상사고가 발생하면 침착하게 화상의 부위와 정도를 파악하는 게 중요하다. 화상은 깊이에 따라 1~3도로 나뉜다.

1도 화상 : 피부가 붉어지고 부어오르는 정도의 가벼운 화상이다. 화상연고를 바른 후 소독용 거즈를 대고 식혀준다. 1도 화상을 입은 경우 캠핑을 지속해도 큰 지장은 없다.

2도 화상 : 진피까지 화상을 입어 수포가 형성된 경우다. 이 때는 소독약으로 소독해 2차 감염을 예방하고, 수포가 터지지 않도록 주의해야 한다.

3도 화상 : 열에 의해 피부가 탄화된 경우다. 3도 화상을 입으면 깨끗이 소독을 한 후 즉시 의사의 치료를 받아야 한다.

화상사고가 발생할 경우 주의해야 할 몇 가지가 있다. 만약 소독약이 없는 경우는 흐르는 깨끗한 물로 씻어준다. 화상부위에 발생한 수포는 일부러 터트려서는 안 된다. 터진 수포의 경우 깨끗이 제거한 후 항생제나 화상연고를 발라준다. 만약 옷이 피부에 달라붙은 경우에는 일부러 떼려고 해서는 안 된다. 이 때는 옷을 입힌 채 찬물을 부어 식혀준다.

장애물사고

캠핑장에서 일어나는 사고 가운데 장애물에 걸려 발생하는 사고도 많은 비중을 차지한다. 텐트나 타프 등을 고정시킬 때 사용하는 스트링과 밖으로 튀어나온 팩이 장애물사고의 주요 원인이다. 특히, 스트링의 경우 밤에는 거의 눈에 띄지 않기 때문에 어른들도 심심찮게 사고를 당한다.

장애물에 의한 사고를 완벽하게 예방할 수는 없지만 사고를 줄이려면 우선 팩을 튀어나오지 않도록 단단히 박아 발에 부딪치는 일이 없도록 한다. 사람들이 자주 이용하는 출입문 주변의 스트링은 손수건이나 야광테이프를 묶어놓아 쉽게 눈에 띄도록 한다. 공놀이와 같은 야외활동을 할 때는 캠핑 사이트에서 멀찌감치 떨어진 데서 하는 게 좋다.

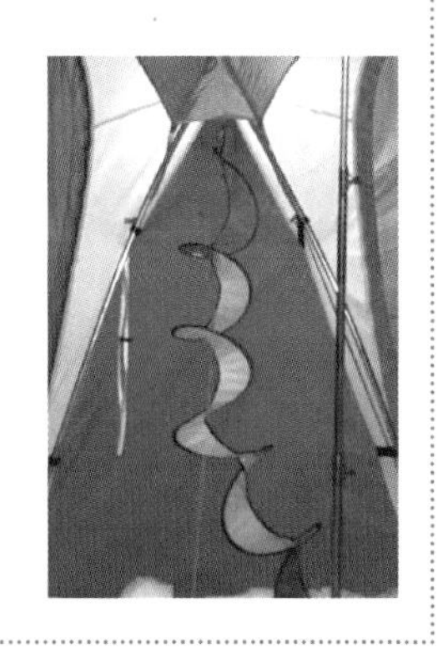

찰과상과 타박상

찰과상은 넘어지거나 사물에 부딪쳐서 피부가 벗겨지는 것을 말한다. 무릎, 팔꿈치, 얼굴 등의 부위에 주로 발생하며, 주의가 산만한 어린이들이 부상 위험에 노출되는 경우가 많다.
살짝 긁혀서 핏물이 조금 배어나온 경우는 환부를 깨끗하게 소독한 후 밴드를 붙여주는 정도로도 충분한 응급처치가 된다. 물론 여름철이거나 습한 경우에는 세균에 의한 감염에 신경을 써야 한다.
붕대로 감았을 때 피가 배어나올 정도이거나 환부가 넓은 경우에는 치료에 세심한 신경을 써야 한다. 우선, 흐르는 물에 환부를 가볍게 씻고 소독약으로 소독을 한 뒤 거즈를 대고 붕대로 감는다. 찰과상의 정도가 심한 경우에는 응급조치를 한 후 곧장 병원으로 가는 게 좋다.
사물에 부딪혀 타박상을 입었을 경우에는 우선 차가운 수건으로 냉찜질을 한 후 따뜻한 수건으로 온찜질을 한다. 타박상에 의한 멍이나 피하출혈 시에는 온찜질이나 목욕이 좋다.

절상과 자상

- **절상**

유리나 칼에 베이는 상처를 말한다. 캠핑장에서 가장 흔하게 발생하는 부상 가운데 하나다.

절상사고의 응급처치는 감염예방과 압박에 의한 지혈이다. 절상사고를 당하면 우선 환부의 상태를 확인한다. 환부가 오염되지 않았다면 곧바로 지혈을 한다. 만약, 환부에 더러운 이물질이 있으면 수돗물이나 생수로 씻은 다음 지혈을 한다. 지혈은 피가 나는 자리를 누르는 직접압박법을 쓴다. 우선 상처 부위에 거즈를 대고 부드럽게 압박해 지혈을 한다. 그래도 피가 계속 새어나올 경우 거즈를 떼지 말고 그 위에 덧대주는 것이 요령이다. 그 다음으로 지속적인 압박을 가할 수 있도록 붕대를 감아준다.

상처를 치료하는 과정에도 계속 압박을 가해 출혈을 막아줘야 한다. 만약 직접 압박법으로도 출혈이 멈추지 않으면 환부를 심장보다 높게 해 간접 지혈을 한 후 즉시 병원으로 후송한다.

- **자상**

못이나 나뭇가지처럼 날카로운 것에 찔려서 발생하는 상처다. 자상은 찔린 정도에 따라 응급처치가 다르다. 가시처럼 가볍고 작은 것에 찔린 경우 핀셋이나 족집게 등으로 상처에 박힌 물질을 빨리 뽑아내야 통증도 없고, 치료도 쉽다. 그러나 상처를 찌른 것이 깊이 박힌 경우 억지로 빼내려 해서는 안 된다. 박혀 있는 물질이 지혈을 해주기 때문이다. 또 야외에서는 적절한 세정이나 소독을 할 수 있는 방법도 없으므로 가능하면 뽑아내지 않는다. 깊이 박힌 경우 나중에 빼낼 수 있을 만큼만 남긴 뒤 빨리 병원으로 가는 게 좋다. 녹슨 못에 찔린 경우는 파상풍의 위험이 있으므로, 얕게 찔렸다고 얕보지 말고, 병원을 찾아 깨끗하게 소독을 해야 안전하다.

골절과 염좌

골절은 뼈가 부러지는 큰 부상이다. 캠핑 중에 이런 일이 발생하면 즉시 병원으로 가야 한다.

골절은 대부분 높은 곳에서 추락하거나 넘어져서 발생한다. 일단 골절사고가 발생하면 심한 통증을 느끼므로 환자가 흥분한 나머지 몸을 움직이려고 한다. 이때는 환자를 절대적으로 안심시켜 몸을 움직이지 못하게 한 후 골절이 의심되는 부위를 고정시켜 2차적인 부상을 예방해야 한다.

골절은 단순골절과 복합골절로 나뉜다. 단순골절은 몸 안에서 뼈가 부러진 것으로 피부를 찢거나 골절 부위의 뼈가 조각나지 않은 상태를 말한다. 복합골절은 부러진 뼈가 피부를 뚫고 나와 출혈이 발생하는 것을 말한다. 이 경우 피부와 근육, 혈관, 골수 등이 손상을 입거나 세균에 오염될 수 있어 아주 위험하다. 단순골절은 깁스로 치료할 수 있지만 복합골절은 수술을 해야 한다.

일반인이 골절 여부와 골절 부위를 판단하기는 쉽지 않다. 따라서 섣불리 진단이나 치료를 하지 말고 환자를 병원에 이송시킬 때까지 가급적 좋은 상태를 유지시키기 위해 노력하는 것이 중요하다. 일반적인 골절의 증상은 환부가 붓거나 내부 출혈로 인해 피부가 검붉어지는 것이다. 복합골절의 경우 외부에 출혈이 발생하며 환자가 심한 고통으로 인해 오한을 느낀다.

일단 골절이 의심되면 환부에 부목을 대고 붕대를 감아 움직일 수 없도록 고정시키는 것이 중요하다. 이때 중요한 것은 골절 부위뿐만 아니라 양쪽의 관절까지 넓게 부목으로 고정시켜야 한다는 점이다. 그래야 골절 부위를 확실하게 고정시킬 수 있다.

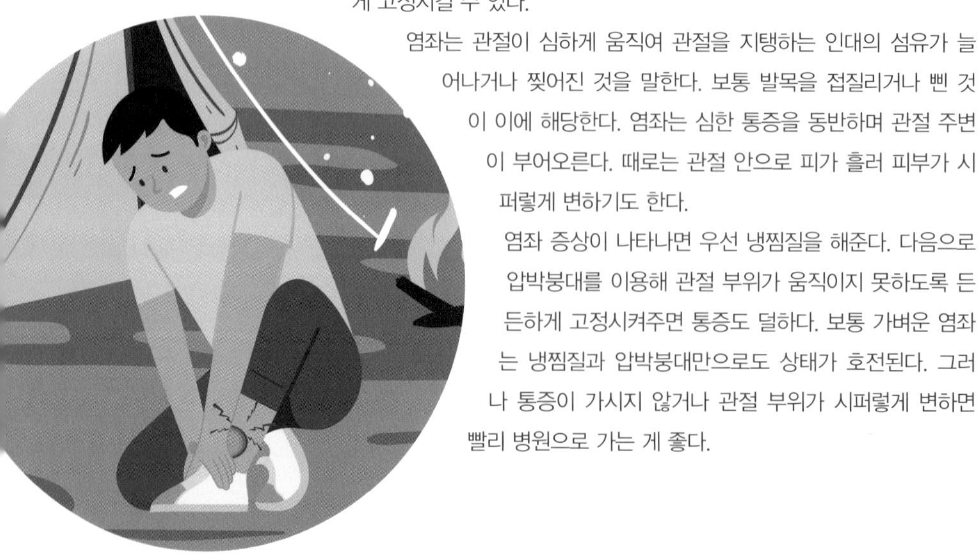

염좌는 관절이 심하게 움직여 관절을 지탱하는 인대의 섬유가 늘어나거나 찢어진 것을 말한다. 보통 발목을 접질리거나 삔 것이 이에 해당한다. 염좌는 심한 통증을 동반하며 관절 주변이 부어오른다. 때로는 관절 안으로 피가 흘러 피부가 시퍼렇게 변하기도 한다.

염좌 증상이 나타나면 우선 냉찜질을 해준다. 다음으로 압박붕대를 이용해 관절 부위가 움직이지 못하도록 든든하게 고정시켜주면 통증도 덜하다. 보통 가벼운 염좌는 냉찜질과 압박붕대만으로도 상태가 호전된다. 그러나 통증이 가시지 않거나 관절 부위가 시퍼렇게 변하면 빨리 병원으로 가는 게 좋다.

눈의 부상

야외에서 심심치 않게 발생하는 사고가 눈의 부상이다. 눈 부상의 정도는 다양하다. 눈에 잡티가 들어가 통증을 일으키는 사소한 것도 있지만 안구가 찢어지는 위급한 중상도 있다. 특히, 숲길을 걷다가 미처 보지 못한 나뭇가지에 눈을 찔리는 경우도 흔하게 발생하는 눈 부상이다.

일단 누군가 눈 부상을 당하면 환자도 고통스럽지만 주변에 있는 사람들도 당황하게 된다. 응급처치를 제대로 하지 못하거나 처치가 늦어져서 실명을 할지도 모른다는 두려움 때문이다. 따라서 다른 응급상황에 비해 침착함이 요구된다.

우선, 잡티나 부유물질이 들어간 경우는 눈이 스스로 치유하도록 두는 게 상책이다. 눈에 이물질이 들어간 경우 눈을 감고 있으면 눈물이 나와 이물질을 밖으로 밀어낸다. 수돗물이나 생리식염수로 눈을 씻어는 것도 좋은 방법이다. 이때 절대로 해서는 안 될 게 있다. 손으로 눈을 비비는 것이다. 손으로 눈을 문지르면 이물질이 자칫 각막에 손상을 입힐 수도 있다.

만약 날카로운 것에 의해 눈을 찔렸다면 이는 심각한 상황이다. 이때 가장 먼저 해야 할 조치는 다치지 않은 눈의 시계를 차단하는 일이다. 사람은 두 개의 눈을 가지고 있는데, 이 두 눈은 자율신경계에 의해 움직인다. 한쪽 눈을 다쳐 볼 수 없는 상황에서도 다른 쪽 눈은 사물을 보려고 하는데, 이때 다친 눈도 따라서 움직이므로, 성한 눈의 시계를 빨리 가려줘야 다친 눈이 움직이는 것을 막을 수 있다.

성한 눈의 경우 붕대로 가리면 된다. 다친 눈의 경우 붕대를 직접 대고 감으면 안구나 각막에 2차 피해를 줄 수 있으므로 종이컵 등으로 눈을 감싸고 주변을 붕대로 감아주는 게 좋다.

눈에 상처를 입었을 경우 중요한 것 중 하나는 환자에게 심리적인 위안을 주는 것이다. 눈 부상을 당하면 앞을 보지 못하기 때문에 환자가 느끼는 공포감은 극에 달한다. 잘못하면 환자가 공황상태에 이를 수도 있다. 따라서 환자가 마음을 진정시킬 수 있도록 돌봐주면서 가능한 빨리 병원으로 후송시켜야 한다.

발열과 복통

캠핑장에서 종종 발생하는 내과질병에는 과식과 폭음으로 인한 복통과 설사, 여름철의 경우 식중독에 의한 구토와 설사 등이다.

발열과 두통, 설사, 복통, 구토, 오한의 원인은 다양하다. 구급상자에는 해열제와 진통제, 지사제, 위장약, 감기약 등 현장에서 즉시 복용할 수 있는 약이 준비되어 있어야 한다.

약은 증세에 맞는 것을 복용해야 한다. 또 약의 사용법과 용량도 지켜야 하고, 평소 약에 대한 거부반응이 있었는지도 따져봐야 한다. 무엇보다 중요한 것은 약을 복용하는 것이 의사에게 진찰을 받기 전까지의 임시방편일 뿐이라는 사실이다. 진단과 치료는 언제나 의사의 몫이다.

내과적 질병 증세를 보일 때는 그 원인이 무엇인지를 따져보는 것도 필요하다. 이를테면 가을에 풀숲이나 잔디밭에서 놀다가 걸리기 쉬운 유행성 출혈열은 감기와 증세가 비슷하다. 따라서 의사의 진찰을 받을 때는 의심이 되는 행적에 대해 소상하게 말할 필요가 있다.

무엇보다 내과적 질병은 사전에 예방하는 것이 최선이다. 야외에 나왔다는 들뜬 기분에 폭식이나 폭음을 해서는 안 된다. 여름철의 경우 음식물이 상하지 않도록 항상 신경을 써야 한다. 가을철에는 아이들이 잔디밭에 앉거나 눕지 않게 해 유행성 출혈열을 사전에 예방해야 한다.

독버섯

캠퍼 가운데 산나물이나 버섯을 따서 요리를 하는 이들이 많다. 그러나 맹독성을 가진 식물에 대한 정확한 지식이 없이 산나물이나 버섯을 따서 요리하는 것은 아주 위험하다. 특히, 버섯의 경우 인터넷에 나와 있거나 민간에 전해지는 독버섯 구별법, 식용방법 등은 잘못 알려진 게 많으므로, 자신이 알고 있는 독버섯 구별법을 맹신하지 않도록 한다. 안전을 위해서는 시장이나 마트에서 산 산나물이나 버섯만 쓰는 게 최선이다.

독버섯을 잘못 먹으면 구토와 복통, 설사, 마비 증세가 나타난다. 이때는 우선 소금을 한 옴큼 먹여 토해낸 후 즉시 병원에 가야 한다. 먹다 남은 버섯을 가지고 가면 치료에 큰 도움이 된다.

독사와 벌

캠핑과 같은 야외활동을 하다 보면 독을 가진 생물의 위협을 받을 때가 많다. 대표적인 게 독사와 벌이다. 이처럼 독을 가진 생물에 물리거나 쏘였을 경우 위험한 상황을 맞을 수도 있다. 특히, 알레르기 체질의 경우 쇼크사를 당할 수도 있다. 독사는 봄~가을이면 우리나라 대부분의 지역에서 볼 수 있다. 캠핑장 안에서 독사에 물리는 경우는 많지 않다. 독사에 물리는 경우는 계곡이나 산, 바위 지대에서 불시에 공격을 당하는 것이 대부분이다.

우선 뱀과 마주치면 뱀을 자극하는 행동을 하지 말아야 한다. 뱀은 사람이 자신에게 위협을 가한다고 느낄 때 공격을 한다. 따라서 뱀을 만나면 가만히 있거나 멀리 돌아가는 게 좋다. 뱀을 손으로 잡으려 하거나 장난을 치는 것은 위험을 부르는 행동이다.

만약 독사에게 물리면 우선 독을 빼내는 것이 중요하다. 예전에는 물린 부위에 입을 대고 빨아내는 방법을 썼다. 그러나 이 경우 구조자가 입 안에 상처가 있으면 같이 위험해진다. 최근에는 독성분을 빨아내는 포이즌 리무버Poison Remover라는 도구를 이용한다. 주사기에 바늘 대신 둥근 빨판이 달린 주사기를 이용하여 간단하게 독을 제거한다. 독을 제거했다고 끝나는 것은 아니다. 독사일 경우 반드시 병원으로 가야 한다.

만약, 포이즌 리무버가 없다면 물린 자리에서 심장과 가까운 쪽을 고무줄이나 지혈대로 감아 압박을 가해 독이 전신에 퍼지는 것을 막아야 한다. 압박은 너무 강하지 않게, 은근하게 가하는 것이 좋다.

벌집은 절대 건드려서는 안 된다. 그러나 자신도 모르게 벌을 자극해 공격을 받을 수 있다. 이때는 절대 움직이지 말고 신경이 집중되는 목이나 머리를 감싼 후 가만히 엎드려 있어야 한다. 벌은 상대방이 움직이거나 대항할수록 더욱 사납게 달려든다. 또 물로 뛰어드는 것도 위험하다. 물속에 있다가 숨을 쉬기 위해 고개를 드는 순간 머리에 집중적인 공격을 당할 수 있다.

벌에 쏘이지 않으려면 몇 가지 주의할 점이 있다. 우선 빨간색이나 파란색 등 자극적인 색깔은 피한다. 벌은 냄새에 민감하므로 야외활동 시에는 향수나 스프레이를 뿌리지 않는다. 단맛이 나는 과일향도 벌이 좋아하기 때문에 조심해야 한다. 또 벌은 매끄러운 소재보다 거친 소재의 옷을 좋아한다.

뱀 예방법

- 길이 없는 풀섶이나 돌무더기가 있는 곳은 피한다.
- 풀섶이나 지면이 보이지 않는 곳을 지나갈 때는 천천히 걸어 뱀이 피할 시간을 준다.
- 목이 긴 등산화나 장화를 신는다.
- 각반을 착용하거나 긴바지를 입는다.
- 길이 없는 곳은 막대로 풀을 휘젓거나 돌을 두드려 뱀이 피할 수 있게 한다.
- 막대기나 옷에 방울을 달고 다닌다.

질식

캠핑 시 간과하기 쉬운 것 중 하나가 질식사고다. 보통 질식사고는 가스와 폭설로 인한 산소 부족 등 으로 발생하는데, 다른 사고와 달리 사망에 이를 수 있다는 데 그 심각성이 있다.

질식사고는 텐트 안에서 숯이나 가스 같은 연료를 사용하다 발생하는 경우가 많다. 특히, 바비큐 전용 브리케트인 차콜의 경우 텐트 안에서 사용할 때 문제가 된다. 차콜은 원래 육류나 어류를 훈연시킬 목적으로 개발된 것으로 열기를 오래 지속시키는 특성이 있다. 차콜은 숯가루와 톱밥을 배합한 후 압착해서 만드는데, 차콜이 타는 동안에는 일산화탄소가 지속적으로 배출되므로, 겨울에 밀폐된 텐트 속에서 장시간 차콜에 불을 피울 경우 질식사할 수 있다.

차콜에 의한 질식사를 예방하려면 우선, 리빙셸을 비롯한 실내에서 차콜을 이용하지 않는 것이 좋다. 만약, 리빙셸 안에서 이용할 경우에는 좌우의 출입구를 활짝 열어놔야 한다. 또 잠자리에 들기 전에는 반드시 불을 꺼야 한다.

LPG가스도 질식사고의 주 원인 가운데 하나다. 캠핑장에서는 휴대용 부탄가스와 프로판가스를 동시에 사용하는데, 밀폐된 공간에서 사용 시 불완전 연소로 인한 산소 부족 현상이 발생할 수 있다. 또 제대로 잠그지 않을 경우 가스 노출로 인해 질식사할 위험도 커진다. 따라서 LPG가스 제품을 사용할 때는 안전관리에 특별히 신경을 써야 한다. 잠자리에 들 때는 가스등이나 스토브에 부착된 부탄가스를 분리해 놓는 것을 습관화한다. 또 프로판가스통을 사용할 경우 이중으로 된 잠금장치를 모두 잠근다.

한편, 눈에 의한 질식사고도 종종 일어난다. 폭설이 내린 경우 텐트가 눈에 묻히기도 하는데, 특히 작은 텐트의 경우 폭설이 내릴 때 외부 공기가 차단될 만큼 많은 눈이 쌓여 질식사의 원인을 제공하기도 한다. 따라서 눈이 많이 내릴 때는 취침 중에도 수시로 일어나서 적설량을 확인하고, 외부의 공기가 유입될 수 있게 숨구멍을 확보하는 게 중요하다.

수상 안전사고

여름 캠핑장에서 발생하는 안전사고 가운데 빼놓을 수 없는 게 수상 사고다. 계곡이나 강에서 물놀이를 하다가 사고를 당하는 경우가 많다. 또 물가에 캠핑사이트를 구축했다가 폭우가 쏟아져 물벼락을 맞는 사고도 왕왕 발생한다.

물에서 조난자가 발생하면 대부분 헤엄을 쳐서 구조하는 방법을 생각한다. 그러나 이것은 아주 위험한 일이다. 해마다 물에 빠진 사람을 구하려다 같이 익사하는 사고가 발생하는 것도 성급하게 물로 뛰어들기 때문이다. 구조자가 물에 뛰어들면 조난자와 똑같은 입장이 된다. 특히, 다급한 조난자가 구조자의 팔이나 신체를 붙잡을 경우 상황은 더욱 나빠진다. 따라서 헤엄을 쳐 구조하는 방법은 수영에 능숙하고 고도로 훈련된 사람이 아니면 절대 실행해선 안 된다. 물에서 조난자가 발생했을 때 가장 좋은 방법은 긴 막대나 낚싯대, 줄을 던져주는 것이다. 아이스박스나 스티로폼, 튜브처럼 부력이 있어 물에 뜨는 물건을 던져주는 것도 방법이다. 이 방법은 구조자가 안전이 확보된 상태에서 진행되기 때문에 가장 안전하다.

주변에 사람이 많고 수심이 성인의 가슴을 넘지 않으면 인간사슬을 만들어 구조할 수도 있다. 인간사슬을 만들 때는 기준이 되는 첫 번째 사람이 안전한 곳에 서 있어야 한다. 사슬을 만들 때는 서로 반대 방향을 보고 선다. 또 옆 사람의 손목 위를 잡아 쉽게 끊어지지 않도록 한다. 조난자가 의식이 있을 경우 조난자가 처한 상황을 소리를 쳐서 알려주는 방법도 있다. 이를테면 '이쪽으로 헤엄을 쳐라', '1m만 나오면 발이 닿는다' 등 위기에서 벗어나는 방법을 알려준다. 이 경우 조난자가 구조자의 지시를 따를 만큼 냉정을 유지해야 하고, 최소한의 수영 능력도 있어야 한다.

물놀이사고 예방법

- 아이들을 혼자 물가에 두지 않는다.
- 물놀이를 하기 전에 튜브나 긴 막대 등 유사 시 활용할 수 있는 도구를 주변에 준비한다.
- 수영을 못 하면 수심이 배꼽 이상인 곳은 들어가지 않는다.
- 유속이 빠른 곳은 몸을 가누기가 힘드므로, 수심이 무릎 높이 이상이면 들어가지 않는다.
- 루어낚시 등 물속에서 낚시를 할 때는 반드시 구명조끼를 입는다.
- 아이들은 수심에 관계없이 구명조끼를 입는다. 구명조끼는 꽉 조여야 안전하다.
- 계곡이나 강에서는 아쿠아슈즈를 신는다.
- 물놀이 전 준비운동은 반드시 해야 하며, 1시간 물놀이 후 10분 정도 휴식한다.
- 음주 후 수영은 절대 금물이다.
- 반팔 티셔츠를 입고 물놀이를 하면 체온유지와 햇볕에 의한 화상을 방지할 수 있다.

구급상자

캠핑장은 대부분 도심에서 떨어진 곳에 위치한다. 따라서 1차적인 응급처치는 캠퍼 스스로 해결해야 한다. 이를 위해서는 최소한의 구급약과 도구가 들어 있는 구급상자를 가지고 다녀야 한다. 다른 것은 두고 가도 구급상자만큼은 항상 가지고 가야 한다. 구급상자 속의 약은 1년에 한 번씩 체크해서 유통기간이 지난 것은 새 약으로 갈아준다.
구급상자는 아웃도어용품점이나 인터넷을 통해서 구입할 수 있다. 외상 치료에 필요한 약품이나 도구들이 대부분 들어 있어 낱개로 구입할 필요가 없다. 그러나 연고나 내상에 필요한 약들, 이를테면 진통제, 해열제, 지사제, 감기약 등은 별도로 구입을 해야 한다. 내과계 약은 의사의 처방 없이 약국에서 바로 구입할 수 있는 것을 사면 된다.

• 외상용 구급용품

붕대와 거즈 : 피가 날 때 출혈이나 세균의 감염을 막기 위해 필요하다. 또 골절이나 염좌의 경우 부목을 댈 때도 필요하다. 붕대는 넓이에 따라 몇 가지를 준비하는 게 좋다. ★★★
테이프 : 붕대나 거즈 등을 부착시키는 데 필요하다. 일반테이프, 양면테이프, 신축성이 좋은 테이프 등 3가지를 준비하자. ★★★
밴드 : 병원을 가지 않아도 되는 작은 상처를 치료하는 데 유용하다. 상처의 모양과 정도에 따라 맞춰 쓸 수 있도록 다양한 크기의 밴드를 준비하자. 또 거즈형과 방수형 등 상황에 맞춰 사용할 수 있도록 몇 가지 종류를 준비한다. ★★★
소독약 : 세균에 의한 2차 피해를 예방하기 위한 필수품이다. 제품마다 살균성분이 다르기 때문에 사용설명서를 숙지한다. ★★★
가위 : 거즈나 붕대를 자를 때 사용한다. 화상 시에는 옷을 자를 수도 있다. 일반용보다 살을 베지 않게 디자인된 의료용을 준비하는 게 좋다. 없을 경우 요리용 가위나 칼로 대체할 수 있다. ★★
포이즌 리무버 : 뱀이나 벌 등 독이 있는 생물에 물리거나 쏘였을 때 독을 제거하기 위해 사용한다. 1회용이 아니라 반영구적으로 사용할 수 있어 일단 구입하면 아주 유용하다. ★★★
핀셋 : 가시나 벌침을 빼낼 때 유용하다. 환부를 치료할 때 세균감염의 위험을 줄여준다. ★★
스프레이 : 타박상이나 염좌 같은 부상을 입었을 대 환부의 열을 급속히 식혀준다. 스프레이형이 유용하며 경우에 따라서는 붙이는 시트를 사용할 수 있다. ★★★
위생장갑 : 환부를 치료할 때 세균감염을 예방할 수 있다. ★

★ 있으면 유용

★★ 필요함

★★★ 꼭 필요함

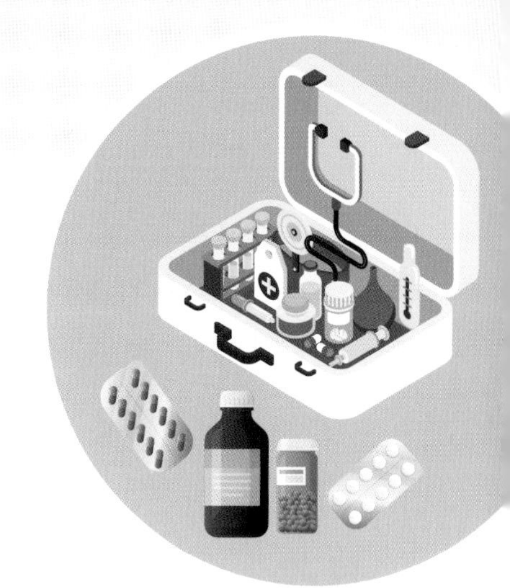

타월 : 응급 시 부목을 고정시키는 삼각건 대용으로 사용할 수 있다. 환자를 돌볼 때 쓰임새가 많으므로, 늘 깨끗한 것을 준비해 휴대하는 게 좋다. ★★

자외선차단제 : 여름철 태양이 뜨거울 때 1차 화상을 예방할 수 있다. 또한 자외선으로부터 피부를 보호해준다. ★★★

위생면봉 : 환부에 소독약이나 연고를 바를 때 유용하다. 물놀이 후 귀에 물이 들어갔을 때도 필요하다. ★★★

모기약 : 여름철 캠핑장의 필수품이다. 스프레이형과 모기향, 몸에 바르는 타입 등 세 가지 모두 있어야 상황에 따라 적절하게 사용할 수 있다. ★★★

• 내상용 구급용품

감기약 : 야외생활의 필수품이다. 여름에도 계곡이나 캠핑장은 밤에 기온이 떨어지기 때문에 감기에 걸리기 쉽다. 평소에 복용하던 제품을 이용한다. ★★★

진통제 : 갑작스런 두통, 복통, 치통이 발생했을 때 필수품이다. 또 외상 시 통증을 완화시키는 역할을 한다. 평소에 복용하던 제품을 이용하고, 용법과 용량을 지킨다. ★★★

해열제 : 감기 등이 원인이 되어 발열이 발생할 경우 필수다. 특히, 어린이가 있는 경우 어린이용 해열제를 반드시 준비한다. ★★★

지사제 : 캠핑장에서는 상한 음식이나 물을 갈아 먹어 설사가 나는 경우가 많다. 화장실이 상대적으로 먼데다 시설도 불량한 곳이 많아 설사가 지속되면 고통이 크므로 지사제는 반드시 필요하다. 복용 시 용량을 지킨다. ★★★

변비약 : 야외에서 용변에 익숙하지 않은 이들에게 종종 변비가 발생한다. 특히, 캠핑이 길어지면 고통이 클 수 있으므로 준비하는 것이 좋다. ★★

오토캠핑 바이블

초판 1쇄 2021년 6월 25일

지은이 김산환
발행인 김산환
책임편집 윤소영
디자인 제이
펴낸 곳 꿈의지도
인쇄 다라니
출력 태산아이
종이 월드페이퍼

주소 경기도 파주시 경의로 1100, 604호
전화 070-7535-9416
팩스 031-947-1530
홈페이지 www.dreammap.co.kr
출판등록 2009년 10월 12일 제82호

ISBN 979-11-89469-32-0